UNICOM Inc.

前書き

◇この本の構成

問題（本冊）

＜文の文法1＞ 299問：13問×23回

＜文の文法2＞ 75問：5問×15回

＜文章の文法＞ 50問：1問題（小問5問）×10回

正解・解説（別冊）

◇この本の特徴と使い方

① 問題数が多い。

　新しい「日本語能力試験」を受けるみなさんがN3の「文法」をマスターするための練習問題が数多く入っています。N3までの文法項目が全部入っているのはもちろんですが、1つの項目が違う問題で2度も3度も出てきます。合格への近道は、とにかく問題をたくさんやってみることです。この本1冊の勉強で合格をめざすことができます。

② 回ごとに少しずつ進むことができる。

　少しずつ勉強を進めることができるように、3つの問題がそれぞれ10回〜23回に分けてあります。どこから始めても大丈夫ですが、1回ごとに、ページの右上の得点欄に点数を書き入れて現在の実力を測ってください。全部の回が終わったら、第1回に戻って、再チャレンジします。前に間違えた問題は、二度とまちがえないようにすることが大切です。

③ わかりやすい解説がついている。

　別冊に正解と問題の解説（ヒントや解き方）があります。勉強する時間があまりない人は、正解をチェックして、間違えた問題だけ、その解説を読んでみればいいでしょう。時間がある人は、正解できた問題でも、答えに自信がなかった問題は必ず解説の部分をゆっくりと、よく読んでください。解説を読むことで実力が大いに向上します。

④ 難しい説明には翻訳がついている。
　別冊では、難しい日本語の説明に、英語、中国語、韓国語の翻訳がついていますから、解説が読みやすく、わかりやすくなっています。

◇N3「文法」の勉強のポイント
<文の文法1>
　空白の中に適当な言葉を選択肢から選んで入れます。空白に入る言葉は、N3レベルの日本語学習者に欠かせない機能語類（表現文型）が中心になりますが、どれも日常よく使われる重要な表現ばかりですから、「文法」の分野だけでなく「読解」「聴解」の実力をつけるためにも、しっかりと勉強してください。

<文の文法2>
　文を正しく組み立てる新しい形式の問題です。この問題でも、問われるポイントは、やはり機能語の表現文型が中心になります。しかし、機能語の意味や使い方の知識だけでこの問題に正しく答えることはできません。今まで勉強した文法の規則の全部をカギにして文を組み立てる練習が必要です。なれないと少し難しいように感じるかもしれませんが、パズルを解くようなおもしろさもあります。練習問題をたくさん解いているうちにきっとこの問題が好きになるでしょう。

<文章の文法>
　まとまった文章の中に空白があります。文章の流れを理解したうえで、意味的に合い、しかも文法的に適切な言葉を選ぶ問題です。空白部に入るのは、助詞、接続詞、機能語類、文末表現などの文法的なもののほかに、意味から考えて文脈に合うような語句や文もあります。
　この問題を解くときは、まず、文章全体の意味を考えて、文章の流れや進み方をつかみます。次に、細かい部分に注目して、文と文の関係を考えながら、空白に入る言葉を選択肢から選びます。これだけのことを短い時間に行うのは、簡単ではありませんから、練習問題で、十分なトレーニングをすることが必要です。これは、読解の練習もかねる大変良い勉強になります。

Preface

◇ **Makeup of this book**

Questions (this book)

<Sentential Grammar 1> 299 questions: 13 questions x 23

<Sentential Grammar 2> 75 questions: 5 questions x 15

<Text Grammar> 50 questions: 1 passage (including 5 questions) x 10

Answers · Explanations (separate book)

◇ **Features of and how to use this book**

(1) A large number of questions are provided.

This book contains a large number of practice questions for those who are going to take the new Japanese-Language Proficiency Test, N3, to master the grammar section of this level. All the necessary grammar points for N3 are included here, and the same grammar points can be practiced repeatedly because they appear in different questions multiple times. A shortcut to passing the test would be to try as many questions as possible. If you study hard using this book alone, it is possible that you can eventually pass the new N3 Test.

(2) You can proceed gradually by taking one test at a time.

The three types of questions are split into 10 to 23 tests so you can study and practice just a little at a time. You can start wherever you like, but remember to put your score each time in the score space on the upper right side of the page, and measure your current level. When you are finished with all the questions, go back to the first one and try again. It is important not to make the same mistake you made before again.

(3) Helpful explanations are provided.

In the separate book, answers to the questions and explanations (useful tips on how to answer the questions) are provided, but if you don't have much time to study, you can read explanations of only the questions you gave wrong answers to, after you checked the correct answers. If you do have time, try to read the whole parts carefully, including the ones you gave the right answers to but you were not so certain about. You will surely be able to improve your skills greatly by reading the explanations carefully.

(4) Difficult explanations accompany translation.

The explanations in the separate book should be easy to understand because for rather difficult explanations, translations are provided in English, Chinese, and Korean.

◇ How to prepare for N3 Grammar

<Sentential Grammar 1>

In this section, you are to choose the appropriate words to fill in the blanks with. Most of the alternatives are functional words (structural expressions) that must be mastered by N3 students, and are very important because all of them are commonly-used in daily life. They are also helpful for the Reading and Listening sections, so study them hard.

<Sentential Grammar 2>

This section is made up of a new type of questions in which you are asked to rearrange the words and build sentences correctly. Again, the major points here are functional words and structural expressions. However, only the knowledge of the meanings and usages of those functional words will not enable you to answer the questions here correctly. It is necessary for you to practice building up sentences using all the grammar rules that you have learned so far. You may feel it is a little difficult before you get used to this type of questions, but you may later find it thrilling just like when you are trying to figure out a puzzle. You will certainly come to like this type of questions after working on a number of practice questions.

<Grammar for passages>

There are some blanks in a passage on a certain topic. You need to pick the right words that are appropriate in meaning and grammar, after you understand the general contents of the passage. Mostly grammatical elements such as particles, conjunctions, functional words, conclusive expressions, etc. are given for choices in the blanks, and sometimes phrases or sentences are given.

When answering these questions, you need to try to grasp the overall meaning of the passage, how it is constructed and developed. Next, you pay attention to more detailed parts, understand the co-relations of each sentence, and then pick the most suitable words from among the choices. It is not easy to do all of these in a short time, so it is necessary that you train yourself hard through the practice questions in this book. This will also help you improve your skills for the Reading section.

序言

◇这本书的构成

练习题（本册）

＜句子的文法1＞ 299题：13题×23回

＜句子的文法2＞ 75题：5题×15回

＜文章的文法＞ 50题：1题（小题5题）×10回

正确答案・解说（另册）

◇这本书的特征和用法

1 练习题多

为了使准备应试新"日本語能力試験"的学习者掌握N3的"文法"，本书收入了大量的练习题。N3的全部文法项目当然都收集其中，并且，对于一个项目，会出现两次，甚至三次的提问练习。及格的近道，就是大量地做习题。只要学习这一本书，就能向合格的目标挺进。

2 每回都能循序渐进地向前进展

为了循序渐槁地向前发展，三个部分的练习题，各自分成10回～23回。从哪儿做起都可以，每一次，都可在当页的右上角的得分栏中填入分数，测试现在的能力。全部的习题都做完后，可回到第一回，再次挑战。重要的是，上一次答错的问题不要再答错。

3 附有简而易懂的解说

在另册中有正确答案和练习题的解说（提示和解答方法）。没有时间学习的人，只要核对正确答案，然后读一下自己答错了的练习题的解说就可以了。有时间学习的人，即使回答正确，如果自己对答案不是很确信的话，也请慢慢地仔细阅读解说部分。如果能好好阅读解说，你的实力将会大大提高。

4 对比较难的解说，附有翻译文

在另册中，对比较难的解说，附有英文，中文和韩文的翻译，所以，解说容易读懂，容易理解。

◇ N3"文法"的学习要点

＜句子的文法 1＞

在选择项目中选择适当的词语填入空白处。在空白处填入的词语，主要是以 N3 水准的日语学习者必须掌握的机能词类（表现文形）为中心的词语。每个词语都是日常多用的重要表现，不仅仅是为了提高"文法"的领域实力，为了增强"阅读和理解""听力和理解"的实力，也请好好学习这部分。

＜句子的文法 2＞

为了能正确构成句子而推出的崭新形式的练习题。这些练习题的练习重点，当然也是以机能词语的表现文形为中心的。但是，只知道机能词语的意思，用法，并不能保证就能答对这些习题。有必要运用迄今为止学过的全部的文法规则，来练习句子的构成。还没习惯的时候可能会感到有些难，但会有解谜一般的乐趣。随着能解答越来越多的习题，你一定会喜欢这些习题的。

＜文章的文法＞

在一段文章中有数处空白。在理解文章的走势的前提下，选择符合文意，并且文法得当的词语的练习题。在空白处填入的词语，除了助词，连词，机能词语，句子结尾的表现之外，也有从文章意义上考虑，与文脉相符合的词语。

在解答这些练习题时，首先要考虑全文的意思，掌握文章的走势和展开方式。然后，注意细小部分，一边考虑句子与句子的关系，一边从选项中选择空白处的词语。要在短暂的时间内考虑这么多事，并不是那么容易的。

要正确解答习题，需要充分的练习。这对于"阅读和理解"的练习，也是非常好的学习。

머 리 말

◇이 책의 구성
문제 (본책)
< 문의 문법 1 > 299 문제 : 13 문제 x 23 회
< 문의 문법 2 > 75 문제 : 5 문제 x 15 회
< 문장의 문법 > 50 문제 : 1 문제 (소문 5 문) x 10 회
정답 · 해설 (별책)

◇이 책의 특징과 사용방법
1. 문제수가 많다.
　새로운「일본어능력시험」을 보시게 될 여러분이 N3 의 문법을 마스터할 수 있도록 연습문제를 많이 넣었습니다. N3 의 문법항목이 전부 들어가 있는 것은 물론이며, 다른 문제에서도 하나의 문법항목이 2 번이고 3 번이고 나옵니다. 합격으로의 지름길은, 무엇보다도 문제를 많이 풀어보는 것입니다. 이 책 한 권을 공부함으로써 합격을 이룰 수 있습니다.

2. 회마다 조금씩 공부를 진행해 갈 수 있다.
　조금씩 공부해 나갈 수 있도록, 3 개의 문제가 각각 10 회 ~23 회로 나눠져 있습니다. 어디에서 시작해도 괜찮습니다만, 1 회마다, 페이지 오른쪽상단의 득점란에 점수를 기입하여 현재의 실력을 측정해 보세요. 모든 회가 끝나면, 제 1 회로 돌아가, 다시 도전해 봅시다. 전에 틀린 문제는, 두 번 다시 틀리지 않는다는 것이 중요합니다.

3. 알기 쉬운 해설이 있다.
　별책에 정답과 문제의 해설 (힌트와 푸는 방법) 이 있습니다. 공부할 시간이 그다지 없는 사람은, 정답을 체크한 후 틀린 문제만 그에 관한 해설을 읽어 보는 것이 좋겠지요. 공부할 시간이 있는 사람은 정답을 맞추었더라도 대답에 자신이 없는 문제였다면, 반드시 해설 부분을 자세히 잘 읽어 보시기 바랍니다. 해설을 읽음으로써 실력은 크게 향상될 것입니다.

4. 어려운 설명에는 번역이 있다.
　별책에는, 어려운 일본어 설명에 영어, 중국어, 한국어의 번역이 있으므로, 해설이 읽기 쉽게, 알기 쉽도록 되어 있습니다.

◇ N3「문법」의 공부 포인트
< 문의 문법 1 >
 공백 안에 적당한 단어를 선택지에서 선택하여 넣습니다. 공백에 들어가는 단어는, N3 레벨의 일본어학습자에게 절대로 필요한 기능어류 (표현문형) 가 중심이 됩니다만, 어떠한 것도 일상에서 자주 사용되는 중요한 표현이므로,「문법」분야뿐만 아니라「독해」「청해」의 실력을 향상시키기 위해서도, 확실히 공부해 주시기 바랍니다.

< 문의 문법 2 >
 문을 올바르게 짜맞추는 새로운 형식의 문제입니다. 이 문제에서 언급되는 포인트 또한 역시 기능어의 표현문형이 중심이 됩니다. 그러나 기능어의 의미와 사용방법의 지식만으로는 이 문제의 정답을 맞출 수 없습니다. 지금까지 공부해온 문법의 규칙 전부를 열쇠로 삼아 문을 짜맞추는 연습이 필요합니다. 익숙해지지 않으면 어렵다고 느낄 수도 있습니다만, 퍼즐을 맞추는 것과 같은 즐거움도 있습니다. 연습문제를 많이 풀어가는 과정에 꼭 이 문제를 좋아하게 될 것입니다.

< 문장의 문법 >
 정리된 문장 안에 공백이 있습니다. 문장의 흐름을 이해한 상태에서, 의미상 적합하고, 문법적으로 적절한 단어를 선택하는 문제입니다. 공백에 들어가는 것은 조사, 접속사, 기능어류, 문미표현 등의 문법적인 것 외에, 의미상으로 생각했을 때 문맥에 맞을 것 같은 어구와 문도 있습니다.
 이 문제를 풀 때는, 먼저 문제전체의 의미를 파악하고 문장의 흐름과 진행방법을 이해해야 합니다. 다음으로 세세한 부분을 주목하여 문과 문의 관계를 생각하면서 공백에 들어갈 단어를 선택지에서 고릅니다. 이러한 과정이 짧은 시간 내에 이루어져야 하기에 간단하지는 않습니다. 그러므로 연습문제로 충분히 트레이닝할 필요가 있습니다. 이는, 독해연습도 함께 할 수 있는 좋은 공부가 될 것입니다.

目次

前書き ———————————————————————————— 2

Preface ———————————————————————————— 4

序言 ———————————————————————————— 6

머리말 ———————————————————————————— 8

目次 ———————————————————————————— 10

文の文法1 ———————————————————————————— 11

文の文法2 ———————————————————————————— 58

文章の文法 ———————————————————————————— 75

【別冊】正解・解説

<形>提示の凡例 ———————————————————————————— 2

文の文法1 ———————————————————————————— 3

文の文法2 ———————————————————————————— 70

文章の文法 ———————————————————————————— 86

文の文法1

　＜文の文法1＞には、1回13問ずつ、全部で23回（299問）の問題があります。実際の日本語能力試験も、＜文の文法1＞は13問ありますから、ここには試験23回分の問題が入っています。
　1回の13問中、7問～8問正解できれば、ほぼ合格ラインです。はじめは成績がよくなくても、回が進むにつれて、だんだん正解が増えて、最後に合格ラインに届くように努力してください。

第1回 文の文法1

日付	／	／	／
得点	／13	／13	／13

つぎの文の（　　）に入れるのに最もよいものを、1・2・3・4から一つえらびなさい。

【1】夏休みの（　　）、一度、九州にいる祖母に会いに行こうと思う。
　　1　間に　　　2　間　　　3　中で　　　4　中に

【2】ゆうべは一晩中子どもに泣かれて、（　　）。
　　1　しまった　　　　　　2　おそれいった
　　3　まいった　　　　　　4　まよった

【3】A「田中君に来月の社内研修を（　　）と思うんだが、どうだろう。」
　　B「そうですね。彼も少し勉強したほうがいいと思います。」
　　1　受けてみよう　　　　2　受けさせよう
　　3　受けられる　　　　　4　受けさせられる

【4】夜中、となりの部屋の人たちの笑い声があまりに大きいので、文句を（　　）。
　　1　言ってはいられなかった　　2　言わざるをえなかった
　　3　言わずにはいられなかった　4　言うほかしかたがなかった

【5】このケーキは、あまり（　　）ですね。
　　1　あまくなくておいしい　　2　あまくなっておいしい
　　3　あまくなくなっていていい　4　あまいのがいい

【6】勉強を始めた（　　）なのに、彼女はもう日本語がずいぶん話せる。
　　1　うち　　　2　ばかり　　　3　ところ　　　4　間

【7】うちの子はまだ小学1年生なのに、大人（　　）話し方をする。
　　1　らしい　　　2　気味の　　　3　そうな　　　4　っぽい

【8】自分の財産を全部（　　　）会社を続けたいと、社長は必死にがんばっている。
　　　1　つかってでも　2　つかったら　3　つかうなら　4　つかえば

【9】A「あのう、これ、旅行のおみやげです。お口に合うかどうか…。」
　　　B「（　　　）、申し訳ありません。ありがたくいただきます。」
　　　1　どれどれ　　　2　まあまあ　　　3　いやいや　　　4　それは、それは

【10】「プレゼン」（　　　）「プレゼンテーション」の短い言い方で、発表や提案をすることです。
　　　1　という　　　2　とは　　　3　といっては　　　4　とはいえ

【11】みなさま、こちらは当社の新製品でございます。ぜひ（　　　）ください。
　　　1　試して　　　2　試されて　　　3　お試しして　　　4　お試し

【12】この村は多くの若者が都会に出てしまうため、人口が減る（　　　）。
　　　1　だけしかない　2　一方だ　　　3　ことになった　4　つもりだ

【13】A「景気がなかなかよくなりませんね。」
　　　B「ええ、早く（　　　）ですね。」
　　　1　よくなりたい　　　　　　2　よくなってほしい
　　　3　よくなろうとしない　　　4　よくなりたがらない

第2回 文の文法1

日付	/	/	/
得点	/13	/13	/13

つぎの文の（　　　）に入れるのに最もよいものを、1・2・3・4から一つえらびなさい。

【14】A「買い物に行かなかったの？」
　　　B「うん、雨が降ってきたから、明日行く（　　　）。」
　　　1　ことになる　　　　　　2　ことにした
　　　3　ことにしている　　　　4　ことだ

【15】なぜ私がこんな不便なところに住んでいる（　　　）、緑が多くて静かだからだ。
　　　1　かというと　　2　ことかは　　3　のをいうと　　4　をいえば

【16】A「あのう、このファイル、しばらく使ってもいいですか。」
　　　B「あ、（　　　）。課長が使うとおっしゃっていたので。」
　　　1　使えないんです　　　　2　よくないです
　　　3　それはちょっと　　　　4　どうしましょう

【17】最近忙しくてちょっと疲れ（　　　）なので、今日は早く寝よう。
　　　1　気味　　　2　っぽい　　　3　みたい　　　4　がち

【18】あのレストランは高いし、まずいし、（　　　）サービスも悪い。もう二度と行きたくない。
　　　1　そこで　　　2　それは　　　3　それに　　　4　それが

【19】その子どもは、一人（　　　）座っていた。
　　　1　さびしそうな　　　　　2　さびしそうに
　　　3　さびしいそうに　　　　4　さびしいそうな

【20】私の報告は（　　　）。質問があれば、どうぞ。
　　1　以下のようです　　　　2　以内にあります
　　3　以上です　　　　　　　4　以外です

【21】あ、今、出かける（　　　）だから、あとでこっちから電話する。ごめんね。
　　1　とき　　　2　ところ　　　3　ばかり　　　4　とたん

【22】A「父は体調がよくなくて、先週から入院しています。」
　　B「そうですか。（　　　）。どうぞお大事に。」
　　1　それは困りますね　　　　2　それじゃ、いけないですね
　　3　それはいけませんね　　　4　それじゃ、いやですね

【23】A「この文章を翻訳してくれる人、だれかいないかなあ。」
　　B「韓国語ですか。じゃ、ソンさんに（　　　）。たぶんやってくれますよ。」
　　1　頼もうとしましょう　　　2　頼んだらどうですか
　　3　頼むならいいでしょう　　4　頼まないことはないでしょう

【24】姉と私は同じ大学に通っているが、姉が化学を学んでいるの（　　　）、私の専門は経営学だ。
　　1　にとって　　2　に対して　　3　に関して　　4　において

【25】花はサクラ（　　　）。サクラほど美しい花はない。
　　1　に限る　　2　による　　3　とする　　4　という

【26】その男が犯人ではない（　　　）、だれが店の金を盗んだのだろうか。
　　1　とともに　　2　ところで　　3　としたら　　4　といっても

第3回 文の文法1

日付	/	/	/
得点	/13	/13	/13

つぎの文の(　　　)に入れるのに最もよいものを、1・2・3・4から一つえらびなさい。

【27】「どうしたの、その顔。泥がついているよ。アハハハ。」と友だちに(　　)はずかしかった。
　　1　笑って　　　　　　　　　2　笑わせて
　　3　笑わせられて　　　　　　4　笑われて

【28】本日はアンケートにご協力いただき、ありがとうございました。(　　)こちらにお名前とご連絡先をご記入いただきたいのですが。
　　1　ご都合がよろしければ　　2　おじゃまでなければ
　　3　おさしつかえなければ　　4　ご心配なければ

【29】運転をするので、ビールを飲む(　　)、冷たいお茶を飲んでがまんした。
　　1　かわりに　　2　でさえ　　3　をはじめ　　4　にとって

【30】昔ここに大きな杉の木があった(　　)、このあたりが「杉の木町」と呼ばれるようになった。
　　1　ことから　　2　のから　　3　ことでは　　4　のは

【31】明日、もう一度こちらからお電話を(　　)。
　　1　されます　　2　いたします　　3　なさいます　　4　ございます

【32】明日は試験だから、(　　)家を出よう。
　　1　早いめに　　2　早いくらいに　　3　早さに　　4　早めに

【33】子どもの成長は早い。会う(　　)大きくなっている。
　　1　につれて　　2　おきに　　3　たびに　　4　うちに

【34】A「中村さん、元気かな。どうしているかな。」
　　B「私も、中村さんにはずっと（　　）から、気になっているの。」
　　1　会わない　　　　　　　　2　会ったことがない
　　3　会っていない　　　　　　4　会わなかった

【35】母は、以前は怒り（　　）が、最近はあまり怒らなくなった。
　　1　にくかった　2　そうだった　3　っぽかった　4　つつあった

【36】A「この仕事を1週間で終わらせるのは、ちょっと無理じゃないか。」
　　B「いや、がんばれば、（　　）。」
　　1　何とかするだろう　　　　2　何とかしたい
　　3　何とかなればいい　　　　4　何とかなるだろう

【37】新聞の字が昔より大きくなって、読み（　　）なった。
　　1　やすいく　2　やすく　3　やすいに　4　やすくて

【38】科学の研究は、（　　）するほど、おもしろくなる。
　　1　するなら　2　すれば　3　したら　4　すると

【39】A「ええと、今日の会議は何時から（　　）。」
　　B「3時からですよ。」
　　1　ですっけ　2　でしたっけ　3　でしたかな　4　ですかな

第4回
文の文法1

つぎの文の（　）に入れるのに最もよいものを、1・2・3・4から一つえらびなさい。

【40】A「山下君はまだ15歳だってね。」
　　　B「そう。彼、年の（　　）、大人っぽいね。」
　　　1　せい　　　2　わりには　　3　にしては　　4　ことだから

【41】母は今出かけています。何かご伝言があれば、（　　）が。
　　　1　いらっしゃいます　　　　2　うかがいます
　　　3　ございます　　　　　　　4　おっしゃいます

【42】論文は12月10日までに提出する（　　）。
　　　1　ことだ　　2　ものだ　　3　こと　　4　もの

【43】首相の発言（　　）不満が国民の間で高まっている。
　　　1　に対する　2　に関する　3　にとっての　4　においての

【44】A「お宅には、お子さんは何人いらっしゃいますか。」
　　　B「3人（　　）。」
　　　1　おられます　　　　　　　2　いたします
　　　3　おります　　　　　　　　4　まいります

【45】急いでいる（　　）赤信号で横断歩道を渡るのは、あぶない。
　　　1　からといって　2　せいで　　3　とすると　　4　にともなって

【46】課長、今夜のＳ社のパーティーに（　　）か。
　　　1　出席なされます　　　　　2　ご出席します
　　　3　ご出席なさります　　　　4　出席されます

【47】いろいろ考えた（　　　）、帰国しないで日本で就職することにした。
　　　1　ところ　　　2　ことから　　3　末　　　　　4　きり

【48】留学生活を終えて、2年（　　　）に国へ帰った。故郷の町は少しも変わっていなかった。
　　　1　ばかり　　　2　ぶり　　　　3　だけ　　　　4　かぎり

【49】不況がこのまま続けば、うちの会社も経営が苦しくなる（　　　）。
　　　1　ことはない　2　はずがない　3　に違いない　4　しかない

【50】このダンスクラブへの入会は、小学1年生から6年生までの子ども（　　　）。
　　　1　に限られている　　　　　2　に加えられている
　　　3　にしたがっている　　　　4　に対している

【51】A「自転車の修理、月曜日までに何とかなりませんか。」
　　　B「そうですねえ。ちょっと難しいけれど、でも、何とか（　　　）。」
　　　1　しましょう　　　　　　　2　なりましょう
　　　3　できないでしょう　　　　4　ならないでしょう

【52】パソコンがこわれてしまった（　　　）、仕事ができない。
　　　1　だから　　　2　ところで　　3　ために　　　4　ように

第5回 文の文法1

つぎの文の（　）に入れるのに最もよいものを、1・2・3・4から一つえらびなさい。

【53】A「この間は、たいへんお世話になりまして、ありがとうございました。」
　　　B「（　　　）。私のほうこそ、いろいろありがとうございました。」
　　1　いらっしゃいます　　　　2　申し訳ありません
　　3　とんでもありません　　　4　お聞きになります

【54】子どものとき、私はピアノ教室に（　　　）、それからピアノがきらいになった。
　　1　行かさせられて　　　　2　行かせられて
　　3　行かさせて　　　　　　4　行かれて

【55】ありがたい（　　　）、毎月5万円の奨学金がもらえることになった。
　　1　せいで　　2　おかげで　　3　ことに　　4　もので

【56】おいしい料理を作りたいなら、この本を見て（　　　）。いろんな料理が出ていますから。
　　1　作ってみたらいいですよ　　2　作ってみないとなりません
　　3　作ってみようとなります　　4　作ってみてみましょう

【57】種が多い果物は（　　　）、いやだ。
　　1　食べにくくて　　　　2　食べるにくくて
　　3　食べにくいで　　　　4　食べるにくいで

【58】「年の（　　　）、最近小さい字が見えにくい」と祖母が言う。
　　1　まま　　2　ところを　　3　せいか　　4　かのようで

【59】A「あのう、何かお手伝いすることがあったら、やりますが。」
　　　B「ありがとうございます。もうすぐ終わりますから、（　　　）。」
　　　1　どうぞごゆっくり　　　　2　ご心配なく
　　　3　お先に失礼します　　　　4　それほどでもありません

【60】今、赤ちゃんが寝た（　　　）だから、静かに入ってきてください。
　　　1　とたん　　2　ところ　　3　とき　　4　ころ

【61】この仕事は、経験のない人（　　　）ちょっと難しいでしょう。
　　　1　だって　　2　さえ　　3　では　　4　こそ

【62】兄は銀行で働いていて、毎日帰りが遅い。（　　　）、弟は日曜日も野球の練習に出かける。2人がそろって家にいることはめったにない。
　　　1　そのうち　　2　けっして　　3　一方　　4　反面

【63】A「すみません、子どもが寝ているので、もう少しテレビの音を（　　　）。」
　　　B「あ、すみません。」
　　　1　小さくしていただけませんか
　　　2　小さくしていただきませんか
　　　3　小さいにしていただけませんか
　　　4　小さいにしていただきませんか

【64】来月から始まるピカソの展覧会は国立美術館（　　　）行われる。
　　　1　において　　2　にとって　　3　について　　4　によって

【65】気象情報によると、今、日本に近づいている台風は大型で非常に強い（　　　）。
　　　1　といったことだ　　　　2　だそうだ
　　　3　ということだ　　　　　4　そうだという

第6回 文の文法1

つぎの文の（　　）に入れるのに最もよいものを、1・2・3・4から一つえらびなさい。

【66】 このパンはまだ温かい。焼き（　　）だ。
1　ばかり　　2　たて　　3　ところ　　4　そう

【67】 山田さんは、両親が日本人なのにアメリカと日本の国籍をもっている。これは彼がアメリカで生まれた（　　）。
1　ことにする　2　ことによる　3　よりほかない　4　わけだ

【68】 A「今年の夏は去年ほど暑くないですね。」
B「そうですね。少し涼しい（　　）ね。」
1　ような感じがします　　2　くらいではありません
3　みたいと思います　　　4　だと感じています

【69】 A4の大きさのコピー用紙を注文した（　　）、B5の紙が届いた。
1　ところだったが　　2　つもりだったのに
3　ことだったが　　　4　いっぽうで

【70】 夏休みに海外へ旅行（　　）、体の調子がよくない。
1　し終わって　2　して以来　3　したうえで　4　したあと

【71】 患者「あのう、先生、検査をもう一度するというのは、どこか悪いということですか。」
医者「いえ、それは（　　）。でも、よく調べてみる必要があります。」
1　何だか　　2　何とか　　3　何と　　4　何とも

【72】外国へ行くんですか。外国へ（　　　）、薬を持っていくのを忘れないように。
　　　1　行くなら　　2　行くと　　3　行けば　　4　行ったら

【73】A「君はもう仕事が終わったのか。じゃ、帰ってもいいよ。」
　　　B「すみません。では、お先に（　　　）。」
　　　1　失礼です　　2　失礼でした　　3　失礼します　　4　失礼しました

【74】私は祖母を2日（　　　）病院に連れていかなければならない。昨日行ったので、次はあさってだ。
　　　1　ずつ　　2　うちに　　3　おきに　　4　ごとに

【75】最近はインターネット（　　　）情報を集めることが多くなった。
　　　1　によって　　2　に対して　　3　について　　4　にとって

【76】A「社長は何時にお戻りになりますか。」
　　　B「4時ごろになると（　　　）いました。」
　　　1　おっしゃられて　　2　おっしゃって
　　　3　申されて　　　　　4　申し上げて

【77】入り口に車を（　　　）、中に入ることができない。
　　　1　止まられて　　　　2　止まっていて
　　　3　止めて　　　　　　4　止められて

【78】まり子は、私の自転車を借りた（　　　）、まだ返してくれない。
　　　1　きり　　2　とたん　　3　ところ　　4　こと

第7回
文の文法1

日付	/	/	/
得点	/13	/13	/13

つぎの文の(　　)に入れるのに最もよいものを、1・2・3・4から一つえらびなさい。

【79】主婦の立場（　　）、電気製品の新しい機能には要らないものも多い。
　　1　から見ると　　　　　2　ばかりでなく
　　3　について　　　　　　4　はもちろん

【80】田口君は、先生にあいさつも（　　）急いで帰ってしまった。
　　1　しずに　　2　せずに　　3　しなくて　　4　ないで

【81】今晩、仕事の後でビールを飲みに行くんですが、（　　）、いっしょにどうですか。
　　1　おかまいなく　　　　　2　よろしかったら
　　3　おじゃましますが　　　4　お疲れ様

【82】どれがいいかなあ。あ、これが（　　）。
　　1　いいそうだ　2　いさそうだ　3　よそうだ　4　よさそうだ

【83】暑くなる（　　）、電気の使用量が増える。
　　1　にしたがって　　　　2　に加えて
　　3　とおりに　　　　　　4　にもかかわらず

【84】これは、子どもがかいた（　　）上手な絵だ。
　　1　にとっては　2　にしては　3　としては　4　に対しては

【85】社員「来週の水曜日1時から会議を開きたいのですが、課長の（　　）。」
　　課長「ちょっと待ってください。スケジュールを調べますから。」
　　1　お約束がないでしょうか　　2　ご予定がないでしょうか
　　3　ご都合はいかがでしょうか　4　お手間はかかるでしょうか

【86】私は、仕事中にねむくなると、(　　　)。
　　1　寝てしまった　　　　　2　コーヒーを飲む
　　3　コーヒーを飲もう　　　4　寝てはいけない

【87】A「じゃ、行ってきます。」
　　B「いってらっしゃい。(　　　)。」
　　1　気をつかって　2　気にしないで　3　気がついて　4　気をつけて

【88】この仕事を今日中に全部終わらせる(　　　)無理です。できません。
　　1　ために　　2　ことが　　3　ほうが　　4　のは

【89】A「昨日は、(　　　)。楽しかったです。ありがとうございました。」
　　B「またぜひいらっしゃってくださいね。」
　　1　お世話しました　　　　2　おじゃましました
　　3　ごぶさたしました　　　4　承知しました

【90】小学生のときの友だちの住所を知りたいが、だれに聞いてもわからないので、あきらめる(　　　)。
　　1　べきだ　　2　わけがない　　3　ほかない　　4　ばかりだ

【91】A「すみません。英和辞典をお持ちでしたら、ちょっと貸していただけませんか。」
　　B「英和辞典(　　　)、ここにありますよ。はい、どうぞ。」
　　1　でも　　2　しか　　3　なんて　　4　なら

第8回 文の文法1

つぎの文の（　　）に入れるのに最もよいものを、1・2・3・4から一つえらびなさい。

【92】このマンションは駅に近くて便利だが、狭いので、一人暮らしの人（　　）だ。
　　1　ほう　　2　向き　　3　ため　　4　もの

【93】A「この仕事、だれに頼もうか。」
　　B「課長、ぜひ私に（　　）。」
　　1　やらせてください　　　2　やられてください
　　3　やらされてください　　4　やってください

【94】お客様のコートは、こちらで（　　）。
　　1　お預かりしていただきます　　2　お預かりなさいます
　　3　お預かりいたします　　　　　4　お預かりしてさし上げます

【95】事故で電車が止まってしまったので、学校へ（　　）。
　　1　行きたくても行けない　　2　行ってもかまわない
　　3　行くことがない　　　　　4　行ったことがない

【96】A「久しぶりね。もう10年ぶりくらいかしら。」
　　B「そうだな。今夜は二人（　　）で、ゆっくり酒でも飲もうよ。」
　　1　のみ　　2　きり　　3　ばかり　　4　ぐらい

【97】この港から日本の自動車が世界各国に（　　）。
　　1　運ばされる　　2　運んでいく　　3　運べる　　4　運ばれる

【98】歌手のSは声がすばらしい（　　）ダンスもうまいので、若者に人気がある。
　　1　だけに　　2　うえに　　3　ついでに　　4　わりに

【99】遠いところよく来てくださいました。さあさあ、お入りになってください。
（　　）。

1　お茶が飲みたいでしょう　　2　お茶を飲んでみませんか
3　お茶でもいかがですか　　　4　お茶をいただきたいですか

【100】病気で入院中の父親（　　　）、娘が出席した。

1　によって　　　　　　2　にともなって
3　にわたって　　　　　4　にかわって

【101】ゆうべ関東地方で起きた地震の被害はかなり大きかった（　　　）が、今日のニュースでわかった。

1　とのことだ　　2　とのものだ　　3　ということ　　4　というものだ

【102】A「田中さん、立派なお宅を建てられたそうですね。（　　　）」
B「いえ、いえ。せまい家ですけど、ぜひ遊びにいらっしゃってください」

1　お疲れ様でした　　　　　2　おかけください
3　おめでとうございます　　4　ごぶさたいたしました

【103】新しいタワーの（　　　）は350メートルあります。

1　高い　　　2　高いこと　　3　高み　　　4　高さ

【104】社長は来月奥様とごいっしょにヨーロッパへ（　　　）そうですよ。

1　いらっしゃる　　　　2　めしあがる
3　ご覧になる　　　　　4　おっしゃる

第9回 文の文法1

つぎの文の(　　)に入れるのに最もよいものを、1・2・3・4から一つえらびなさい。

【105】あ！カップが割れちゃった！お母さんに見つからない(　　)、捨てちゃおう。
　　　1　わりに　　2　ために　　3　まえに　　4　うちに

【106】何か不明な点がありましたら、どうぞ(　　)ご質問ください。
　　　1　ご遠慮なしに　　　　2　ご遠慮になって
　　　3　ご遠慮しなくて　　　4　ご遠慮なく

【107】来年大学を(　　)、父の会社で働くつもりです。
　　　1　出ると　　2　出れば　　3　出たら　　4　帰るなら

【108】かみなりが鳴った(　　)、部屋の電気が消えた。
　　　1　末に　　2　ところが　　3　とたん　　4　ばかりで

【109】A「(　　)。その後、みなさん、お元気ですか。」
　　　B「はい。おかげさまで。」
　　　1　はじめまして　　　　2　お大事に
　　　3　かしこまりました　　4　ごぶさたしております

【110】予定が変わったら、すぐに知らせて(　　)んですが。
　　　1　お願いしたい　2　くれました　3　もらいたい　4　くださいます

【111】ここは有名な小説家が子どものころに住んでいた町(　　)知られている。
　　　1　によって　　2　として　　3　について　　4　に対して

【112】あぶないから、夜、暗い道を一人で（　　　）。
1　歩かなきゃだめだよ　　　2　歩かなくちゃだめだよ
3　歩いちゃだめだよ　　　　4　歩いたってだめだよ

【113】M社の電気製品は、じょうぶで（　　　）。
1　こわしにくい　　　　　　2　こわれにくい
3　こわしやすい　　　　　　4　こわれやすい

【114】うちの母は、ほしいものなら値段（　　　）買ってしまう。
1　にかかわらず　　　　　　2　にもかかわらず
3　にかぎらず　　　　　　　4　にしても

【115】ファックスをお送りいたしますので、届きましたら、お電話を（　　　）。
1　頼んでもよろしいでしょうか　2　よろしくお願いしましょうか
3　いただけませんでしょうか　　4　いただきませんでしょうか

【116】A「なんか変なにおいが（　　　）ね。」
　　　B「あっ、やかんだ。お湯をわかしているのを忘れてた！」
1　ある　　　2　来る　　　3　する　　　4　出る

【117】A「明日の社長のご予定は？」
　　　B「明日は南区の新しい工場を（　　　）予定です。」
1　お見になる　　　　　　　2　ご拝見になる
3　ご覧になる　　　　　　　4　ご覧なさる

第10回
文の文法 1

つぎの文の（　　）に入れるのに最もよいものを、1・2・3・4から一つえらびなさい。

【118】書類の内容を（　　）みなさんに報告することはできません。
1　確認して以来
2　確認してからでないと
3　確認するなら
4　確認さえしないで

【119】たばこを（　　）と医者に言われたので、やめることにした。
1　吸わない　　2　吸うな　　3　吸わず　　4　吸わざる

【120】お忙しいところをおじゃまして（　　）が、ちょっとご相談したいことがありまして。
1　申し訳ありません
2　残念です
3　失礼しました
4　ご遠慮なく

【121】こんな古い車に乗っていると、事故を（　　）。
1　起こすわけにはいかない
2　起こすわけだ
3　起こしかねない
4　起こしかねる

【122】A「スイスに行ったことがありますか。」
　　　B「いいえ。ぜひ（　　）。」
1　行きませんでした
2　行ったことがありません
3　行きたいと思っていますが
4　行きたいと思いませんが

【123】A「塩を（　　）。」
　　　B「あ、お願いします。」
1　取ってもらいたいですか
2　お取りになってもよろしいですか
3　お取りしてもかまいませんよ
4　お取りいたしましょうか

【124】だいぶ（　　　）から、ストーブを片付けてしまいましょう。
　　1　あたたかかった　　　　2　あたたかくなる
　　3　あたたかくなってきた　4　あたたかくなりそうな

【125】電車が遅れた（　　　）、約束の時間に間に合わなかった。
　　1　からには　　2　せいで　　3　せいか　　4　からこそ

【126】来週は忙しいから、この週末はゆっくり（　　　）ほうがいい。
　　1　休んでみた　2　休んでおいた　3　休んだりした　4　休みつつあった

【127】課長、お留守中にS社の田中さんから電話がありました。あとでまた電話する（　　　）。
　　1　ことがあります　　　　2　とのことです
　　3　ことです　　　　　　　4　ということがあります

【128】A「森さんが結婚する（　　　）、知ってた？」
　　B「えっ、ほんとう？知らなかった。」
　　1　って　　2　っけ　　3　て　　4　では

【129】ここ、（　　　）やすくてあぶないよ。気をつけて。
　　1　すべる　　2　すべって　　3　すべら　　4　すべり

【130】A「部長、M社が来月新製品を発売するのを（　　　）。」
　　B「ああ、さっき社長から聞いた。」
　　1　ご存じになりますか　　2　存じていますか
　　3　ご存じですか　　　　　4　存じていらっしゃいますか

第11回
文の文法1

日付	/	/	/
得点	/13	/13	/13

つぎの文の（　　　）に入れるのに最もよいものを、1・2・3・4から一つえらびなさい。

【131】A「今日は、仕事がいろいろあって忙しかったなあ。さあ、帰ろう。」
　　　 B「（　　　）でした。」
　　　 1　お久しぶり　　　　　　2　おじゃまさま
　　　 3　おかげさま　　　　　　4　お疲れ様

【132】携帯電話（　　　）、財布もカメラも持つ必要がない。
　　　 1　さえあれば　2　こそあれば　3　ばかりあれば　4　ぐらいあれば

【133】あの人、雨が止んでいることに気がつかないで、かさを（　　　）歩いていますよ。
　　　 1　さしつつ　　　　　　　2　さしてあって
　　　 3　さしたまま　　　　　　4　さしておいて

【134】A「部長、今ちょっと（　　　）。」
　　　 B「はい、何ですか。」
　　　 1　いかがでしょうか　　　2　よろしいでしょうか
　　　 3　よさそうですか　　　　4　どうしましょうか

【135】すみません。たばこを吸いたいんですが、ここで（　　　）かまいませんか。
　　　 1　吸うことが　　　　　　2　吸えることは
　　　 3　吸ったら　　　　　　　4　吸っても

【136】そんなつまらないうわさ（　　　）、信じないほうがいいよ。
　　　 1　なんか　　2　くらい　　3　ほど　　4　みたい

【137】友だちが貸してくれた本は、（　　　）難しいので、ほとんど読めなかった。
　　　 1　そんなに　　2　めったに　　3　あまり　　4　けっして

【138】A「山田さんは子どものときアメリカに住んでいたんだって」
　　　B「あ、そうだったのか。英語が（　　　）ね」
　　1　上手そうだ　　　　　　2　上手なんだって
　　3　上手だといい　　　　　4　上手なわけだ

【139】これだけがんばったのだから、失敗した（　　　）、後悔はしないだろう。
　　1　といっても　　2　ところ　　3　としても　　4　とたん

【140】大学を卒業するまでに、英語が自由に話せる（　　　）と思っている。
　　1　ようになりたい　　　　2　なろう
　　3　ことになろう　　　　　4　なったらいい

【141】結婚を（　　　）そうですね。おめでとうございます。
　　1　なさった　　2　やられた　　3　いたした　　4　おっしゃった

【142】今年の夏は、去年（　　　）海外旅行に行く人が少ないらしい。
　　1　にともなって　　　　　2　はともかく
　　3　に比べて　　　　　　　4　に加えて

【143】この小説は、作者が子どものころの経験（　　　）書いたものだという。
　　1　をもとにして　　　　　2　につれて
　　3　に対して　　　　　　　4　のついでに

第12回 文の文法 1

つぎの文の(　　　)に入れるのに最もよいものを、1・2・3・4から一つえらびなさい。

【144】妻「京子が夏休みにアルバイトをやりたいって言っているんだけど、どうでしょう。」
夫「もう高校生なんだから、(　　　)いいんじゃないか。」
1　やらせても　2　やられても　3　やらせられても　4　やりたがっても

【145】A「国へ帰ってからも、私たちのことを忘れないでね。」
B「はい。みなさん、ほんとうに(　　　)。」
1　おじゃましました　　　2　お世話になりました
3　お待たせいたしました　4　ごぶさたいたしております

【146】名前を呼ばれたら、診察室に(　　　)。
1　入られてください　　2　お入りください
3　入りました　　　　　4　入っています

【147】息子が間違い(　　　)のテストを持って帰ってきた。
1　すぎ　　2　だらけ　　3　気味　　4　だけ

【148】昨日は一日中家にいました。(　　　)、大事な書類が届くのを待っているうちに夜になってしまったからです。
1　そういえば　2　そうすると　3　というのは　4　といっても

【149】A「お兄様は何を(　　　)んですか？」
B「実家で父の店を手伝っています。」
1　しております　　　2　なさっています
3　なさる　　　　　　4　していらっしゃる

【150】会議に遅れて来るなんて、いつもまじめな彼（　　　）。
　　1　らしい　　　2　らしくない　　3　みたいだ　　4　みたくない

【151】A「台風が来るから、週末は出かけられませんね。」
　　　B「あ、それが、台風は予想（　　　）こっちへは来ないようですよ。」
　　1　にかわり　　2　のわりに　　3　の反面　　4　に反して

【152】あちらに見えますのは、この地方で有名なお城（　　　）。
　　1　でおります　　　　　2　と申します
　　3　でいらっしゃいます　4　でございます

【153】今の政府に満足していると答えた人は、100人中16人（　　　）。
　　1　にすぎなかった　　　2　をしめた
　　3　しかなかった　　　　4　ほかなかった

【154】外国での生活は、思う（　　　）ならなくて、泣きたくなるときもある。
　　1　つもりに　　2　ように　　3　ことに　　4　ばかりに

【155】私は北海道へ一度も（　　　）けれど、きっと自然が美しいところだろう。
　　1　行かなかった　　　　2　行ったことがない
　　3　行くことができない　4　行くことがない

【156】みんながんばった（　　　）、今日は仕事が早く終わってよかった。
　　1　くせに　　2　のに　　3　せいで　　4　おかげで

第13回
文の文法1

つぎの文の（　　　）に入れるのに最もよいものを、1・2・3・4から一つえらびなさい。

【157】A社は新しい商品を発売する前に、主婦100人（　　　）アンケート調査を行った。
　　1　について　　2　にとって　　3　において　　4　に対して

【158】「いっしょに行かない？」と誘ったけれど、彼女は興味が（　　　）だった。
　　1　なさそう　　2　ないそう　　3　なそう　　4　ないさそう

【159】仕事がやっと片付きました。それでは、（　　　）。
　　1　失礼しました　2　失礼です　3　失礼でした　4　失礼します

【160】A「日曜日なのに、今日も会社に行くの？」
　　　B「ああ。部長も来るから、（　　　）。」
　　1　行かずにはいられないんだ　　2　行かざるをえないんだ
　　3　行くはずなんだ　　　　　　　4　行きかねるんだ

【161】A「あのう、このネクタイをプレゼント用に包んでもらえますか。」
　　　B「（　　　）。」
　　1　恐れ入ります　　　　2　存じております
　　3　かしこまりました　　4　承知です

【162】すみませんが、この資料をみなさんに（　　　）を手伝ってくれませんか。
　　1　配るの　　2　配って　　3　配るため　　4　配る

【163】子「おかあさん、ご飯、まだ？」
　　　母「今、作っている（　　　）だから、もうちょっと待って」
　　1　とき　　2　間　　3　ところ　　4　中

【164】この夏は電力不足が心配されています。できる（　　　）電気を使わないようにしましょう。
　　1　ばかり　　　2　ほど　　　3　だけ　　　4　ぐらい

【165】最近、食べ過ぎで（　　　）。これから食事に気をつけよう。
　　1　太っていった　　　　2　太っていく
　　3　太ってきた　　　　　4　太ってくる

【166】もし過去に戻れる（　　　）、小学生の頃に戻りたい。
　　1　として　　2　としたら　　3　としても　　4　といっても

【167】すみません。みんなで写真をとりたいので、シャッターを（　　　）。
　　1　おしてもらいますか　　　2　おさせていただけますか
　　3　おしてもらえませんか　　4　おしていただきますか

【168】A「昨日、テニスに行ったんでしょう？楽しかった？」
　　B「（　　　）、朝、急におなかがいたくなっちゃって、やめたんだ。」
　　1　これが　　2　それが　　3　これで　　4　それで

【169】彼は人のアイデアを、まるで自分が考えた（　　　）発表した。
　　1　かのように　　2　かといって　　3　ようになって　　4　ようなら

第14回 文の文法1

つぎの文の(　　)に入れるのに最もよいものを、1・2・3・4から一つえらびなさい。

【170】 地震（　　）、エレベーターは使用できません。
　　　 1　のうちは　　2　の際は　　3　においては　　4　によっては

【171】 高級レストランでごちそうを食べたつもりで（　　）。
　　　 1　料理がおいしかった　　　　2　お金がなくなった
　　　 3　友だちを誘ってみた　　　　4　その分を貯金した

【172】 たとえ小さい子ども（　　）、悪いことをしたらあやまらなければならない。
　　　 1　なら　　2　でも　　3　だったら　　4　だと

【173】 100枚のくじの中に当たりが1枚ある（　　）、当たる確率は1パーセントになる。
　　　 1　とすると　　2　にすると　　3　にすれば　　4　にしては

【174】 私は、子どものとき、よくけがをして親を（　　）。
　　　 1　心配してしまった　　　　2　心配させた
　　　 3　心配された　　　　　　　4　心配させられた

【175】 A「田中さんはいらっしゃいますか。」
　　　 B「田中さんはもう（　　）よ。」
　　　 1　お帰りになりました　　　2　お帰りしました
　　　 3　お帰りでございました　　4　お帰られました

【176】 子どもは成長する（　　）親の言うことをきかなくなる。
　　　 1　ところ　　2　たびに　　3　において　　4　とともに

【177】今度の日曜日ひま？ひま（　　　）、プールに行かない？
　　　1　だと　　　　2　なら　　　　3　ので　　　　4　たら

【178】A「課長、来週の出張（　　　）ちょっとご相談したいんですが。」
　　　B「うん。どんなこと。」
　　　1　について　　2　に比べて　　3　によって　　4　にとって

【179】お名前をお呼びするまで、しばらくこちらで（　　　）。
　　　1　待っていただきませんか
　　　2　お待ちいただけませんか
　　　3　お待ちしてくださいませんか
　　　4　待ってくださっていいですか

【180】ちょっと熱があるだけです。風邪ですから心配する（　　　）。
　　　1　ことはありません　　　　2　しかありません
　　　3　わけではありません　　　4　おそれがありません

【181】A「うわあ、アイスクリーム、いろいろ種類がある。迷うね。」
　　　B「うん、（　　　）。」
　　　1　どれかしようか　　　　2　どれにしようか
　　　3　どれがするか　　　　　4　どれをするか

【182】前にも言った（　　　）、最近書類のミスが多いです。注意してください。
　　　1　ために　　　2　ことで　　　3　ように　　　4　ところで

第15回 文の文法1

つぎの文の（　）に入れるのに最もよいものを、1・2・3・4から一つえらびなさい。

【183】会議の（　）に私の電話が鳴った。あわてて電話を切った。
1　中間　　　2　うち　　　3　最中　　　4　かぎり

【184】努力を忘れないでがんばる（　）、やさしいことではありません。
1　ときは　　2　ものは　　3　ことは　　4　ところは

【185】コーチが熱心に指導してくださった（　）、ぼくたちは優勝できたんです。
1　そんなに　2　めったに　3　からこそ　4　たいてい

【186】いくら（　）、生活が楽にならない。
1　働いたら　2　働いても　3　働くのに　4　働かなくても

【187】台風の影響で、今夜から明日の朝（　）雨と風が強くなるでしょう。
1　において　2　にかけて　3　につれて　4　をはじめ

【188】A「あら、中村さん、（　）ね。」
　　　B「ほんとうに。お変わりありませんか。」
1　お久しぶりです　　　　2　恐れ入ります
3　申し訳ありませんでした　4　承知いたしました

【189】われわれのチームのほうが相手チームより力が上だから、明日の試合は（　）そうだ。
1　勝つ　　　2　勝って　　3　勝て　　　4　勝てる

【190】最終電車に乗り遅れてしまった。お金がないので歩いて帰る（　　　）。
1　ことにしている　　　　2　しかない
3　にきまっている　　　　4　にすぎない

【191】A「こちらの商品を来週までに100個いただきたいんですが。」
B「はい、（　　　）。どうもありがとうございます。」
1　了解させてください　　　2　ご了解いただきました
3　ご承知でございます　　　4　承知いたしました

【192】うちの息子は、貯金を（　　　）、もらった給料を全部つかってしまう。
1　しないから　　　　2　しないことに
3　しないので　　　　4　しないで

【193】A「このシャツ、すてきだけど、サイズがちょっと小さいな。」
B「大きいのがあるかどうか、店の人に聞いて（　　　）？」
1　みたり　　2　みると　　3　みるなら　　4　みれば

【194】A「お宅の息子さん、大きくなられたでしょうね。」
B「ええ、（　　　）来年中学生になります。」
1　おかげさまで　　　　2　お世話になって
3　お久しぶりで　　　　4　おじゃまして

【195】この店の店員は、若くてハンサムな男性（　　　）だ。
1　ばかり　　2　ほど　　3　あまり　　4　なんか

第16回 文の文法1

日付	/	/	/
得点	/13	/13	/13

つぎの文の(　　)に入れるのに最もよいものを、1・2・3・4から一つえらびなさい。

【196】私の家から5分(　　)歩いたところに、大きな公園がある。
　　1　ごろ　　　2　くらいに　　3　ほど　　　4　ばかりを

【197】この携帯電話は(　　)、デザインもいいから、若者に人気があります。
　　1　色がきれいだからと　　　2　色もきれいなために
　　3　色がきれいなので　　　　4　色もきれいだし

【198】A「はじめまして。山田一郎の母でございます。いつも息子が(　　)。」
　　　B「こちらこそ。」
　　1　お世話しております　　　2　お世話になっております
　　3　ごぶさたしております　　4　ごぶさたになっております

【199】教師の教えることがすべて正しいとは言い(　　)。
　　1　限らない　　2　限る　　3　きらない　　4　きれない

【200】この美術館の休館日は月曜日です。(　　)、月曜日が祝日の場合は、休館日は火曜日になります。
　　1　それが　　2　ただし　　3　それとも　　4　つまり

【201】A「課長、あのう、私、少し体調が悪いんです。明日、病院へ行きたいので、(　　)。」
　　　B「そうですか。いいですよ。お大事に。」
　　1　休んでいただきたいのですが
　　2　休んでくださいませんか
　　3　休ませていただけませんか
　　4　休まれてくださいませんか

【202】卒業が近いのに仕事が（　　　）困っている学生が多いらしい。
　　1　見つけないで　　　　　2　見つけなくて
　　3　見つからなくて　　　　4　見つからないで

【203】このパソコンは、説明書に書いてある（　　　）操作すれば、だれでもすぐに使える。
　　1　わりには　　2　ために　　3　とおりに　　4　をたよりに

【204】A「台風が日本に近づいている（　　　）。」
　　B「うん。今日は早く帰ったほうがいいね。」
　　1　だって　　2　んだって　　3　んでは　　4　んで

【205】ただ今満員ですので、（　　　）、少しお待ちいただけますか。
　　1　さっそくですが　　　　2　ごめんどうですが
　　3　恐れ入りますが　　　　4　ごめんなさい

【206】A「今日のお昼ご飯は、どこで何を食べようか。」
　　B「そうねえ…。あの、新しいカレーの店（　　　）。」
　　1　ぐらいはどう　2　さえどう　　3　こそどう　　4　なんかどう

【207】風邪が悪くなったみたいだ。頭痛（　　　）、熱も出てきた。
　　1　に比べて　　2　に加えて　　3　に限らず　　4　にわたって

【208】この仕事は、だれも（　　　）。でも、川田さんがやってくれた。
　　1　やりたくない　　　　　2　やろうとした
　　3　やりたがらなかった　　4　やろうと思った

第17回
文の文法1

日付	/	/	/
得点	/13	/13	/13

つぎの文の(　　)に入れるのに最もよいものを、1・2・3・4から一つえらびなさい。

【209】A「具合が悪そうですね。風邪、まだ治らないんですか。」
　　　B「ええ。ずっと薬を飲んでいるんですが、(　　)よくならないんです。」
　　　1　けっして　　2　ぜったいに　　3　なかなか　　4　かならず

【210】A「来週(　　)と思いますが、ご都合はいかがでしょうか。」
　　　B「木曜日の午後でしたら会社に(　　)ので、どうぞ。」
　　　1　あいたい／おります　　　　2　ご覧になりたい／います
　　　3　お目にかかりたい／おります　4　お目にかかりたい／いらっしゃいます

【211】この本は、私には(　　)すぎる。終わりまで読むのはちょっと無理だ。
　　　1　難しく　　2　難し　　3　難しい　　4　難しくて

【212】国民を幸せにしてくれるのはあの人だけだ。あの人(　　)新しい時代のリーダーだ。
　　　1　だけ　　2　こそ　　3　なら　　4　さえ

【213】家を(　　)とき、急に雨が降ってきたので、自転車で出かけるのをやめた。
　　　1　出ようとした　2　出るとした　3　出ようとする　4　出るとする

【214】洋子さんが会社を辞める(　　)、結婚するからです。
　　　1　ので　　2　のに　　3　のは　　4　のが

【215】こちらの商品(　　)ご質問は、電話かメールで受け付けております。
　　　1　に関する　　2　における　　3　にかわる　　4　による

【216】お客様にお知らせいたします。事故のため電車が遅れております。（　　　）ところ、申し訳ありませんが、しばらくお待ちください。

1　急ぐ　　　2　お急ぎの　　　3　急いでいる　　　4　お急ぎだった

【217】A「送別会をやる店、まだ予約してないんだろう？」
B「あ、そうだ。あの店、週末はこむから、早めに予約（　　　）。」

1　してしまっとこう　　　2　しといておこう
3　しといておかなくちゃ　　　4　しとかなきゃ

【218】天気予報によると、今年の夏はいつもより暑くなる（　　　）ことだ。

1　らしい　　　2　という　　　3　そうな　　　4　はずの

【219】国際会議に出席する（　　　）、来週イギリスに行きます。

1　ために　　　2　ことで　　　3　ように　　　4　はずで

【220】残業している部下がいるのに、上司の私が先に帰る（　　　）。

1　ほうではない　　　2　ものはない
3　ことではない　　　4　わけにはいかない

【221】さあ、料理ができたわよ。（　　　）。おなか、すいたでしょう？

1　お気をつけて　　　2　お待ちどおさま
3　おかまいなく　　　4　お待ちください

第18回
文の文法 1

つぎの文の（　　　）に入れるのに最もよいものを、1・2・3・4から一つえらびなさい。

【222】今、掃除をしているから、窓は（　　　）ください。
1　開けておいたままで　　　　2　開けたままでして
3　開けたままにしておいて　　4　開けておくままにして

【223】入社したばかりのころは満員電車で通勤するのがつらかったが、毎日乗っている（　　　）、すっかり慣れてしまった。
1　ときに　　2　うちに　　3　ついでに　　4　たびに

【224】人に頼まないで、自分でやれば（　　　）。私たち、みんな忙しいんですよ。
1　よくないでしょう　　　2　いいと思うでしょう
3　いいじゃないですか　　4　よくありませんね

【225】A「お金は、今払わなければなりませんか。」
　　　B「いいえ、この次ここに来るとき（　　　）かまいませんよ。」
1　でも　　2　なら　　3　だったら　　4　にも

【226】明日は午後から大雨になる（　　　）ので、朝、お出かけのとき、かさをお持ちください。
1　ほかない　　　　　2　おそれがある
3　にきまっている　　4　にすぎない

【227】A「明日の世界サッカー、どっちが勝つかな。」
　　　B「どっちも強いから（　　　）ね。」
1　何とか言う　　　2　何とも言えない
3　何ともない　　　4　何でもない

【228】人の物をだまって持ってきてはいけないことぐらい、子ども（　　）知っています。

1　だけに　　　2　こそ　　　3　ならば　　　4　さえ

【229】A「試験どうだった。難しかった？」
B「（　　）よ。」
1　そんなに難しかった　　　2　なかなか難しくなかった
3　かえって難しかった　　　4　それほど難しくなかった

【230】空が暗くなる（　　）、月が明るく見えるようになります。

1　としても　　2　につれて　　3　に対して　　4　ところが

【231】私は、ケーキやチョコレート（　　）甘い食べ物は苦手だ。

1　という　　2　といった　　3　というと　　4　といい

【232】顔がよく似ているから、あの2人は兄弟（　　）。

1　そうだ　　　2　ようだ　　　3　違いない　　　4　らしい

【233】この町にはA社を（　　）多くの外国企業の工場がある。

1　はじめ　　2　もとに　　3　きっかけに　　4　もちろん

【234】A「Bさん、ちょっとこの資料（　　）よ。」
B「あ、どうぞご覧ください。」
1　お目にかかります　　　2　お見せします
3　拝見します　　　　　　4　ご覧に入れます

第19回 文の文法1

日付	/	/	/
得点	/13	/13	/13

つぎの文の(　　)に入れるのに最もよいものを、1・2・3・4から一つえらびなさい。

【235】彼はいつも友だちに物を借りる(　　)、自分の物はだれにも貸そうとしない。
　　1　からこそ　　2　くせに　　3　せいで　　4　ぐらいなら

【236】私が金持ち(　　)、あの家を買うんだけどなあ。
　　1　だからして　　　　2　だったら
　　3　だからといって　　4　だからこそ

【237】A「今年の春、娘が結婚しまして…。」
　　　B「そうですか。(　　)、失礼しました。おめでとうございます。」
　　1　ご存じで　　　　2　存じませんで
　　3　気づきませんで　4　恐れ入りまして

【238】「ノンアルコール」(　　) アルコールが入っていない酒のことだ。
　　1　というとは　2　とのことは　3　としては　4　というのは

【239】この学校では、3か月(　　)実力テストが行われる。
　　1　ごとに　　2　ずつ　　3　のたびに　　4　ほど

【240】一郎くん、もう元気になった(　　)。どうだろう。電話してみよう。
　　1　かな　　2　っけ　　3　とは　　4　って

【241】小さいころからいっしょに育ってきた彼は、私(　　)兄のような人だ。
　　1　について　2　に加えて　3　において　4　にとって

【242】これはこの地方の名物料理です。（　　　）ことがありますか。
　　1　いただいた　　　　　　2　召し上がった
　　3　お召しになった　　　　4　拝見した

【243】A「どうしたら、先輩みたいにうまくできるようになりますか。」
　　　B「うん、もっともっと練習する（　　　）。」
　　1　ということだ　2　ことだ　　3　わけだ　　4　そうだ

【244】田川課長は、英語（　　　）、ロシア語もアラビア語もできる語学の天才だ。
　　1　がもちろん　2　はともかく　3　がともかく　4　はもちろん

【245】A「ようこそいらっしゃいました。どうぞお入りください。お茶でもいれましょう。」
　　　B「あ、すぐに失礼しますので、（　　　）。」
　　1　お気の毒に　　　　　　2　おじゃまします
　　3　おかげさまで　　　　　4　おかまいなく

【246】あの二人は仲がよさそうだったから、（　　　）離婚するとは思わなかった。
　　1　まんいち　　2　たとえ　　3　もし　　4　まさか

【247】東京本社での会議に出る（　　　）、東京の営業所にもあいさつに行ってこよう。
　　1　うちに　　2　がてら　　3　ついでに　　4　つもりで

第20回 文の文法1

つぎの文の（　　　）に入れるのに最もよいものを、1・2・3・4から一つえらびなさい。

【248】新しい家に引っ越しました。ぜひ（　　　）。
1　よろしくお願いします　　　2　遊びに来てください
3　新しい住所をお知らせします　4　お訪ねしましょう

【249】もう一度彼女に（　　　）。会えるといいなあ。
1　会うかなあ　　　　　　　　2　会えないかなあ
3　会いたいかなあ　　　　　　4　会えるものかなあ

【250】疲れているときは、ミスをしてしまい（　　　）。
1　っぽい　　2　気味だ　　3　がちだ　　4　すぎる

【251】結婚のお祝いを（　　　）でいるのは失礼だから、お返しの品物を送ったほうがいい。
1　もらったばかり　　　　　　2　もらったところ
3　もらっただけ　　　　　　　4　もらいっぱなし

【252】明日はサービスデーになりますので、ご来店のお客様には300円分の買い物券を（　　　）。
1　くださいます　2　さしあげます　3　いただきます　4　いただけます

【253】A「部長、明日の会議ですが、社長がご病気なので中止するということで（　　　）。」
　　　B「うん。社長がいらっしゃらないと話が進まないから、しかたがないね。」
1　いいでしょう　　　　　　　2　よくないでしょう
3　よろしいでしょう　　　　　4　よろしいでしょうか

【254】ふだん元気な人（　　　）、体調のよくない日がある。
　　　1　とは　　　　2　だけ　　　　3　でも　　　　4　しか

【255】大学院の教授にメールを送った（　　　）、すぐに返事が来た。
　　　1　ばかりに　　2　さい　　　　3　ところ　　　4　とたん

【256】A「お久しぶりです。3年ぶりにアメリカから帰ってまいりました。」
　　　B「おお、（　　　）。元気そうでよかった。」
　　　1　恐れ入ります　　　　　　2　おかげさまで
　　　3　ごぶさたですね　　　　　4　しばらくぶりだね

【257】海外に転勤になる（　　　）、まったく考えていなかった。
　　　1　ほど　　　　2　なんて　　　3　くらい　　　4　こそ

【258】A「あ、きれいな鳥がこっちに飛んでくる（　　　）見える。」
　　　B「え？どこ、どこ。」
　　　1　ことが　　　2　ことを　　　3　のを　　　　4　のが

【259】財布を落とされたんですか？それは（　　　）でしょう。少しならお貸ししますよ。
　　　1　困る　　　　2　困り　　　　3　お困る　　　4　お困り

【260】毎日甘いものばかり食べていたら、（　　　）。
　　　1　太ることはない　　　　　　2　太らずにはいられない
　　　3　太るわけがない　　　　　　4　太るにきまっている

第21回 文の文法1

つぎの文の(　　)に入れるのに最もよいものを、1・2・3・4から一つえらびなさい。

【261】彼は正直な人で、(　　)うそをつかない。
　　　1　ずいぶん　　2　だいぶ　　3　よく　　4　けっして

【262】こんなところに食べ(　　)のお弁当がある。だれのかな。
　　　1　すぎ　　2　おき　　3　かけ　　4　がち

【263】イギリスに留学していた(　　)3か月間だけなので、英語では日常会話ぐらいしかできません。
　　　1　くせに　　2　といっても　3　としても　4　にかかわらず

【264】明日の朝は早く家を出るから、寝坊しない(　　)にしよう。
　　　1　こと　　2　ほう　　3　よう　　4　ため

【265】A「この猫の写真、かわいいね。」
　　　B「うん。あ、(　　)、となりの家の猫、最近見ないね。どうしたんだろう。」
　　　1　そういえば　2　そうすると　3　ということは　4　というわけで

【266】山道を2時間歩き続けたら、もう一歩も歩けない(　　)疲れてしまった。
　　　1　ように　　2　だけに　　3　ばかり　　4　ほど

【267】地球の環境の変化によって、美しい自然が減り(　　)ある。
　　　1　かかって　　2　つつ　　3　ながら　　4　てばかり

【268】母「たかし、テレビの音を小さく（　　　）。お父さんが電話してるんだから。」
　　　子「わかったよ。」
　　　1　なるな　　　2　なりなさい　　3　するな　　　4　しなさい

【269】A「すみません、このパンフレット、ひとつ（　　　）。」
　　　B「どうぞ、お持ちください。」
　　　1　いただいてもよろしいですか　　2　いただいたらどうですか
　　　3　いただきますか　　　　　　　　4　いただけたいんですが

【270】最近では女性（　　　）男性も化粧をするそうだ。
　　　1　に限り　　　2　に限らず　　3　に反して　　4　にかかわらず

【271】わからないことがあると、辞書（　　　）、インターネット（　　　）調べます。
　　　1　でとか／でとか　　　　　2　とか／とかで
　　　3　や／など　　　　　　　　4　など／などで

【272】A「課長、あのう、風邪を引いて具合が悪いので、今日休ませていただけませんか。」
　　　B「わかりました。どうぞ（　　　）。」
　　　1　ごゆっくり　　2　お気の毒に　　3　お大事に　　4　おかまいなく

【273】電気を節約しようと思っているが、暑い日はエアコンを（　　　）。
　　　1　つけざるをえない　　　　　2　つけないではいられない
　　　3　つけるわけにはいかない　　4　つけるわけではない

第22回
文の文法1

つぎの文の（　）に入れるのに最もよいものを、1・2・3・4から一つえらびなさい。

【274】うちの息子は勉強の成績は（　）、やさしくて、性格がいい。
　　1　ばかりでなく　2　とにかく　　3　ともかく　　4　とわず

【275】私には友だちがたくさんいるが、ときどき、一人でいたいと思う（　）。
　　1　ことになる　　2　ことがある　3　ことにする　4　ことである

【276】この国での留学生活は私にとって忘れ（　）思い出になるだろう。
　　1　がたい　　　　2　にくい　　　3　づらい　　　4　かねる

【277】A「この子が絵にかいたのは楽しい想像の世界ですね。」
　　　B「ええ、この絵には子ども（　）があふれていますね。」
　　1　みたい　　　　2　っぽい　　　3　らしさ　　　4　のよう

【278】（　）全部ですか。少ないですね。
　　1　これで　　　　2　これが　　　3　これほど　　4　これなら

【279】A「ほら、野菜が残っているじゃないの。どうして食べないの。」
　　　B「だって、これ、きらいなんだ（　）。」
　　1　もん　　　　　2　って　　　　3　から　　　　4　っけ

【280】これからの社会を（　）のは、今の子どもたちです。
　　1　作ってしまう　2　作っていく　3　作ってきた　4　作っている

【281】部屋に大きなソファーを置きたいが、部屋を（　）スペースがない。
　　1　片付けないでも　　　　　2　片付けるとともに
　　3　片付けないことには　　　4　片付けたにしては

【282】A「うちの社長が今度本を出しまして…。」
　　　B「ええ、それは、もちろん（　　　）。」
　　　1　お目にかかります　　　　2　いただきました
　　　3　ご存じです　　　　　　　4　存じております

【283】まじめな西川さんが仕事をさぼって遊びに行った（　　　）、ちょっと考えられません。
　　　1　とは　　　2　のを　　　3　ことを　　　4　かが

【284】時間（　　　）会場に着けるように、電車の時間を調べておこう。
　　　1　ちょうど　　2　どおりに　　3　と同じで　　4　のうちに

【285】社員「次の打ち合わせですが、部長の（　　　）、金曜日の午後はいかがでしょうか。」
　　　部長「ええ、いいですよ。」
　　　1　おじゃまでなければ　　　　2　ご都合がよろしければ
　　　3　ご用があれば　　　　　　　4　おひまなら

【286】空は晴れている（　　　）、雨が降っている。変な天気だ。
　　　1　のに　　　2　から　　　3　ので　　　4　だが

第23回 文の文法1

つぎの文の(　　)に入れるのに最もよいものを、1・2・3・4から一つえらびなさい。

【287】あんな人に手伝ってもらう(　　)、たいへんでも一人でがんばるほうがいい。
　　1　といっても　　2　くらいなら　　3　にしては　　4　かというと

【288】今日もまた部長に「残業してくれ」と言われると思ったら、(　　)。
　　1　帰りが遅くなりそうだ　　　2　何も言われなかった
　　3　妻に電話で連絡した　　　　4　仕事の準備を始めた

【289】A「まりちゃん、ずいぶんピアノが上手になりましたね。」
　　　B「いえいえ、(　　)。まだまだです。」
　　1　そうでもありません　　　　2　うれしいですね
　　3　それほどでもありません　　4　ありがとうございます

【290】A「君はみんなとカラオケに行かないの？」
　　　B「うん。明日テストだから、帰って勉強(　　)。」
　　1　すると　　2　しようと　　3　できると　　4　しないと

【291】子どもが生まれると、夫婦は子ども(　　)生活するようになる。
　　1　をはじめとして　　　　2　を中心にして
　　3　はともかくとして　　　4　にわたって

【292】A「足のけが、いかがですか。もうだいじょうぶですか。」
　　　B「ええ、もう(　　)んです。ご心配をおかけしました。」
　　1　何とかした　　　　2　何ともない
　　3　何とかなる　　　　4　何とも言えない

【293】雨が降り続いている。このまま雨が続けば川があふれる（　　　）と心配だ。
1　のでない　　　　　　　2　のではないか
3　こともない　　　　　　4　ではないか

【294】夫は医者に注意された（　　　）たばこをやめようとしない。
1　からには　　　　　　　2　にもかかわらず
3　にもとづいて　　　　　4　おかげで

【295】ここの景色は、絵（　　　）きれいだ。
1　のみたいに　　2　のみたい　　3　みたいな　　4　みたいに

【296】この仕事は、危険がある（　　　）、給料がいい。
1　反対　　　　2　反面　　　　3　半分　　　　4　対面

【297】目上の人に向かって、そんな失礼なことを（　　　）。
1　言うべきではない　　　　2　言わざるをえない
3　言うはずではない　　　　4　言うわけではない

【298】A「今日はお招きいただきまして、ありがとうございます。」
　　　B「よくいらっしゃいました。どうぞ（　　　）なさってください。」
1　ごゆっくり　　2　遠慮なく　　3　よろしく　　4　心配なく

【299】今まではアニメにあまり興味がなかったのだが、このアニメ映画はなかなか
（　　　）。
1　つまらない　　2　おもしろい　　3　くだらない　　4　おもしろくない

文の文法2

　＜文の文法2＞には、1回5問ずつ、全部で15回（75問）の問題があります。実際の日本語能力試験も、＜文の文法2＞は5問ありますから、ここには試験15回分の問題が入っています。
　1回の5問中、3～4問正解できれば、ほぼ合格ラインです。はじめは成績がよくなくても、回が進むにつれて、だんだん正解が増えて、最後に合格ラインに届くように努力してください。
　次のページに解き方の例があります。しかし、＜文の文法2＞の問題の解き方のポイントは1つだけではなく、ポイントが2つ以上ある問題もあります。つまり、正解への道は1本だけではないかもしれません。もちろんどの道を通っても、正解は同じで、1つだけです。1つの道がわかったら、2本目の道も探してみるとおもしろいでしょう。持っている文法の力を100パーセント働かせてみてください。

問題例

つぎの文の ___★___ に入る最もよいものを、1・2・3・4から一つえらびなさい。

この歌を_____ _____ ___★___ _____思い出す。
　　　　1　恋人を　　　2　たびに　　　3　学生時代の　　4　聞く

[解き方]

①「たびに」の前に動詞・辞書形が来る　⇒「聞くたびに」

②「聞く」の前は「歌を」が合う　⇒「この歌を聞くたびに」

この歌を　__聞く__　__たびに__　___★___　_____　思い出す。

③「思い出す」の前に「〜を」が来る　⇒「恋人を思い出す」

この歌を　__聞く__　__たびに__　___★___　__恋人を__　思い出す。

④第３空白（★）に「学生時代の」が入る。正しい文になる。

この歌を　__4 聞く__　__2 たびに__　__3 学生時代の__　__1 恋人を__　思い出す。

⑤ ___★___ に入る番号「3」をえらぶ。

第1回
文の文法2

日付	/	/	/
得点	/5	/5	/5

つぎの文の ___★___ に入る最もよいものを、1・2・3・4から一つえらびなさい。

【1】 部長が出席できないので、_____ _____ __★__ _____が出席します。

　　 1　の　　　　2　部長　　　　3　私　　　　4　かわりに

【2】 私は山田さんの、仕事_____ __★__ _____ _____います。

　　 1　尊敬して　　2　態度を　　3　に対する　　4　考え方と

【3】 私のような貧乏人に_____ _____ __★__ _____じゃありませんか。

　　 1　すごい車が　　2　はずがない　　3　買える　　4　あんな

【4】 明日は_____ __★__ _____ _____いけないんだ。いやだなあ。

　　 1　休日　　　　2　行かなきゃ　　3　なのに　　4　会社へ

【5】 ここの市役所はいつもこんでいる。書類を1枚_____ __★__ _____ _____こともある。

　　 1　のに　　　　2　もらう　　　　3　待たされる　　4　1時間も

第2回 文の文法2

日付	/	/	/
得点	/5	/5	/5

つぎの文の ★ に入る最もよいものを、1・2・3・4から一つえらびなさい。

【6】 この大学に入るときは、＿＿＿＿ ＿＿＿＿ ＿★＿ ＿＿＿＿要る。
　　1　合わせて　　2　授業料を　　3　多額の金が　　4　入学金と

【7】 勉強だけに集中したいが、＿＿＿＿ ＿＿＿＿ ＿★＿ ＿＿＿＿ほかない。
　　1　生活費が　　2　ので　　3　足りない　　4　アルバイトする

【8】 今日は、＿＿＿＿ ＿★＿ ＿＿＿＿ ＿＿＿＿、朝ご飯を食べなかった。
　　1　遅く　　2　せいで　　3　ねぼうして　　4　なった

【9】 「外来語」＿＿＿＿ ＿★＿ ＿＿＿＿ ＿＿＿＿ことです。
　　1　ことばの　　2　外国から　　3　というのは　　4　来た

【10】 うちの子は、＿＿＿＿ ＿★＿ ＿＿＿＿ ＿＿＿＿から、将来を楽しみにしている。
　　1　ともかく　　2　好きだ　　3　試験の成績は　　4　数学が

第3回 文の文法2

日付	/	/	/
得点	/5	/5	/5

つぎの文の ___★___ に入る最もよいものを、1・2・3・4から一つえらびなさい。

【11】 沖縄(おきなわ)の海はとてもきれいですから、_____ _____ ___★___ _____ですか。

1　どう　　　2　みたら　　　3　行って　　　4　ぜひ

【12】 私は、ときどき_____ _____ ___★___ _____ので、いつもかばんに薬を入れている。

1　痛(いた)くなる　　2　ある　　3　ことが　　4　頭が

【13】 試合(しあい)は、雨が_____ ___★___ _____ _____行います。

1　降らないに　　2　降(ふ)る　　3　予定(よてい)どおり　　4　かかわらず

【14】 あの人とは、_____ ___★___ _____ _____機会(きかい)がなかった。

1　会う　　　　　　　2　友人(ゆうじん)の結婚式(けっこんしき)で
3　以来　　　　　　　4　会って

【15】 甘(あま)いものは歯(は)に悪いということで、子どもに_____ _____ ___★___ _____親もいるそうだ。

1　食べさせない　　　2　チョコレートを
3　している　　　　　4　ように

第4回 文の文法2

つぎの文の ___★___ に入る最もよいものを、1・2・3・4から一つえらびなさい。

【16】 課長、今日の_____ ___★___ _____ _____ましたか。
　　1　会議の　　　　2　通され　　　3　目を　　　　4　資料に

【17】 動物園で写真をとるときは、_____ _____ ___★___ _____ してください。
　　1　ことが　　　　2　驚かせる　　3　動物を　　　4　ないように

【18】 今年は去年に_____ ___★___ _____ _____、生活がしやすい。
　　1　冬の間の　　　2　高めなので　3　気温が　　　4　比べて

【19】 この数日はあたたかくて、_____ ___★___ _____ _____ が、今日はとても寒い一日だった。
　　1　らしい　　　　2　続いていた　3　天気が　　　4　春

【20】 私が社長から_____ ___★___ _____ _____でした。
　　1　のは　　　　　2　そのことを　3　先週　　　　4　うかがった

第5回 文の文法2

つぎの文の ___★___ に入る最もよいものを、1・2・3・4から一つえらびなさい。

【21】 甘いものが_____ ___★___ _____ _____食べない。
1　きらいな　　2　けれど　　3　ほとんど　　4　わけではない

【22】 今年の冬は新型の_____ _____ ___★___ _____ので、注意してください。
1　インフルエンザが　　2　おそれがある
3　全国的に　　4　流行する

【23】 夏は_____ ___★___ _____ _____使用量が増える。
1　電気の　　2　気温が　　3　とともに　　4　上がる

【24】 本日は_____ ___★___ _____ _____ありがとうございました。
1　おいで　　2　ところ　　3　くださって　　4　お忙しい

【25】 昨日からの_____ _____ ___★___ _____だけでなく、東区にも広がっています。
1　大雨　　2　西区　　3　による　　4　被害は

第6回 文の文法2

日付	/	/	/
得点	/5	/5	/5

つぎの文の ___★___ に入る最もよいものを、1・2・3・4から一つえらびなさい。

【26】 昨日は、雨が降る_____ _____ ___★___ _____天気がよかった。
　　1　という　　　2　だろう　　　3　に反して　　　4　予報

【27】 弟は_____ _____ ___★___ _____ある。
　　1　小さい　　　2　体が　　　3　力が　　　4　わりには

【28】 A「事故があったんですって。」
　　B「ええ、電車が動くまでは、かなり_____ _____ ___★___ _____ですね。」
　　1　かかり　　　2　様子　　　3　そうな　　　4　時間が

【29】 山田さんは、健康のために、毎朝_____ ___★___ _____ _____そうです。
　　1　運動を　　　2　している　　　3　ことに　　　4　する

【30】 学生時代に_____ ___★___ _____ _____、ほんとうによかった。
　　1　出会えて　　　2　ような　　　3　友人に　　　4　あなたの

第7回
文の文法2

日付	/	/	/
得点	/5	/5	/5

つぎの文の ___★___ に入る最もよいものを、1・2・3・4から一つえらびなさい。

【31】 あんなにおとなしい学生だった広子が_____ _____ __★__ _____想像できなかった。
　　1　政治家に　　2　とは　　3　まったく　　4　なる

【32】 あの人のスピーチは、テーマが_____ __★__ _____ _____と思った。
　　1　にくい　　2　難し　　3　わかり　　4　すぎて

【33】 たかし君、受験生が_____ _____ __★__ _____いて、いいの？
　　1　勉強を　　2　遊んで　　3　しないで　　4　ばかり

【34】 母に_____ _____ __★__ _____とき、母から電話がかかってきた。
　　1　しよう　　2　電話を　　3　した　　4　と

【35】 もう何度もあやまったのだから、_____ __★__ _____ _____ありませんか。
　　1　いい
　　2　しからなくても
　　3　のでは
　　4　そんなに

第8回 文の文法2

つぎの文の ___★___ に入る最もよいものを、1・2・3・4から一つえらびなさい。

【36】 どんなに_____ _____ ___★___ _____上手には歌えない。
　　1　しても　　　2　みたいに　　3　練習を　　4　山田さん

【37】 私の家はとても古いので、_____ ___★___ _____ _____ない かと思う。
　　1　こわれる　　2　のでは　　　3　来たら　　4　大きい地震が

【38】 年を_____ ___★___ _____ _____変わることもある。
　　1　につれて　　2　好きな　　　3　食べ物が　　4　とる

【39】 病気のときは、_____ _____ ___★___ _____、治らない。
　　1　ことには　　2　何でも　　　3　食べない　　4　いいから

【40】 環境問題は、_____ _____ ___★___ _____なっている。
　　1　限らず　　　2　大きく　　　3　日本に　　　4　世界中で

第9回 文の文法2

つぎの文の ___★___ に入る最もよいものを、1・2・3・4から一つえらびなさい。

【41】 お皿の上の_____ _____ ___★___ _____デザートを食べちゃだめよ。

　　1　食べて　　　2　うちに　　　3　しまわない　　4　料理を

【42】 新入社員は、来週から_____ _____ ___★___ _____ことになった。

　　1　本社で　　　2　参加する　　3　研修に　　　4　行われる

【43】 私の夫は料理が好きで、_____ _____ ___★___ _____くれる。

　　1　はもちろん　2　作って　　　3　簡単な料理　　4　ごちそうも

【44】 A「部長、田中さんが病気で会議に出られなくなったそうです。」
　　　B「そうか。じゃ、彼の_____ ___★___ _____ _____だろう。」

　　1　出席させたら　2　石田さんを　3　どう　　　　4　かわりに

【45】 私には、家族と離れて_____ ___★___ _____ _____がある。

　　1　続けたい　　2　暮らして　　3　でも　　　　4　仕事

第10回 文の文法2

つぎの文の ___★___ に入る最もよいものを、1・2・3・4から一つえらびなさい。

【46】 昨日行ったレストランでは、注文した＿＿＿＿ ＿＿＿＿ ＿★＿ ＿＿＿＿しまった。

1　来なくて　　　　　　　2　いらいらして
3　料理が　　　　　　　　4　なかなか

【47】 テレビの修理が終わりましたらご連絡しますので、＿＿＿＿ ＿＿＿＿ ＿★＿ ＿＿＿＿でしょうか。

1　ご連絡先を　　　　　　2　いただけません
3　お客様の　　　　　　　4　教えて

【48】 今年は夏に気温が＿＿＿＿ ＿★＿ ＿＿＿＿ ＿＿＿＿ため、野菜の育ちがよくない。

1　上がらなかった　　　　2　多かった
3　雨が　　　　　　　　　4　うえに

【49】 書類の書き方がわからなければ、＿＿＿＿ ＿★＿ ＿＿＿＿ ＿＿＿＿書いてください。

1　教えて　　2　もらったり　　3　だれかに　　4　して

【50】 彼を＿＿＿＿ ＿★＿ ＿＿＿＿ ＿＿＿＿好きになる。

1　彼が　　2　知れば　　3　ほど　　4　知る

第11回 文の文法2

日付	/	/	/
得点	/5	/5	/5

つぎの文の ___★___ に入る最もよいものを、1・2・3・4から一つえらびなさい。

【51】 生活が苦しいからといって、_____ _____ ___★___ _____ んですよ。

1　税金を　　　2　納めるべき　　3　納めない　　4　わけにはいかない

【52】 この地方は、毎年_____ _____ ___★___ _____観光客でこむ。

1　8月　　　　2　にかけて　　　3　から　　　　4　7月

【53】 集合の場所も時間も忘れてしまったので、_____ ___★___ _____ _____ありません。

1　みる　　　　2　電話して　　　3　聞いて　　　4　しか

【54】 明日は事務所の掃除をしますので、_____ _____ ___★___ _____来てください。

1　服を　　　　2　やすい　　　　3　着て　　　　4　動き

【55】 ここに_____ _____ ___★___ _____限られています。

1　ことができる　　　　2　のは
3　30分以内に　　　　 4　駐車する

第12回 文の文法2

日付	/	/	/
得点	/5	/5	/5

つぎの文の ___★___ に入る最もよいものを、1・2・3・4から一つえらびなさい。

【56】 姉は、_____ _____ ___★___ _____、別のボーイフレンドからもらった手紙を大切にしている。
　　　1　いる　　　　2　恋人（こいびと）　　　3　くせに　　　4　が

【57】 彼（かれ）は、_____ ___★___ _____けれど、将来（しょうらい）は社長になるかもしれない。
　　　1　ただの　　　2　今は　　　3　すぎない　　　4　社員に

【58】 運動するために、_____ _____ ___★___ _____ようにしています。
　　　1　エレベーターを　　　　2　階段（かいだん）を
　　　3　使わずに　　　　　　　4　使う

【59】 最近（さいきん）、私、_____ ___★___ _____ _____いるんです。
　　　1　ねむくて　　2　困（こま）って　　3　ねても　　4　いくら

【60】 今日は2月_____ ___★___ _____ _____です。
　　　1　春になった　　　　　2　あたたかくて
　　　3　にしては　　　　　　4　かのよう

第13回 文の文法2

つぎの文の ＿＿★＿＿ に入る最もよいものを、1・2・3・4から一つえらびなさい。

【61】両親に学費を出してもらっているので、今後も勉強を続けるかどうかは、＿＿＿＿ ＿＿＿＿ ★ ＿＿＿＿決められない。
　　1　両親に　　2　でないと　　3　から　　4　相談して

【62】昨日は、すごく疲れていたので、電車の中で＿＿＿＿ ★ ＿＿＿＿ ＿＿＿＿しまった。
　　1　して　　2　いねむりを　　3　まま　　4　立った

【63】問題が難しい＿＿＿＿ ★ ＿＿＿＿ ＿＿＿＿のは、よくない。
　　1　すぐに　　2　といって　　3　から　　4　あきらめる

【64】僕たちがいくらがんばっても、＿＿＿＿ ★ ＿＿＿＿ ＿＿＿＿にきまっている。
　　1　チームには　　2　世界一の　　3　実力が　　4　負ける

【65】出発までまだ時間があるから、＿＿＿＿ ＿＿＿＿ ★ ＿＿＿＿でしょう。
　　1　ない　　2　そんなに　　3　ことは　　4　あわてる

第14回 文の文法2

つぎの文の ＿＿★＿＿ に入る最もよいものを、1・2・3・4から一つえらびなさい。

【66】 林君は、私が＿＿＿＿ ＿★＿ ＿＿＿＿ ＿＿＿＿、まだ仕事をおぼえていない。

1　何度も　　　2　かかわらず　　3　教えた　　　4　にも

【67】 春の＿＿＿＿ ＿★＿ ＿＿＿＿ ＿＿＿＿でございます。ご案内のはがきをお送りしますので、ぜひご来店ください。

1　新製品の　　2　3月　　　　3　発売は　　　4　上旬

【68】 うちの娘は＿＿＿＿ ＿＿＿＿ ＿★＿ ＿＿＿＿使っている。

1　さえ　　　　2　ひま　　　　3　携帯電話を　4　あれば

【69】 できることはぜんぶやったのだから、たとえ＿＿＿＿ ＿＿＿＿ ＿★＿ ＿＿＿＿だろう。

1　後悔し　　　2　ない　　　　3　失敗し　　　4　ても

【70】 お金がないから、外国旅行＿＿＿＿ ＿＿＿＿ ＿★＿ ＿＿＿＿ません。

1　行け　　　　2　たくても　　3　行き　　　　4　なんて

第15回 文の文法２

つぎの文の ___★___ に入る最もよいものを、1・2・3・4から一つえらびなさい。

【71】 彼は最近_____ _____ ___★___ _____が、どうしたのだろう。

1　ばかり　　　2　酒　　　3　ようだ　　　4　飲んでいる

【72】 海岸のゴミを拾うという_____ ___★___ _____ _____続けられている。

1　中心にして　　　　　2　K大学の
3　ボランティア活動が　　4　卒業生を

【73】 外国人だ_____ ___★___ _____ _____もある。

1　からこそ　　2　すばらしさ　　3　発見できる　　4　その国の

【74】 家に_____ _____ ___★___ _____きた。ぬれないでよかった。

1　雨が　　　2　着いた　　　3　降って　　　4　とたん

【75】 広告によると、Y店ではパソコンが_____ _____ ___★___ _____ので、さっそく行ってみた。

1　買える　　　2　安く　　　3　ことだった　　　4　という

文章の文法

　＜文章の文法＞には、1回1問題ずつ、全部で10回（10問題）の問題があります。実際の日本語能力試験も、＜文章の文法＞は1問題ですから、ここには試験10回分の問題が入っています。1問題には小問が5問あります。**この5問中、3〜4問正解できれば、ほぼ合格ラインです。**はじめは成績がよくなくても、回が進むにつれて、だんだん正解が増えて、最後に合格ラインに届くように努力してください。

第1回 文章の文法

日付	/	/	/
得点	/5	/5	/5

つぎの文章を読んで、文章全体の内容を考えて、1 から 5 の中に入る最もよいものを、1・2・3・4から一つえらびなさい。

　　　　　　　　　　この薬の使い方

　ご使用の前にこの説明書を必ずお読みください。また、必要なときに 1 、大切にしまっておいてください。

　この薬はかゆいところに速く、よく効きます。さらっとした液体ですが、容器の先にスポンジがついているので、 2 なっています。無香料なので、においを気にせず使用できます。

　 3 。まず、傷があるところ、目のまわり、くちびるなどに使用しないでください。それから、同じところに続けて長く使用しないでください。 4 、顔は2週間以内、その他のところは4週間以内にしてください。以上のことに気をつけないと、症状が 5 。使用したところが赤くはれた場合や、5，6日間使用しても治らない場合は医師に相談してください。

1
1　読むために　　　　　2　読めるために
3　読むように　　　　　4　読めるように

2
1　つけやすく　　　　　2　つけやすいに
3　つけるように　　　　4　つけられやすく

3
1　注意する点があります　2　いい点があります
3　悪い点があります　　　4　すごい点があります

4
1　つまり　　　　　　　2　もちろん
3　たとえば　　　　　　4　それとも

5
1　悪くならずにはいられません
2　悪くなることになっています
3　悪くなるにきまっています
4　悪くなるおそれがあります

第2回 文章の文法

日付	／	／	／
得点	／5	／5	／5

つぎの文章を読んで、文章全体の内容を考えて、 1 から 5 の中に入る最もよいものを、1・2・3・4から一つえらびなさい。

　家は、その土地の気候や人びとの暮らし方に合わせてつくられています。日本の気候は、冬は空気が乾いていますが、夏は蒸し暑くなります。ですから、日本では昔からこの気候に合わせた家が　1　。

　日本の家にはたたみの部屋があって、和室と呼ばれています。たたみはイグサという草から作られています。イグサは空気中の水分をよく吸収するので、蒸し暑さを弱めてくれます。和室には、和紙で作られた障子もあります。和紙は、夏には強い太陽の光を防ぎ、冬には冷たい空気が部屋の中に入る　2　防ぎます。

　しかし、最近の日本人はたたみに座らないで、いすに座ることが多くなりましたから、日本の家では和室が　3　。また、最近は、新しく「緑のカーテン」というものが使われ始めています。これは植物を使ったカーテンです。窓の外側に植えた植物の葉は、夏の強い光を防ぎます。さらに、窓から入ってくる風は窓の外側の植物が出す水分　4　冷やされているので、部屋の中がすずしく感じられます。この緑のカーテンは、日本の気候や現代日本人の暮らし方によく合っていますから、これからの日本の家に　5　。

1
1　つくられました　　　　　2　つくってあります
3　つくられてきました　　　4　つくっておきました

2
1　ことが　　　　　　　　　2　のを
3　とか　　　　　　　　　　4　ものを

3
1　減るだけです　　　　　　2　減りやすいです
3　減ってもかまいません　　4　減りつつあります

4
1　にとって　　　　　　　　2　につれて
3　にともなって　　　　　　4　によって

5
1　増えてきました　　　　　2　見られなくなるはずです
3　使われていくでしょう　　4　減っていきそうです

第3回 文章の文法

日付	/	/	/
得点	/5	/5	/5

つぎの文章を読んで、文章全体の内容を考えて、 1 から 5 の中に入る最もよいものを、1・2・3・4から一つえらびなさい。

　最近、外国で活躍する日本人のスポーツ選手が増えている。体の大きなアメリカやヨーロッパの選手たちの中で日本人選手が戦うためには、高い技術が必要である。そのうえ、チームのメンバーとのコミュニケーションや日常の生活で、その国の言葉ができないことは、おそらく大きなストレスに 1 。ところが、先日、ドイツのチームに入った若いサッカー選手が「僕はあいさつぐらいしかドイツ語はできません」と言うのを聞いた。彼は「サッカーのことなら単語はなんとなくわかるし、日常生活だって言葉 2 できなくても、なんとかなりますよ」と明るく話していた。また、あるゴルフの選手が英語を勉強している理由を聞かれて、「外国人が言った冗談が 3 自分だけ笑えないのがくやしかったからですよ」と笑って答えた。

　「技術を高めよう」「言葉を覚えよう」と努力するのは大切なことだ。しかし、「外国人に負けないようにしよう」と思って努力し続けたら、つらくなる 4 だろう。「なんとかなる」と考えて心配しすぎないこと。「冗談がわかるようになる」「みんなといっしょに笑う」などの楽しい目標を作ること。このような心の余裕や前向きな考え方 5 が、外国で活躍するスポーツ選手にとって必要なのだろう。

1
1　なるに違いない　　　　2　なってばかりいる
3　なるにすぎない　　　　4　なろうとする

2
1　ばかり　　　　　　　　2　しか
3　さえ　　　　　　　　　4　なんか

3
1　むずかしそうで　　　　2　理解できないなら
3　わからないせいで　　　4　聞こえなかったために

4
1　ことになる　　　　　　2　ことによる
3　ことはない　　　　　　4　こともある

5
1　ほど　　　　　　　　　2　こそ
3　だけ　　　　　　　　　4　くらい

第4回 文章の文法

日付	/	/	/
得点	/5	/5	/5

つぎの文章を読んで、文章全体の内容を考えて、 1 から 5 の中に入る最もよいものを、1・2・3・4から一つえらびなさい。

　外国で暮らしている友人によると、日本ほど食べ物に関する情報が多い国はないという。そういえば、テレビのバラエティー番組はもちろん、ニュース番組 1 食べ物の情報を伝えている。テレビだけではない。新聞には毎日のように日本全国のおいしい食べ物をすすめる広告が入っているし、雑誌も、 2 といってもいいくらいだ。

　先日、電車の中で「温泉旅行。お一人様にイセエビ1匹、またはアワビ2個付き」という広告を見た。確かに「イセエビ」、「アワビ」はめったに食べられない高い食べ物である。しかし、このような情報は旅行に行く場所を決めるための最も重要な情報なのだろうか。温泉へ行くのだから、おふろのお湯がいいとか、リラックスできる環境がすばらしいとか、旅行会社がすすめることは、 3 。

　日本人の旅行者にとっては、美しい自然や有名な建物を見ることよりもごちそうのほうが大切だということらしい。世界中を 4 、こんな旅行の広告があるのは日本だけかもしれない。日本人は食べることしか 5 のかと思うと少しさびしくなる。

1
1　のほかは　　　　　2　までも
3　こそ　　　　　　　4　だけは

2
1　景色のきれいなところを紹介した記事が多い
2　楽しい旅行の情報があふれている
3　食べ物の情報が出ていないものはない
4　おいしい料理の作り方が出ていないことがない

3
1　ほかにもあるのだろうか
2　いろいろあるはずだ
3　あまり多くないはずだ
4　さまざまでなければならない

4
1　さがしてみないと　　　2　さがしたとしても
3　さがしてみなければ　　4　さがしたところ

5
1　楽しみがある　　　　　　2　楽しみがない
3　楽しまなければならない　4　楽しまずにはいられない

第5回 文章の文法

日付	/	/	/
得点	/5	/5	/5

つぎの文章を読んで、文章全体の内容を考えて、 1 から 5 の中に入る最もよいものを、1・2・3・4から一つえらびなさい。

7月は北海道を旅行する 1 最高の季節です。北海道の美しい自然を楽しむ旅に参加してみませんか。金曜日1日だけ休みを 2 いいという、どなたにも参加しやすいスケジュールです。

7月の北海道と言えば、青いラベンダーの花畑でしょう。その美しいラベンダー畑 3 、大雪山や摩周湖など北海道のすばらしい自然を楽しんでいただきます。また、チーズ工場を見学して、チーズ作りを体験していただきます。個人の旅行では 4 行けないワイン工場にもご案内します。さらに、自由時間には、乗馬や、気球で空を飛ぶプランや、北海道のお土産の買い物プランなど、いろいろなプランを用意しました。もちろん、お泊まりには自然に囲まれたおしゃれなホテルを選びました。

この機会に、ぜひ 5 。

1
1　のが　　　　　　　　2　のを
3　のに　　　　　　　　4　ので

2
1　とるから　　　　　　2　とれば
3　とらないと　　　　　4　とっても

3
1　はもちろん　　　　　2　はともかく
3　にかわって　　　　　4　にともなって

4
1　なかなか　　　　　　2　また
3　だいぶ　　　　　　　4　だいたい

5
1　参加なさい　　　　　2　ご参加なさい
3　参加ください　　　　4　ご参加ください

第6回 文章の文法

日付	／	／	／
得点	／5	／5	／5

つぎの文章を読んで、文章全体の内容を考えて、 1 から 5 の中に入る最もよいものを、1・2・3・4から一つえらびなさい。

　　夏が 1 、私は、小学生のころ、毎朝、祖父といっしょにした『ラジオ体操』を思い出します。たいていの日本人は、この夏休みの行事をよく覚えていて、なつかしく感じるのではないでしょうか。

　　この『ラジオ体操』 2 、その名前のとおりラジオから流れてくる音楽に合わせてみんなでする体操のことです。朝、まだ 3 、近所の人々が決められた場所に集まって行います。子どもたちは、夏休みの間、夜遅くまで遊びがちになり、朝、起きられません。しかし、この体操 4 、子どもたちは規則正しい生活ができるし、運動不足を防ぐこともできます。だれにでもできるこの簡単な体操は、1925年に始まって以来、日本中に広まって、今もなお続けられています。

　　『ラジオ体操』は、もともとは、子どもたちの健康を願う親の気持ちから生まれたものです。その親の気持ちは、 5 、変わりません。きっとこれからも続けられていくことでしょう。

1
1　来れば　　　　　　　2　来るたび
3　来たとき　　　　　　4　来た場合

2
1　というのは　　　　　2　といえば
3　ということは　　　　4　といっても

3
1　暑くなるうちに　　　2　すずしいうちに
3　暑い間に　　　　　　4　すずしくならない間に

4
1　のせいで　　　　　　2　について
3　のうえ　　　　　　　4　のおかげで

5
1　子どもたちがいなくても　　2　子どもがよろこんでも
3　時代が変わっても　　　　　4　ラジオ体操が終わっても

第7回 文章の文法

つぎの文章を読んで、文章全体の内容を考えて、 1 から 5 の中に入る最もよいものを、1・2・3・4から一つえらびなさい。

木村先生

　毎日雨が続いていますが、お元気でいらっしゃいますか。私は先週ひどい風邪を引いてしまいました。昨日やっと熱が下がって、 1 。今年の風邪は長く続くそうですから、先生もお気を付けになってください。

　 2 、みどり町にできた新しい美術館にはもういらっしゃいましたか。先生がお好きな画家の絵がたくさんあるそうです。トムさんが先週見に行って、とてもよかったと言っていました。私もぜひ行ってみたいと思っていますが、なかなか 3 。もしご覧になったら、ご感想を 4 。よろしくお願いします。

　では、またお便りいたします。 5 。

　　　　　　　　　　　　　　　　　　　　　　　　　　　　山田　まり子

1

1　仕事に行くことになりました
2　仕事に行けるようになりました
3　仕事に行くはずがありませんでした
4　仕事に行ってもかまいませんでした

2

1　しかし　　　　　　　2　また
3　ところで　　　　　　4　そして

3

1　出かけられます　　　2　出かけません
3　時間があります　　　4　時間ができません

4

1　お聞かせください
2　お聞きになってください
3　聞かせていただいてください
4　聞かさせてください

5

1　では、また明日　　　　　2　お世話になりました
3　お体にお気を付けて　　　4　どうぞご遠慮なく

第8回 文章の文法

日付	/	/	/
得点	/5	/5	/5

つぎの文章を読んで、文章全体の内容を考えて、1 から 5 の中に入る最もよいものを、1・2・3・4から一つえらびなさい。

　私たちの体の約60％は水です。そのなかの5％がなくなると、体温が上がって体の具合が悪くなります。特に、夏は、 1 たくさんの汗をかいて、体の中の水が 2 のです。「のどがかわいたな」と感じたときは、 3 という脳からの信号が出たときです。夏はのどがかわく前から、なるべく水を飲むようにしましょう。

　一日に必要な水は、約1.5ℓです。1回にたくさん飲むのではなく、朝起きたとき、おふろに入った後、寝る前など、何回かに分けて飲んだほうがいいです。

　 4 、スポーツなどでたくさん汗をかいたときには、水よりもスポーツドリンクを飲むほうがいいでしょう。スポーツドリンクを飲むと、体に早く水が取り入れられて、疲れをとってくれるのです。ただし、砂糖が入っていますから 5 。太ってしまうかもしれません。

1
1　知らないことに　　　　2　知らないように
3　知らないほどに　　　　4　知らないうちに

2
1　足りなくなるわけ　　　　2　足りなくなりやすい
3　足りなくなってしまった　4　足りなくなることはない

3
1　水を飲んでもいい　　　2　何か飲みたい
3　体があぶない　　　　　4　体を休ませなさい

4
1　ところが　　　　2　だから
3　また　　　　　　4　それなら

5
1　水は飲まないようにしてください
2　水の飲みすぎには気を付けてください
3　スポーツドリンクは飲まないようにしてください
4　スポーツドリンクの飲みすぎには気を付けてください

第9回 文章の文法

つぎの文章を読んで、文章全体の内容を考えて、 1 から 5 の中に入る最もよいものを、1・2・3・4から一つえらびなさい。

　私は今年の夏休みにボランティア活動に参加しました。場所は私の家から4キロほどはなれた町の体育館でした。そこには7月の台風で家がこわれたり、道が通れなくなったりして、自分の家に住めなくなった人たちが集まって生活していました。聞いた 1 、彼らが自分の家にもどれるようになるには、早くてもあと1か月はかかるだろうということでした。

　私は高校のバスケットボール部の部員6人といっしょに、食事の準備などを手伝いました。体育館には食べ物も水も不足していて、そこにいる人たちはとても不自由な生活をしていました。どんなにつらい 2 と思いました。それでも、彼らは私たちにぜんぜん悲しい表情を見せませんでした。 3 、いつもにこにこ笑いながら、助け合って生活していました。そして、私たちに「せっかくの夏休みなのに、来てくれてありがとう。 4 」と声をかけてくれました。こんなにたいへんな時なのに、まわりの人のことまで気をつかうことができるなんて、すごいと思いました。この夏のボランティアで出会った人たちに、私は本当の強さを 5 気がします。

1
1 にもかかわらず　　2 ところによると
3 ついでに　　　　　4 によれば

2
1 べきだ　　　　　　2 はずだ
3 ものだ　　　　　　4 ことか

3
1 というのは　　　　2 それでも
3 それどころか　　　4 もっとも

4
1 若(わか)いからえらいね
2 いっしょにがんばりましょう
3 若(わか)いのにえらいね
4 いっしょにがんばっていますよ

5
1 教えさせた　　　　2 教えてくれた
3 教えてもらった　　4 教えてあげた

第10回 文章の文法

つぎの文章を読んで、文章全体の内容を考えて、| 1 |から| 5 |の中に入る最もよいものを、1・2・3・4から一つえらびなさい。

火災について

みどり市消防庁

もし、家が火事になったらどのように| 1 |。

家で火が出た場合、火が部屋の天井に届く前なら水や消火器で消すことができます。消火器はいつでも使えるところに置き、使い方を確認しておきましょう。

もし火が天井に届くほど広がったら、自分たちだけで火を| 2 |のは危険です。無理をせずに逃げてください。「火事だ」と大声を出して、近所の人に伝えます。声が出なければ、やかんやなべなどをたたいて知らせる| 3 |ください。

そして、119番に電話をかけましょう。そのとき、職員の質問に落ち着いて答えてください。質問とは、住所、氏名、電話番号、何が燃えているか、逃げ遅れている人がいるか、近くにある目標になる建物などです。このようなときは、だれでもあわてて、いつものように話せなくなってしまう| 4 |。万一のときのために、自宅までの道をどのように伝えるか、| 5 |。

1
1　行動させますか　　　　2　行動すればいいでしょうか
3　行動させられますか　　4　行動するわけでしょうか

2
1　消えている　　　　2　消えそうになる
3　消そうとする　　　4　消すつもり

3
1　ようになって　　　2　ことにして
3　ようにして　　　　4　ことになって

4
1　はずがありません　2　わけです
3　ものです　　　　　4　ほかありません

5
1　伝えておけばいいでしょう
2　考えておくといいでしょう
3　言っておくべきです
4　調べておくはずでしょう

著者紹介

問題作成＋解説

　　星野　恵子：元 拓殖大学日本語教育研究所 日本語教師養成講座 講師
　　辻　和子：ヒューマンアカデミー日本語学校東京校 顧問

問題作成

　　青柳　恵
　　小座間　亜依
　　桂　美穂
　　高田　薫
　　高橋　郁
　　横山　妙子

翻　訳

　　英語　　　　山上　富美子
　　中国語　　　張　一紅（チョウ・イイコ）
　　韓国語　　　徐　希姃（ソ・ヒジョン）

カバーデザイン　　木村　凜

ドリル＆ドリル 日本語能力試験 N3 文法

2012年9月1日 初版発行　　2025年3月1日 第6刷発行

　［監修］　星野恵子
　［著者］　星野恵子・辻和子　2012©
　［発行者］　片岡 研
　［印刷所］　シナノ書籍印刷株式会社
　［発行所］　株式会社ユニコム
　　　　　　Tel.042-796-6367
　　　　　　〒194-0002 東京都町田市南つくし野 2-13-25
　　　　　　http://www.unicom-lra.co.jp

ISBN 978-4-89689-486-8

■本文等の無断転載複製を禁じます

ドリル&ドリル
日本語能力試験
N3 文法

著者：星野恵子＋辻 和子

正解・解説

強く引っぱるとはずせます

UNICOM Inc.

<形>提示の凡例

[動詞]

例「行く」

【普通形】行く ／ 行かない ／ 行った ／ 行かなかった

【辞書形】行く　【ます形】行き（ます）　【て形】行って　【た形】行った

【可能形】行ける　【ない形】行か（ない）　【「〜ている」の形】行っている

【意向形】行こう　【ば形】行けば

[い形容詞]

例「大きい」

【普通形】大きい ／ 大きくない ／ 大きかった ／ 大きくなかった

【〜い】大きい　【〜くない】大きくない　【〜かった】大きかった

【ば形】大きければ

[な形容詞]

例「きれい」

【普通形】きれいだ ／ きれいではない ／ きれいだった ／ きれいではなかった

【〜で】きれいで　【〜である】きれいである

【〜であった】きれいであった　【〜な】きれいな　【〜】きれい

【ば形】きれいならば

[名詞]

例「学生」

【名詞】学生　【〜】学生　【〜の】学生の

【普通形】学生だ ／ 学生ではない ／ 学生だった ／ 学生ではなかった

【〜で】学生で　【〜である】学生である　【〜であった】学生であった

例：「A＝動詞／い形容詞・普通形」
　　＝Aには＜動詞の普通形＞と＜い形容詞の普通形＞が入る

例：「A＝動詞・辞書形／可能形」
　　＝Aには＜動詞の辞書形＞と＜動詞の可能形＞が入る

文の文法1

第1回

【1】 正解1
夏休みの間に、一度、九州にいる祖母に会いに行こうと思う。

I want to go see my grandmother living in Kyushu during my summer vacation. 暑假期间，想去看望住在九州的祖母。 여름방학 기간 중에 한번 큐슈에 계신 할머니를 만나러 갈 생각이다.

ポイント <間に>

形 ［A間に、B］ A＝動詞・「〜ている」の形／名詞［〜の］

意味（問題文中の意味）「A（の）時間／期間のある時に」（Bは継続しない動作）"during the period of A/during a certain time" (B is a non-continuous verb) [A(的)时间/时期](B不连续的动作) 「A（의）시간／기간이 있을 때」（B는 계속되지 않는 동사）

使い方「子どもが寝ている間に、掃除をした」

⚠ ◇ ［AとBの間に〜がある／いる］という文もある。存在の位置を表す。describes the location of existence 表示存在的位置 존재의 위치를 나타낸다 例「銀行と郵便局の間にスーパーがある」

◇「Aの間B」は「Aの間ずっとBをしている」という意味。Bは継続する動作。B is a continuous verb. B是连续的动作。B는 계속되는 동사. 例「子どもが寝ている間、私は夫とテレビを見ていた」

【2】 正解3
ゆうべは一晩中子どもに泣かれて、まいった。

I was beaten up last night because my baby cried all night long. 昨晚孩子哭了一晚上，真要命。 어젯밤 밤새 아이가 울어서, 정말 혼줬다.

ポイント <てまいった>

形 ［Aまいった］ A＝動詞・て形

意味「とても困った」

使い方「今年の冬は何回も風邪を引いて、まいった」

⚠ くだけた言い方なので、あらたまった場合には使わない。This is a casual expression and is not used in formal situations. 通俗的说话方式，正式的场合一般不用。 허물없는 표현이므로, 격식 차려야 할 경우에는 사용하지 않는다.

【3】 正解2
A「田中君に来月の社内研修を受けさせようと思うんだが、どうだろう。」B「そうですね。彼も少し勉強したほうがいいと思います。」

A: What do you think about having Mr. Tanaka receive a company training next month? B: I think it's a good idea. He needs a little training, I think. A "想让田中参加下个月的公司内部进修，怎么样？" B "是啊,我觉得他还是再学习一下比较好。" A 다나까군을 다음달 있을 사내연수에 참가시킬 생각인데, 어떨까? B 그렇네요. 그도 조금 공부하는 것이 좋을 것 같다고 생각합니다.

ポイント <せる・させる>

形 ［(人に／を) A せる／させる］（使役形 causative 使役式 사역형） A＝動詞・ない形

Ⅰグループ動詞 例：行く⇒行かせる
Ⅱグループ動詞 例：やめる⇒やめさせる
Ⅲグループ動詞 例：する⇒させる 来る⇒来させる

意味（問題文中の意味）「Aするように人に指示や命令をする」make someone (or order someone to) do A 指示或命令某人做A A하게끔 사람에게 지시하거나 명령한다

使い方①「外国語ができないと将来困ると考えて、子どもを留学させる親が増えている」More parents have their children study abroad thinking their children will be in trouble in the future if they can't speak a foreign language. 很多父母觉得,子女不会外语的话将来会有困难,所以让孩子留学的父母增加了。 외국어를 못하면 장래에 곤란할 꺼라 생각하여, 아이를 유학보내는 부모가 늘고 있다.

②「部長は、新入社員に新しい企画の発表をやらせるつもりらしい。でも、ちょっと無理じゃないだろうか」The director seems like he is going to have a new employee give a presentation for a new project. I think it's a little difficult. 部长想让新职员来发表新的规划。但是,这好像很难办到。 부장은 신입사원에게 새로운 기획을 발표시킬 생각이라고 한다. 그렇지만, 조금 무리인건 아닐까.

⚠ ◇「（人）に」と「（人）を」：文の中にほかの「〜を」がない場合は、「（人）を」（例①）、文の中に「〜を」がある場合（例②）は「（人）に」になる（「〜を 〜を」と2つの「を」が続かないようにするため）When there is no other "〜を" in a sentence, use "（人）を" (ex.1) and when there is "〜を" (ex.2) use "（人）に." You avoid using two "を" in the sentence like "〜を〜を." 文中如果没有别的「〜を」,用「(人)を」。(例①)的文中有「〜を」。(例②)的文中无「〜を」。这是为了避免像「〜を〜を」那样连续两次使用「〜を」。 문장 중에 다른 「〜を」가 없을 경우는, 「(사람)を」(예1), 문장 중에 「〜を」가 있을 경우 (예2)는 「(사람)に」가 된다. 「〜を〜を」와 같이 2개의 「を」가 연속되지 않도록 하기 위해.

◇使役形が「自由に〜することを許す」という意味で使われる文もある。参照【144】

◇使役形が「結果」を表す文もある。参照【174】

【4】 正解3
夜中、となりの部屋の人たちの笑い声があまりに大きいので、文句を言わずにはいられなかった。

The people's laughing was so loud in the room nextdoor at midnight I couldt't help but complain to them. 夜间,隔壁房间的人们的笑声实在太大了,不去提意见不行。 한밤중에, 옆 집 사람들의 웃음소리가 너무나도 커서, 불평을 얘기하지 않을 수 없었다.

ポイント <ずにはいられない>

形 ［Aずにはいられない］ A＝動詞・ない形
「する」⇒「せずにはいられない」

意味「Aする気持ちを止められない／がまんできなくてAする」cannot help doing A/cannot keep oneself from doing A 无法忍住想做A的心情/无法忍受(忍住)而做了A A하는 마음을 멈출 수 없다／참을 수 없어서 A하다

使い方「道の真ん中で遊んでいる子どもを見て、『あぶないよ』と注意せずにはいられなかった」Seeing the kids playing in the middle of the road, I couldn't help but warn them by saying "It's dangerous here." 看到在道路中间玩耍的孩子，忍不住提醒"很危险啊！" 도로 한가운데에서 놀고 있는 아이를 보고,『위험해요』라고 주의하지 않을 수 없었다.

【5】 正解 1
このケーキは、あまりあまくなくておいしいですね。
This cake isn't too sweet and tastes good. 这蛋糕不太甜，很好吃。 이 케익은 그다지 달지 않아 맛있네요.

ポイント ＜あまり～なくていい＞
形 ［あまりAなくていい］ Aなくて＝い形容詞・［～ぃ］＋くなくて、な形容詞・(現在形［～］)＋ではなくて／じゃなくて
意味 「そんなに～ないので、いい」 it's good because it is not too～ 不那么～，很好 그렇게～하지 않아서, 좋다
使い方 「試験があまり難しくなくてよかった」「今日の仕事はあまりたいへんじゃなくてよかった」
⚠ 「あまり」＋肯定形の文もある。参照【137】

【6】 正解 2
勉強を始めたばかりなのに、彼女はもう日本語がずいぶん話せる。
Though she just started learning, she can already speak Japanese pretty well. 虽然才刚开始学习，她已经很能讲些日语了。 공부를 시작하지 얼마 안됐는데, 그녀는 벌써 일본어로 꽤 얘기할 수 있다.

ポイント ＜たばかり＞ 参照【66】
形 ［Aたばかり］ A＝動詞・た形
意味 「A（し）てからまだ少ししか時間がたっていない」
使い方 「このカメラ、買ったばかりなのにもうこわれちゃったよ」
⚠ ◇「A（し）てばかりいる」は「いつもA（し）ていて、ほかのことをしない」という意味で使う。
例「うちの息子は遊んでばかりいて、勉強しない」
◇［Aばかり］（A＝名詞）は、「Aだけでほかのものがない／Aが多い」という意味で使う。参照【195】

【7】 正解 4
うちの子はまだ小学1年生なのに、大人っぽい話し方をする。
Though my child is only a first grader, she talks like a big girl. 我的孩子虽然小学一年级，讲起话来像大人。 우리 아이는 아직 초등학교 1학년인데, 말투가 어른스럽다.

ポイント ＜っぽい＞
形 ［Aっぽい］ A＝名詞
意味 「少しAのような感じがある」 look/feel a little like A 有点像A A조금 A와 같은 느낌이 든다
使い方 「私が見た男は黒っぽい服を着ていました」 The man I saw was wearing blackish clothes. 我看到的男人穿着黑黑的衣服。 제가 본 남자는 거무스름한 옷을 입고 있었습니다.
「昨日から風邪気味で、熱っぽい」 I have been feeling like I've caught a cold since yesterday and have a little fever. 昨天开始有点感冒了，好像发烧了。 어제부터 감기기운이 있어, 열이 있는 듯하다.
⚠ Aが動詞の文もあるが、意味が違う。参照【35】

【8】 正解 1
自分の財産を全部つかってでも会社を続けたいと、社長は必死にがんばっている。
The company president is working very hard saying he wants to keep his company even if he spends all his money. 即使用尽自己全部的财产也要继续经营公司，社长拼命地努力着。 자신의 재산을 전부 사용해서라도 회사를 계속 운영하고 싶다며, 사장은 필사적으로 노력하고 있다.

ポイント ＜てでも＞
形 ［Aてでも］ A＝動詞・て形
意味 「たとえA（し）てもいいから」（Aは最悪のこと、極端なこと A refers to something worst/extreme A是最坏的事情(情况)、极端的事情(情况) A는 최악의 경우, 극단적인 경우）
使い方 「不正なことをしてでも金がほしいという悪い人間がいる」 There are bad people who wants to get money even by means of wrongdoing. 有即使做不正当的事，也想获得金钱的坏人。 부정한 짓을 해서라도 돈을 갖고 싶다고 하는 나쁜 인간이 있다.
「島に残された兵士たちは、草の根を食べてでも生きようとした」 The soldiers who were left on the island tried to survive even by eating grass roots. 被留在岛上的士兵，即使吃草根也想生存下来。 섬에 남겨진 병사들은, 풀뿌리를 먹어서라도 살려고 했다.

【9】 正解 4
A「あのう、これ、旅行のおみやげです。お口に合うかどうか…。」B「それは、それは、申し訳ありません。ありがたくいただきます。」
A "Here's a little souvenir from my trip. I hope you like it." B "Oh, how sweet of you! Thank you very much." A "这是旅行的礼物，不知合不合你的口味……" B "那真是不好意思，怀着感激的心情接受下来吧。" A 저, 이거, 여행 선물입니다. 입맛에 맞으실지… B 이거 정말 죄송합니다. 감사히 받겠습니다.

ポイント ＜それは、それは＞
形 ［それは、それは］
意味 「ありがとうございます／すみません／申し訳ありません」
使い方 a 「パーティーの準備は、もうすっかりできています」
b 「それは、それは。お手伝いしないで、すみませんでしたね」

【10】 正解 2
「プレゼン」とは「プレゼンテーション」の短い言い方で、発表や提案をすることです。
"プレゼン" is an abbreviation for "プレゼンテーション" and means to give a presentation or proposal. "プレゼン"是"プレゼンテーション"的简短说法，是发表或提案的意思。 「프레젠（프레젠）」이란 「프레젠테이션（프레젠테이션）」을 줄여말한 표현으로, 발표나 제안하는 것을 의미한다.

ポイント ＜とは＞

形 ［AとはB(の)(こと)だ］　A＝名詞
意味（問題文中の意味）「AはBだ」（BでAのことばの説明や定義をする　B gives the explanation or definition of the word A.　用B来说明和定义词语A。　B로 A 단어를 설명하거나 정의하다）
使い方「『震度』とは地震の強さを表す数である」"Magnitude" is a number which shows the strength of an earthquake.　"地震烈度"是用来表示地震的强度的数字。　『진도』란 지진의 강도를 나타내는 수이다.
「『成人』とは、20歳以上の人のことです」
⚠ 驚きや意外なことを表す用法もある。Also used to express surprise or unexpectedness.　也可以表示惊讶和意外的意思。　놀라움이나 의외임을 나타내는 용법도 있다.　参照【283】

【11】　正解 4
みなさま、こちらは当社の新製品でございます。ぜひお試しください。
Ladies and gentlemen, this is a new product of our company. Please have a try.　大家好！这是本公司的新产品。请一定试用一下。　여러분, 이것은 저희 회사의 신제품입니다. 꼭 드셔보세요.（꼭 사용해 보세요）

ポイント ＜お／ご〜ください＞　参照【94】【123】【179】
形 ［Aください］
①A＝お＋動詞・ます形　例「お知らせください」
②する動詞（「説明する」など）　A＝ご＋××する
例「ご説明ください」
意味「A(し)てください」（尊敬表現　honorific　尊敬的表现　존경표현）
使い方「どうぞこちらにおかけください」「どれでもお好きなケーキをお召し上がりください」「いつでもこのかさをご利用ください」

⚠「お」と「ご」の使い方
●「ご」は「する動詞」（「参加する」「連絡する」など［漢字＋漢字＋する］の形の動詞）の前につける。
例「自動車工場の見学会に、ぜひご参加ください」「キャンセルの場合は、早めにご連絡ください」
例外「お電話ください」
●「お」は、その他の動詞につける。例「こちらの部屋をお使いください」「書類のコピーをお送りください」
ただし、「見る」「いる」「着る」「来る」「する」など、ます形（［Bます］のB）が一字だけの場合は、［おBください］は使わない。
例：×「お見ください」○「ご覧ください」（＝見てください）
×「おいください」○「いらっしゃってください」（＝いてください）
×「お着ください」○「お召しになってください」（＝着てください）
×「お来ください」○「いらっしゃってください」（＝来てください）
×「おしください」○「なさってください」（＝してください）

【12】　正解 2
この村は多くの若者が都会に出てしまうため、人口が減る一方だ。
The population of this village has been decreasing because a lot of young people leave for big cities.　这个村庄里很多年轻人都去了大城市，人口一直在减少。　이 마을은 많은 젊은이들이 도시로 나가버려서, 인구가 줄어들기만 한다.

ポイント ＜一方だ＞
形 ［A一方だ］　A＝動詞・辞書形
意味「A(し)続ける」（Aは変化を表すことば　A refers to change.　A是表示变化的词语。　는 변화를 나타내는 단어）
使い方「甘いものが大好きな妹は、最近太る一方だ」
「物価は上がる一方で、国民の生活は苦しくなる一方だ」
The commodity price keeps rising and the people's living keeps getting severer.　物价不断上升，国民生活越来越艰苦。　물가는 올라가기만 하고, 국민의 생활은 힘들어지기만 한다.

⚠「A。一方、B」という文もある。参照【62】

【13】　正解 2
A「景気がなかなかよくなりませんね。」B「ええ、早くよくなってほしいですね。」
A "Economy doesn't get better as yet." B "Right. I hope it will recover soon."　A"景气好像很难恢复啊。"B"真的,希望能早点恢复啊。"　A 경기가 좀처럼 좋아 지질 않네요. B 네, 빨리 좋아지길 바래요.

ポイント ＜てほしい＞
形 ［（〜が／に）Aてほしい］　A＝動詞・て形
意味「Aを願っている／Aだといい」（願望の表現　expresses desire　表示愿望　원망 (소망) 의 표현）
使い方「戦争がなくなって、世界が平和になってほしい」
I hope there will be no more war and wish for world peace.　希望没有战争，世界和平。　전쟁이 없어져서, 세계가 평화로워지길 바란다.
「優しい人になってほしいと思って、生まれた子の名前を優子にしました」We wanted her to become a sweet-hearted person, so named the baby Yuko.　希望她是个好心人,给这个新生儿取了优子的名字。　착한 사람이 되어주길 바라며, 태어난 아이의 이름을 유우꼬로 정했습니다.

第 2 回

【14】　正解 2
A「買い物に行かなかったの？」B「うん、雨が降ってきたから、明日行くことにした。」
A "You didn't go shoppig?"　B "No. I've decided to go tomorrow because it started raining."　A"没去买东西吗？"B"因为下雨了,决定明天去。"　A 쇼핑하러 가지 않았어? B 응, 비가 내리기 시작해서, 내일 가기로 했다.

ポイント ＜ことにする＞　参照【181】
形 ［Aことにする］　A＝動詞・辞書形／ない形［〜ない］
意味「Aに決める」
使い方「では、来週火曜日10時からミーティングをするこ

とにします」「私たちは来年結婚することにしました」
⚠◇ ［Aことにする］は「自分がAを決める」が、一方、［Aことになる］は「状況によってAに決まる」という意味で使う。"Aことにする" is used when one "decides to do A on one's own" and "Aことになる" is used when "A is decided by a situation." ［Aことにする］是指"自己决定了A"，而［Aことになる］是指"由于情况的变化而成了A。" ［A하기로 하다］는 ［자신이 A를 결정하지만］, 한편 ［A하게 되다］는 ［상황에 의해 A로 결정되다］라는 의미로 사용된다. 例「高校を出たら進学しないで就職することにした」「来月転勤することになりました」
◇ ［Aことにしている］［Aことになっている］は、「決められているので、いつもA」という意味で、習慣や規則を言う。［Aことにしている］［Aことになっている］both mean "since it is a rule, it is always A" and expresses one's habit or a rule. ［Aことにしている］和［Aことになっている］表示"已经决定了，所以总是A"的意思，通常是指习惯，规则等。［A하기로 하다］［A하기로 되어 있다］는, ［정해져 있으므로 언제나 A］라는 의미로, 관습이나 규칙을 말한다. 例「私は夜7時より後は何も食べないことにしている」「日本では20歳まで酒を飲んではいけないことになっている」

【15】 正解 1
なぜ私がこんな不便なところに住んでいるかというと、緑が多くて静かだからだ。
The reason I live in such an inconvenient place is because it is filled with green and quiet. 为什么我要住在那么不方便的地方，是因为这里一片葱绿，环境安静。 왜 내가 이런 불편한 곳에서 살고 있는가 하면, 신록이 많고 조용하기 때문이다.
ポイント ＜かというと＞
形 ［なぜ／どうして Aかというと、Bからだ］ A＝動詞／い形容詞・普通形、な形容詞／名詞［〜］［〜なの］
意味 「Aの理由はB」（Bが理由）
使い方 「X国がなぜ金持ちかというと、石油が出るからだ」
The reason the nation X is rich is because it has oil. X国为何有钱，是因为出产石油。 X국이 왜 부자 나라인가 하면, 석유가 나오기 때문이다.

【16】 正解 3
A「あのう、このファイル、しばらく使ってもいいですか。」B「あ、それはちょっと。課長が使うとおっしゃっていたので。」
A "Excuse me, can I use this file for a while?" B "I'm sorry you can't. The section manager said he was going to use it." A"这文件能借用一段时间吗？"B"哦，那个，科长说他要用的。" A 저기, 이 파일 잠시 사용해도 괜찮습니까 B 어, 그건 좀. 과장님이 사용한다고 말씀하셔서.
ポイント ＜それはちょっと＞
形 ［それはちょっと］
意味 「それはよくない／困る／それには問題がある」That's not good./That's a problem. 那不好／为难／那会有问题 그것은 좋지 않다／곤란하다／그것은 문제가 있다
使い方 a「課長は、計画を中止したほうがいいって言ってるけど」b「それはちょっと。ここまで準備を進めてきたんだから、やめたくないよね」a "The section manager says we should cancel the project…" b "We can't because we've been preparing this far and we don't want to cancel it now, do we?" A"科长说计划还是终止的好。"B"那不太好，一直准备到现在，不想终止啊。" A 과장님은 계획을 중지하는 것이 좋다고 말씀하시지만, B 그건 좀. 여기까지 준비를 진행해 왔으니, 그만두고 싶지 않아.
⚠ 「よくない／困る／問題がある」とはっきり言うと強いので、省略してやわらげる言い方。To say "It's not good/It's a problem" bluntly sounds strong, so this softens the expression by using the abbreviated form. 在表达"不好／为难／有问题"时直接说的话，语气会太强烈，所以省略后变得婉转。「좋지 않다／곤란하다／문제가 있다」와 같이 확실히 말하면 강하므로, 생략하여 부드럽게 표현.

【17】 正解 1
最近忙しくてちょっと疲れ気味なので、今日は早く寝よう。
I've been a little busy and tired recently, so I'll go to bed early today. 最近忙有点累了，今天早点睡吧。 요즘 바빠서 좀 피곤기가 있으니, 오늘은 빨리 자자.
ポイント ＜気味＞
形 ［A気味だ］ A＝動詞・ます形、名詞［〜］
意味 「少しAの感じがする」（Aはよくないこと）
使い方 「今日は風邪気味で調子が悪い」「最近ちょっと太り気味だから、食事に気をつけよう」
⚠ ［Aがちだ］は「Aの起こる回数が多い／よくAする」という意味で使う。参照【250】

【18】 正解 3
あのレストランは高いし、まずいし、それにサービスも悪い。もう二度と行きたくない。
That restaurant is expensive, foods are bad, and has bad service. I don't want to go there any more. 那家餐厅很贵，很难吃，而且服务态度坏。再也不去了。 저 레스토랑은 비싸고, 맛없고, 게다가 서비스도 나쁘다. 두번 다시 가고 싶지 않다.
ポイント ＜それに＞
形 ［A、それにB］［A 1、A 2、それにB］
意味 「A、それとB／A、それだけでなく、Bも」 A、B＝名詞／文
使い方 「あの歌手は声がいいし、歌もうまいし、それにハンサムだ」「今日は企画書を作って、報告書を書いて、それに来週の出張の準備もしなければならない」Today I need to prepare a project proposal, write a report, and also need to get ready for next week's business trip. 今天要制定规划，写报告书，还必须为下周出差做准备。 오늘은 기획서를 작성하고, 보고서도 쓰고, 거기에다 다음주 출장 준비도 해야한다.

【19】 正解 2
その子どもは、一人さびしそうに座っていた。
The child was sitting by himself sadly. 那个孩子一个人孤单地坐着.

그 아이는 혼자 외롭게 앉아 있었다.

ポイント <そう> 参照【82】【158】
形 ［Aそうだ。／AそうなB／AそうにC］
A＝い形容詞／たい／ほしい・［〜ない］（「いい」⇒よさそう）、な形容詞［〜］　B＝名詞　C＝動詞
意味（問題文中の意味）「Aという様子」seem like A, look like A　像A的样子　A라고 하는 상황, 모습
使い方「『試験、合格したよ』と弟はうれしそうに言った」「この車、高そうだね。いくらぐらいするのかな」「彼女は何か言いたそうだったが、何も言わなかった」She seemed like she wanted to say something, but said nothing. 她好像想说什么，但是什么也没说。 그녀는 뭔가 얘기하고 싶어하는 것 같았지만, 아무 말도 하지 않았다. 「これは便利そうな道具だ。買ってみよう」
⚠ ◇①A［動詞・ます形＋そう］は、「見た／聞いた様子からAが予想される」という意味を表す。"A (verb) + そう" means "A can be imagined from what one saw/heard." ［A（动词）＋そう］，表示"从看到/听到的情况来预想A"的意思。［A（동사）＋そう］는, ［보고・듣은 상황으로 A가 예상된다］라는 의미를 나타낸다. 参照【189】
◇②「そう」が伝聞（聞いたことや読んだことを伝える）を表す文もある。"そう" is also used to express a hearsay (what one heard or read). 也有「そう」表示传闻（传达听到或读到的东西）的句子。「そう」가 전문（들은 내용이나 읽은 내용을 전달하다）을 의미하는 경우도 있다. ［Aそうだ］　A＝動詞／形容詞／名詞・普通形　例「天気予報によると、台風が来ているそうだ」

【20】正解 3
私の報告は以上です。質問があれば、どうぞ。
That's all of my report. Do you have any questions? 以上是我的报告，有问题的话，请提问。 제 보고는 이상입니다. 질문 있으시면, 부탁드립니다.

ポイント <以上です>
形 ［以上です］
意味「（今までに言ったことは）これで全部です／終わりです」
使い方「注文をお願いします。サンドイッチとチキンカレーと、それから、コーヒーを２つ…以上です」「仕事の進め方の説明は以上ですが、よろしいですか」I've just explained how to proceed the job and that's it, OK? 以上是工作的进展情况的说明，行吗？ 업무 진행방법에 관한 설명은 이상입니다만, 괜찮으십니까?

【21】正解 2
あ、今、出かけるところだから、あとでこっちから電話する。ごめんね。
Oh, I'm just about to leave so I'll call you back later. Sorry. 哦，现在正好要出去了，等会儿我给你打过去。对不起啊。 저기, 지금 나갈려는 중이니까, 나중에 이쪽에서 전화할게. 미안해.

ポイント <ところだ>
形 ［Aところだ］　A＝動詞・辞書形
意味「ちょうど今からA（する）／A（する）直前だ」just about to do A/right before doing A　正好现在开始做A/马上要做A　마침 지금부터 A(하다)／A(하는) 직전이다
使い方「ちょうど食事をするところです。いっしょにいかがですか」「今会社を出るところだから、6時半ごろ家に帰るよ」
⚠ ◇Aが動詞・た形の文もあるが、意味が違う。参照【60】
◇Aが動詞・て形の文もあるが、意味が違う。参照【163】

【22】正解 3
A「父は体調がよくなくて、先週から入院しています。」
B「そうですか。それはいけませんね。どうぞお大事に。」
A "My father has been sick and been in the hospital since last week." B "I'm sorry to hear that. I do hope he will get better soon." A "父亲身体不好，从上周起住院了。" B "是吗？那真是太遗憾了，请保重。" A 아버지는 몸이 좋지 않아서 지난주부터 입원하고 있습니다. B 그러세요? 정말 안됐네요. 아무쪼록 몸조심하세요.

ポイント <それはいけませんね>
形 ［それはいけませんね］
意味「それはよくないですね／たいへんですね」（相手または相手の家族の病気、けがなどの悪い知らせを聞いて、その相手に言う表現　expression you say to someone after hearing some bad news such as the person's or the person's family's illness or injury　听了对方或是对方家属生病，受伤等不好的消息时，对此人说的表现　상대방 또는 상대방 가족의 병이나 부상등의 안좋은 소식을 듣고, 그 상대방에게 전하는 표현）
使い方 a「弟がバイクの事故で、けがをしまして…」 b「え？それはいけませんね。けがはどんな具合ですか」

【23】正解 2
A「この文章を翻訳してくれる人、だれかいないかなあ。」
B「韓国語ですか。じゃ、ソンさんに頼んだらどうですか。たぶんやってくれますよ。」
A "Don't you know someone who can translate this writing?" B "Is it Korean? Then I suggest you ask Mr. Son. I'm sure he can do it." A "有没有能翻译这篇文章的人？" B "是韩国语吗？那么请宋先生（女士）怎么样？大概会为我们翻译吧。" A 이 문장을 번역해줄 사람, 누구 없을까? B 한국어인가요? 그럼 성상에게 부탁해보면 어떨까요? 아마 해줄꺼예요.

ポイント <たらどう>
形 ［Aたら どう／どうですか／どうでしょう］
Aたら＝動詞・た形＋ら
意味「Aするといい」（Aを勧めたり、アドバイスする表現　suggest or advise to do A　劝诱或推荐A的表现　A를 추천하거나, 조언하는 표현）
使い方「たばこはやめたらどうですか」「あんまり無理をしないほうがいいですよ。少し休んだらどうですか」
⚠「たらいい」も同じように使う。参照【56】

【24】正解 2
姉と私は同じ大学に通っているが、姉が化学を学んでいるのに対して、私の専門は経営学だ。

N3解答

My older sister and I go to the same college, but she studies chemistry and my major is management. 姐姐和我在同一大学学习，姐姐学化学，我的专业是经营学。 언니와 나는 같은 대학에 다니고 있는데, 언니가 화학을 공부하고 있는 반면, 내 전공은 경영학이다.

ポイント ＜に対して＞
形 ［Aに対してB］ A＝動詞／い形容詞・普通形＋の、な形容詞／名詞・普通形＋の（現在形〔～なの〕）
意味 「A、一方、B」（AとBを対比する compare A to B A和B对比 A와B를 대비하다）
使い方 「日本は今夏なのに対して、オーストラリアは冬だ」
⚠ ［Aに対してBする］（A＝名詞）という文もある。AはBをする相手や対象を表す。A refers to a person or a thing that receives B 表示相对A而言，B是另一种情况 A는 B를 하는 상대방이나 대상을 나타낸다 参照【157】

【25】 正解 1
花はサクラに限る。サクラほど美しい花はない。
Regarding flowers, cherry blossoms are the best. No other flowers are as beautiful as they. 花只限于樱花。没有像樱花那么美丽的] 花了。 꽃은 사꾸라 (벚꽃) 가 제일이다. 사꾸라만큼 아름다운 꽃은 없다.

ポイント ＜に限る＞
形 ［Aに限る］ A＝動詞・辞書形、名詞
意味（問題文中の意味）「Aが一番いい」
使い方 「ワインはフランス産のものに限る」Regarding wine, the brand made in France is the best. 葡萄酒只限于法国产的。 와인은 프랑스산이 제일이다.
「いやなことは忘れるに限る」To forget what is bothersome is the best. 讨厌的事一定要忘记. 안좋은 일은 잊는 것이 가장 좋다.
⚠ 「Aだけだ」 という意味の使い方もある。sometimes means "only A" 也有表示 "只有A" 的意思的用法 ［A뿐이다］ 라는 의미의 사용법도 있다 参照【50】

【26】 正解 3
その男が犯人ではないとしたら、だれが店の金を盗んだのだろうか。
If the man is not the criminal, who stole the store money? 如果那个男人不是犯人的话，那么是谁盗窃了店里的钱呢？ 그 남자가 범인이 아니라면, 누가 가게의 돈을 훔쳤단 말인가.

ポイント ＜としたら＞
形 ［Aとしたら］ A＝動詞／形容詞／名詞・普通形
意味 「もしAの場合は／Aを仮定すると」if it's A/supposing A 如果是A的话／假定A的话 만약 A의 경우는／A를 가정하면
使い方 「だれも手伝ってくれないとしたら、私一人でどうすればいいのでしょう。だれか手伝ってください」
⚠ 「とすると」も同じように使う。参照【173】

第3回
【27】 正解 4
「どうしたの、その顔。泥がついているよ。アハハハ。」と友だちに笑われてはずかしかった。
I was embarrassed when my friend said laughing, "What happened to your face? You got dirt, ha ha ha ha." "怎么了？看你的脸, 粘着泥巴呢。哈哈哈。"我被朋友笑得很不好意思。 ［어쩐 일이야, 그 얼굴. 흙이 묻어 있어. 하하하］라고 친구들에게 웃음거리가 되어 창피했다.

ポイント ＜れる・られる＞ 参照【77】
形 ［～は／が A1れる／A2られる］ 受身形：A1＝Ⅰグループ動詞・ない形 A2＝Ⅱグループ動詞・ない形
「する」⇒「される」、「来る」⇒「来られる」
意味 「～はAの動作の影響を受ける」receive influence by A's action 表示～受到A的动作影响 ～는 ～로 부터 A 동작의 영향을 받다
使い方 「登山の途中で激しい雨に降られて、たいへんだった」It rained hard on our way to climbing the mountain and it was difficult. 登山途中下起了暴雨, 很艰难。 등산 도중에 심하게 비가 내려서, 고생했다.
「ゆうべは赤ん坊に泣かれて、夫も私もほとんど眠れなかった」Our baby cried last night and both my husband and I barely slept. 昨晚婴儿一直啼哭, 丈夫和我都没睡好。 어젯밤에는 아기가 울어서, 남편도 저도 거의 잠을 못잤어요.
⚠ ◇日本語では他動詞だけでなく自動詞も受身形になる。問題文中の動詞「笑う」も自動詞。自動詞の受身は、話者が悪い影響（迷惑や被害）を受けたという意味の文になることが多い。In Japanese, not only transitive but also intransitive verbs can be used for passives. The verb in the question "laugh" is intransitive. Intransitive passives are used mostly when the speaker has suffered bad influence (trouble or damage). 在日语中, 不但及物动词能变成被动式. 不及物动词也能成为被动式. 不及物动词的]被动式, 多用于表示说话者受到坏的影响（烦扰, 受害）的意思。 일본어에서는 타동사뿐만 아니라 자동사도 수동형이 된다. 문제 문장 중 동사「笑う」도 자동사. 자동사의 수동은, 화자가 나쁜 영향 (폐나 피해) 을 받았다라는 의미의 문장이 될 경우가 많다.
◇別の使い方の受身文もある。参照【97】

【28】 正解 3
本日はアンケートにご協力いただき、ありがとうございました。おさしつかえなければこちらにお名前とご連絡先をご記入いただきたいのですが。
Thank you very much for your cooperation with the survey today. If you don't mind, would you please write your name and contact information down here？ 今天协助我们通讯调查, 真是太感谢了。如果不妨碍的话, 请写下姓名和联系地址。 오늘은 앙케이트에 협력해 주셔서 감사드립니다. 폐가 되지 않으시면, 성함과 연락처를 기입해주셨으면 합니다.

ポイント ＜おさしつかえなければ＞
形 ［おさしつかえ（が）なければ］
意味 「特に問題がなければ／よかったら／かまわないなら」（丁寧な言い方 polite 有礼貌的说法 정중한 표현）
使い方 S社の社員「山田課長に書類をお届けに来ました」T社の社員「申し訳ありません。山田は外に出ております。おさしつかえなければ、私がお預かりしますが」Employee at S Company "I'm here to deliver the document to Section Manager Mr

Yamada." Employee at T Company "I'm sorry Yamada is out. If it's OK, I will keep it for him."　S公司的职员"我来送文件给山田科长。"T公司职员"对不起，山田外出了。如果不妨碍的话，让我先来保管一下文件。"　S사 사원 [야마다과장님께 서류를 드리러 왔습니다.] T사 사원 [죄송합니다. 야마다는 외출 중입니다. 괜찮으시다면, 제가 보관하겠습니다만.]

先生「この本を読みたければ、貸してあげますよ」学生「え？よろしいですか。おさしつかえありませんか」

⚠️「さしつかえ」＝「なにかをするのにじゃまなこと、都合が悪いこと、問題など」something that hinders an action/inconvenience, problem　做事时遇到的干扰，不便，问题等　무언가를 하기에 방해가 되는 것, 사정이 좋지 않은 것, 문제가 되는 것 등

例「ちょっとさしつかえがありまして、今日は行けません。申し訳ありません」

【29】正解 1

運転をするので、ビールを飲むかわりに、冷たいお茶を飲んでがまんした。

Because I was going to drive, I gave up drinking beer and drank cold tea instead.　因为要开车，忍着没喝啤酒，取而代之喝了冰茶。　운전을 하기에, 맥주를 마시는 대신, 차가운 차를 마시며 참았다.

ポイント ＜かわりに＞

形 ［AかわりにB］　A＝動詞・辞書形、名詞［～の］

意味「A（し）ないで／Aではなくて B」

使い方「最近、新聞を読むかわりに、インターネットで情報を集めている」Recently I collect information through Internet instead of reading the newspaper.　最近，不看报纸了，取而代之用因特网收集情报。　요즘 신문을 읽는 대신, 인터넷에서 정보를 모으고 있다.

「母が病気なので、今日は母のかわりに父が夕食を作ってくれた」

⚠️◇「Aと引きかえにB　B in exchange for A　B代替A　A 대신에 B」という使い方もある。

例「ナムさんの仕事を手伝ってあげるかわりに、おいしいベトナム料理をごちそうになった」In receiprocation for my help with Nam's job, he treated me to delicious Vietnamese dishes.　我帮助Namu工作，（作为回报）他请我吃了美味的越南菜。　나무씨의 일을 도와준 대신, 맛있는 베트남 요리를 대접 받았다.

◇「にかわって」も「のかわりに」と同じように使う。参照【100】

【30】正解 1

昔ここに大きな杉の木があったことから、このあたりが「杉の木町」と呼ばれるようになった。

This area came to be called "Cedar Town" because there used to be huge cedar trees here a long time ago.　因为从前这儿有很大的杉树，所以这一带被叫做"杉树镇"。　예전에 이곳에 큰 삼나무가 있었던 관계로, 이 주변이 [삼나무마을] 이라 불리게 되었다.

ポイント ＜ことから＞

形 ［Aことから、B］

A＝動詞／い形容詞・普通形、な形容詞・普通形（現在形［～な］）／名詞・普通形（現在形［～である］）

意味「Aという事実が理由で／Aので」for the reason of the fact A/because of A　因为有A的事实作为理由 / 因为A　A 라는 사실이 이유로 / A 이기에

使い方「山が白くなっていることから、ゆうべ山に雪が降ったとわかる」「新しいパソコンは、使い方がとても簡単なことから『かんたんパソコン』という名前で発売された」The new computer was put on sale under the name "Easy Computer" because it is very easy to operate.　新的电脑因为用法简单，所以冠以"简单电脑"的名字出售。　새로운 컴퓨터는 사용법이 매우 간단하다는 이유로『간단 컴퓨터』라는 이름으로 판매되었다.

⚠️「客観的な事実（A）がBの理由、根拠である」という表現なので、自分のことには使わない。means "the reason for B is the objective fact A", so it is not used to describe one's own situation.　"客观事实A是B的理由, 根据"的表现，不用在自己身上。 [객관적인 사실 (A) 이 B의 이유, 근거가 되다] 라는 표현이므로, 자신의 일에는 사용되지 않는다.

例：×「お金がないことから、私はアルバイトをしなければならない」　○「お金がないので／から、私はアルバイトをしなければならない」

【31】正解 2

明日、もう一度こちらからお電話をいたします。

I will call you again tomorrow.　明天我再给你打一次电话。　내일 다시 한번 저희 쪽에서 전화드리겠습니다.

ポイント ＜いたします＞

形 ［(私は)(～を)いたします］

意味「します」（謙譲語 humble 谦让语 겸양어）

使い方 社員「細かいご説明は、後ほどいたします」社長「じゃあ、よろしく頼むよ」company employee "I will explain the details later." company president "Thank you for your work."　职员"详细的说明，过一会儿再说。"社长"那么，拜托了。"　사원 [자세한 설명은, 나중에 드리겠습니다.] 사장 [그럼, 잘 부탁하네.]

「来週は旅行をいたしますので、3日ばかり留守をいたします」I'm going on a trip next week and will be out of town for three days.　下周要旅行, 3天不在（家）。　다음주는 여행을 다녀올 예정이오니, 3일가량 집을 비우겠습니다.

⚠️「お～いたします」参照【94】

【32】正解 4

明日は試験だから、早めに家を出よう。

I'm having an exam tomorrow, so will leave home earlier.　明天有考试，早一点从家里出发吧。　내일은 시험이니, 일찌감치 집에서 나오자.

ポイント ＜め＞

形 ［Aめだ／Aめに］

A＝い形容詞［～い］　例：早い→早め　多い→多め

意味「少しA」

使い方「健康のためには、料理に使う塩や砂糖は少なめがいい」It is better for the health to use less salt or sugar for cooking.

为了健康,煮菜时最好少用盐和食糖。 건강을 위해서는 요리에 사용하는 소금과 설탕은 약간 적은 것이 좋다.

【33】 正解 3
子どもの成長は早い。会うたびに大きくなっている。
Kids grow fast. Each time I see him, he is bigger. 孩子长得真快。每次见面都大了很多。 아이의 성장은 빠르다. 만날 때마다 크고 있다.

ポイント <たび／たびに>

形 ［Aたび／たびに］ A＝動詞・辞書形、名詞［〜の］

意味 「Aするときは いつも／毎回」

使い方 「この歌を聞くたび、学生時代を思い出す」「山田さんは旅行に行くたびにお土産を買ってきてくれる」

【34】 正解 3
A「中村さん、元気かな。どうしているかな。」B「私も、中村さんにはずっと会っていないから、気になっているの。」
A "I wonder how Ms. Nakamura is doing." B "I do too because I haven't seen her for a long time." A "田中先生好吗? 近况如何?" B "我也很久没有见到田中先生乐,很是挂念。" A 나까무라씨, 건강한가? 어떻게 지내고 있을까? B 나도 나까무라씨를 오랫동안 만나보질 못해서, 궁금해 하고 있었어.

ポイント <ていない>

形 ［Aていない］ A＝動詞・て形

意味 「今まで／まだ A（し）ない状態が続いている」 have not done A for a long time 到现在为止／还没有做A的状态还在继续 지금까지／아직 A 하지 않은 상태가 계속되고 있다

使い方 「今日は朝から何も食べていないので、おなかがペコペコだ」「うちの娘は35歳になるのに、まだ結婚していません」

【35】 正解 3
母は、以前は怒りっぽかったが、最近はあまり怒らなくなった。
My mother used to get angry easily but recently she doesn't much. 妈妈以前很会生气,最近不太生气了。 엄마는 예전엔 걸핏하면 화냈었는데, 최근엔 그다지 화를 내지 않게 되었다.

ポイント <っぽい>

形 ［Aっぽい］ A＝動詞・ます形 「忘れっぽい（忘れる）」「あきっぽい（あきる）」がよく使われる。

意味 「すぐにAする性質／傾向がある」（「よくない」という気持ちがある） tend to do A easily (expresses the feeling "not good") "有马上变成A的性质／倾向"（有 "不好" 的意思） "금방 A 하는 성질／경향이 있다"（"그러다, 나쁘다" 라는 마음이 있다）

使い方 「妹はダンスを習い始めたが、あきっぽい人だから、きっとすぐにやめてしまうだろう」 My younger sister started taking dance lessons, but she will quit soon because she is a type of person who can stick to nothing. 妹妹开始学习跳舞了,因为她是没常性的人,一定很快就放弃了。 여동생은 댄스를 배우기 시작했는데, 금방 싫증내는 사람이라, 아마 곧바로 그만둘 것이다.

「だれでも年をとると忘れっぽくなる」Anyone gets forgetful as he/she gets older. 年纪大了,谁都容易忘事儿。 누구든 나이를 먹으면 곧잘 잊어버리게 된다.

⚠️◇「っぽい」は、い形容詞と同じ変化をする。"っぽい" is conjugated the same way as い adjectives. 「っぽい」和形容词一样变化。 「っぽい」는, い형용사와 같이 변화한다.
例：忘れっぽい⇒忘れっぽくなる
◇Aが名詞の文もあるが、意味が違う。 参照【7】

【36】 正解 4
A「この仕事を1週間で終わらせるのは、ちょっと無理じゃないか。」B「いや、がんばれば、何とかなるだろう。」
A "Isn't it impossible to finish this job in a week?" B "No, it isn't. We'll make it if we try our best." A "要一个星期完成这项工作,好像难以办到。" B "不,如果努力的话,总会有办法的。" A 이 일을 일주일만에 끝낸다는 건, 좀 무리가 있지 않을까? B 아니야, 분발하면 어떻게든 될꺼야.

ポイント <何とかなる>

形 ［何とかなる］

意味 「難しいが、問題や課題を解決することができる」can solve a problem/an issue though difficult 虽然很难,但是能解决问题和课题 어렵지만, 문제나 과제를 해결할 수 있다

使い方 a「レポート、できた?」b「うん。たいへんだったけど、何とかなった」a「そう、よかったね」
「注文した本、まだですか。今週中に何とかなりませんか」Has the book I ordered not come in yet? Can't you get it this week? 预订的书,还没到吗？这个星期内有办法解决吗？ 주문한 책, 아직입니까? 이번주 중에 어떻게 안됩니까?

⚠️「何とかする」＝「問題や課題を解決するために、できるだけのことをする」do one's best to solve a problem/an issue 为了解决问题或课题,竭尽全力 문제나 과제를 해결하기 위해, 할 수 있는데까지 해보다 参照【51】

【37】 正解 2
新聞の字が昔より大きくなって、読みやすくなった。
The size of characters on the newspaper is larger than before, which has made it easier to read. 报纸的文字比以前大了,读起来方便了。 신문의 글자가 예전보다 커져서, 읽기 쉬워졌다.

ポイント <やすい>

形 ［〜は Aやすい］ A＝動詞・ます形

意味 （問題文中の意味）「A（する）のが 楽だ／簡単だ」

使い方 「このかばんはポケットがたくさんあって、とても使いやすい」「息子はまだ1歳なので、何でも食べやすく切って食べさせている」

⚠️◇「やすい」は、い形容詞なので、動詞の前では「やすく」、て形は「やすくて」、過去形は「やすかった」になる。やすい is an い adjective, becomes やすく before a verb, the て form is やすくて, and the past tense is やすかった. 「やすい」是 "い" 形容词,在动词的前面变成「やすく」、て形是「やすくて」、过去式是「やすかった」。 「やすい」는, い형용사이기 때문에 동사 앞에서는 「やす

く」、て形は「やすくて」、過去形は「やすかった」に変化する．
◇「Aする傾向がある」という意味の文もある．Also used to mean "tend to do A". 也有表示"有做A的傾向"的句子． 「A 하는 경향이 있다」라는 의미의 문장도 있다． 参照【129】

【38】 正解 2
科学の研究は、すればするほど、おもしろくなる。
The further science research is made, the more interesting it becomes. 科学研究，越做越有意思。 과학 연구는 하면 할 수록, 재미있 어진다.

ポイント <ば～ほど>

形 ［A１ばA２ほどB］
A１＝動詞・ば形、A２＝動詞・辞書形

意味 「Aの動作が進むと、Bの程度が上がる」as action A progresses, the level of B deepens 随着A动作的进展，B的程度提高 A의 동작이 진행되면 , B의 정도가 올라간다

使い方 「あの女優は、見れば見るほど美しい。ほんとうにきれいな人だ」The more you see her, the more beautiful the actress looks. She is such a beauty. 那位女演员，越看越美。真是一位丽人。 저 여배우는 보면 볼수록 아름답다. 정말 예쁜 사람이다.
「彼は酒が強い。飲めば飲むほど冷静になる」He is a heavy drinker. The more he drinks, the cooler he becomes. 他的酒量很好。越喝越冷静。 그는 술이 강하다. 마시면 마실수록 냉정해진다.

【39】 正解 2
A「ええと、今日の会議は何時からでしたっけ。」B「３時からですよ。」
A "Let's see…what time is today's meeting going to begin?" B "Three o'clock." A "嗯，今天的会议是几点开始？" B "是3点开始。" A 저기, 오늘 회의는 몇시부터였죠？ B 3시부터예요.

ポイント <っけ>

形 ［A（ん）だっけ／だったっけ／でしたっけ］
A＝［動詞・普通形］＋「ん」 例「行くんだっけ／行くんだったっけ／行くんでしたっけ」「行ったんだっけ／行ったんだったっけ／行ったんでしたっけ」
A＝［い形容詞・普通形］＋「ん」 例「大きいんだっけ／大きいんだったっけ／大きいんでしたっけ」「大きかったんだっけ／大きかったんでしたっけ」（「大きかったっけ」も使う）
A＝［な形容詞／名詞］ ①［～］ 例「有名だっけ／有名だったっけ／有名でしたっけ」「学生だっけ／学生だったっけ／学生でしたっけ」 ②「～なん」 例「有名なんだっけ／有名なんだったっけ／有名なんでしたっけ」「学生なんだっけ／学生なんだったっけ／学生なんでしたっけ」

意味 「Aですか」（忘れたことを思い出しながら相手に聞くときの表現 asking the other person trying to remember what one has forgotten 一边想起忘记的事，一边向对方询问的表现。 잊어버렸던 일을 생각해 내면서 상대방에게 물을 때의 표현

使い方 子「お母さん、今日はお父さんの帰りが遅いんだっけ」母「そうよ。月曜日はいつも遅いのよ」

⚠ 思い出すときの表現なので、現在や未来のことでも「だった／でした」を使うことが多い。As this is an expression used when one tries to remember something, だった／でした is often used even if the tense is present or future. 因为是想起时的表现，即使是现在或是未来的事，大多也用「だった／でした」的形式。 생각해 낼때의 표현이므로, 현재나 미래의 일이라도「だった／でした」를 사용하는 경우가 많다. 例：a「次のミーティングは来月の10日だったっけ」b「そうだよ」

第4回

【40】 正解 2
A「山下君はまだ15歳だってね。」B「そう。彼、年のわりには、大人っぽいね。」
A "Yamashita is only 15 years old, I understand." B "Yes. He is more mature for his age." A "山下还只有15岁吧。" B "是的, 就他的年龄而言, 他很像大人。" A 야마시따군은 아직 15 살이라며？ B 응. 그 나이에 비해 어른스럽지.

ポイント <わりに／わりには>

形 ［A わりに（は）］
A＝動詞／い形容詞・普通形、な形容詞・普通形（現在形［～な］）／名詞・普通形（現在形［～の］）

意味 「Aから予想するのと違って」different from guessing A 与从A所预想的不同 A 로 예상하는 것과는 달리

使い方 「このケーキは安いわりにおいしい」「勉強しなかったわりにはテストの成績がよかった」

⚠ 「にしては」も同じように使う。参照【84】

【41】 正解 2
母は今出かけています。何かご伝言があれば、うかがいますが。
My mother is not home now. May I take a message? 母亲现在外出了。如果有要转达的话，请讲。 엄마는 지금 외출중입니다. 뭔가 전하실 내용이 있으시면, 여쭙겠습니다만.

ポイント <うかがう>

形 ［うかがいます］

意味 （問題文中の意味）「聞く」（謙譲語 humble 谦让语 겸양어）

使い方 「先生のご意見をうかがいたいのですが」
「社長のご都合をうかがってきました。明日はお忙しいそうです」I've found out the president's convenience. He says he'll be busy tomorrow. 我问了社长是否方便, 但是他明天似乎很忙。 사장님의 스케줄을 여쭤보고 왔습니다. 내일은 바쁘시다고 합니다.

⚠ ［うかがう］①「聞く」 ②「（目上の人や相手のいる場所に）行く」例：A「では、明日10時にそちらにうかがいます」B「お待ちしています」 ③「質問する」例：学生「すみません。ちょっとうかがいたいことがあるんですが」先生「はい、何ですか」

【42】 正解 3
論文は12月10日までに提出すること。

The thesis is due by December 10th. 论文请在 12 月 10 日之前提交. 논문은 12 월 10 일까지 제출할 것.

ポイント ＜こと＞

形 ［Aこと。］ A＝動詞・辞書形／ない形 ［～ない］

意味 「A（し）なさい／（し）てはいけない」（指示や命令をするときの表現 expression used when giving a direction or a command 在发出指示或命令时用的表现 지시나 명령할 때의 표현）

使い方 「プールに入る前は、必ず準備体操をすること。」Make sure you do warm-up exercise before going into the pool. 在进入游泳池前,一定要做准备体操。 수영장에 들어갈 때는, 반드시 준비체조를 할 것.
「劇場内では飲食をしないこと。」Do not eat or drink inside the theater. 请不要在剧场内饮用或食用东西。 극장내에서는 먹고 마시지 말것.

【43】 正解 1

首相の発言に対する不満が国民の間で高まっている。
People's dissatisfaction is increasing against the prime minister's statement. 对于首相的发言,国民的不满高涨了。 수상의 발언에 대한 불만이 국민들 간에 고조되고 있다.

ポイント ＜に対する＞

形 ［Aに対するB］ A、B＝名詞

意味 「AへのB／Aに向かってするB」（AはBをする相手や対象 A refers to a person or thing that does B A 是做 B 的对象 A 는 B 를 하는 상대나 대상）

使い方 「目上の人に対する丁寧な話し方を敬語という」The polite speech used when talking to superiors is called honorifics. 对上级用的礼貌的说话方式叫做敬语。 윗사람에 대한 정중한 말투（화법）을 경어라고 한다.
「地震で家をなくした人々に対する支援を、よろしくお願いします」Thank you for giving support to those who lost their houses in the earthquake. 对于在地震中失去家园的人们的支持和援助,就拜托了。 지진으로 집을 잃어버린 사람들에 대한 지원을, 잘 부탁드립니다.

⚠️ ［Aに対してB］ という文もある。参照【24】【157】

【44】 正解 3

A「お宅には、お子さんは何人いらっしゃいますか。」B「3人おります。」
A "How many children are there in your family?" B "There are three." A "你家有几个孩子?" B "有3个。" A 댁에는 자녀가 몇분 계십니까? B 3 명 있습니다.

ポイント ＜おります＞

形 ［（私／私の家族 が／は）おります］

意味 「います」（謙譲語 humble 谦让语 겸양어）

使い方 「日曜日は家におりますから、どうぞおいでください」
a 「ご家族はどちらにいらっしゃいますか」 b 「大阪におります」

【45】 正解 1

急いでいるからといって赤信号で横断歩道を渡るのは、あぶない。

It is dangerous to cross the street when the light is red even if you are in a hurry. 即便你说的很着急, 红灯时过马路也是很危险的。 서두르고 있다고 하여 적신호일때 횡단보도를 건너면 위험하다.

ポイント ＜からといって＞

形 ［AからといってB］ A＝動詞、形容詞、名詞・普通形

意味 「『AだからBだ』とは言えない場合もある」（普通は「AだからBだ」だが、そうではない場合や反対の場合もあることを表す） There are cases when you cannot say "because it is A, B happens" ("because it is A, B happens" is normal, but sometimes B doesn't happen or something contrastive happens.) 也不一定就是 "因为 A 才是 B" (一般是 "因为 A 才是 B", 但是也有例外, 或完全相反的场合。) 『A이니까B다』라고 말할 수 없는 경우도 있다. (보통은「A이니까B다」이지만, 그렇지 않을 경우나 반대의 경우도 있다는 것을 나타낸다)

使い方 「あやまったからといって許してもらえるとは限らない」 You don't know if you will be forgiven because you apologized. 道歉了并不一定就可以被原谅。 사과하였다고 하여 반드시 용서받을 수 있는 것은 아니다.
「日本人だからといって敬語が正しく使えるわけではない」One cannot use honorifics properly because he/she is Japanese. 是日本人并不一定就能正确使用敬语。 일본인이라고 하여 경어를 정확하게 사용한다고 할 순 없다.

⚠️ ◇Bの文末には、「～とは言えない」「～とは限らない」「～わけにはいかない」などが使われることが多い。
◇ 「AからB」 と 「AからといってB」 は反対の関係になる。 "It is B because it is A" and "it is B only because it is A" are opposites. 「AからB」和「AからといってB」是相反的关系。 「A이니 B」와「A이라고하여 B」는 반대의 관계가 된다.
例「お金があるから幸せです」⇔「お金があるからといって幸せだとは言えません」I'm happy because I have money. ⇔ One cannot be happy even though one has money. "因为有了钱就幸福。"⇔"有了钱不一定就说是很幸福。" [돈이 있으니까 행복하다] ⇔ [돈이 있다고 하여 행복하다고는 말할 수 없다]

【46】 正解 4

課長、今夜のS社のパーティーに出席されますか。
Section manager, are you going to attend tonight's party held by Company S? 科长, 今晚 S 公司的派对你出席吗? 과장님, 오늘밤 있을 S 사의 파티에 출석하십니까?

ポイント ＜受身形の尊敬語＞

形 ［～は／が A1れる／A2られる］ 受身形：A1＝Ⅰグループ動詞・ない形 A2＝Ⅱグループ動詞・ない形 「する」⇒「される」、「来る」⇒「来られる」

意味 「お～になる」（尊敬語 honorific 尊敬语 존경어）

使い方 「お母様はもうお宅に帰られましたか」（＝お帰りになりました）
「社長も会議に出られるそうです」（＝お出になる）
「西山先生は今日授業をされますか」（＝なさいます）
「明日は、お父様もいっしょに来られますか」（＝いらっしゃいます）

【47】 正解 3

いろいろ考えた末、帰国しないで日本で就職することにした。

After long deliveration, I've decided to get a job in Japan, not returning to my country. 考虑了各种情况后决定，不回国，就在日本就职。 여러가지로 생각한 끝에, 귀국하지 않고 일본에서 취직하기로 했다.

ポイント <末>

形 [A末(に)]　A＝動詞・た形、名詞 [～の]

意味「Aした結果、B／Aの最後に」B happens after the result of doing A/at the end of A　做A的结果，是B。／A的最后 (最终) 是～　A한 결과, B／A의 최후에

使い方「長年の努力の末、ようやく自分の会社をもつことができた」After many years of hard work, I could finally own a company. 长年努力的结果，终于有了自己的公司。오랜세월 노력한 끝에, 이제야 자신의 회사를 갖을 수 있게 되었다.
「いろいろ迷った末に、音楽の道に進むことにした」After hesitations, I've decided to pursue music. 各种选择犹豫了很久后，终于决定向音乐的道路发展。여러가지로 고민한 끝에, 음악의 길로 가기로 결정했다.

⚠ Aは、たいへんなこと、長い時間がかかったことで、普通のことではない。A refers to something tough, what took a long time, and something unusual. A是很难的事，用了很久的时间，并不是普通的事。A는 대단한 일, 오랜 시간이 걸리는 일로, 일반적인 일은 아니다.

例：× 「試験を受けた末に、合格した」　○「何度も試験を受けた末に、今年やっと合格した」After taking the exam many times, I finally passed this year. 在经历了几次考试后，今年终于合格了。몇번이고 시험을 본 끝에, 올해 겨우 합격했다.

【48】 正解 2

留学生活を終えて、2年ぶりに国へ帰った。故郷の町は少しも変わっていなかった。

After finishing my study abroad, I came back to my home country for the first time in two years. My hometown had not changed at all. 结束了两年的留学生活，回到了祖国。家乡的街道一点也没变。유학생활을 마치고, 2년만에 본국으로 귀국했다. 고향은 조금도 변함이 없었다.

ポイント <ぶり>

形 [A ぶりだ／ぶりに]　A＝時間の長さを表す名詞

意味「Aの後だ／Aの後に」(Aは、話者が長いと感じる時間　A refers to a longer duration of time for the speaker　A是说话者感觉很长的时间。A는 화자가 길다고 느끼는 시간)

使い方「家族みんなで旅行をしたのは、10年ぶりだ」「正月は、久しぶりにゆっくり休むことができた。いい正月だった」(「久しぶり」の「久し」は「長い時間」という意味)

【49】 正解 3

不況がこのまま続けば、うちの会社も経営が苦しくなるに違いない。

If the recession continues, it must be difficult for our company as well to keep operating. 如果不景气这样继续下去的话，我们公司的经营状况无疑会变得艰难。 불황이 이대로 계속되면, 우리 회사도 경영이 어려워질 것임에 틀림없다.

ポイント <に違いない>

形 [Aに違いない]　A＝動詞／い形容詞・普通形、な形容詞／名詞・普通形 (現在形 [～] [～である])

意味「きっとAだ／絶対にAだろう」

使い方「このチームは選手もチームワークもすばらしいから、今度の試合では勝つに違いない」「この字は山川さんの字ですから、これは山川さんの作文に違いありません」

【50】 正解 1

このダンスクラブへの入会は小学1年生から6年生までの子どもに限られている。

The membership into this dance club is limited to children from the first to the sixth graders. 这个舞蹈俱乐部的入会只限于小学一年级到六年级的孩子。이 댄스클럽으로의 입회는 초등학교 1학년부터 6학년까지의 아이들에 한해 가능하다.

ポイント <に限る／限られている>

形 [Aに限る／限られている]　A＝名詞

意味(問題文中の意味)「Aだけだ」

使い方「スピーチの時間は一人3分に限られています。3分を超えないようにしてください」The length of your speech is three minutes per speaker. Please try not to exceed three minutes. 演讲的时间每个人只限3分钟。请不要超出3分钟。스피치 시간은 한사람당 3분으로 한정되어 있습니다. 3분을 넘기지 않도록 해주십시오.
「この部屋への入室は社員に限る」Entrance to this room is allowed to employees only. 这个房间只有职员能进入。이 방으로의 입실은 사원에 한해 가능하다.

⚠「～が一番いい」という意味の使い方もある。参照【25】

【51】 正解 1

A「自転車の修理、月曜日までに何とかなりませんか。」
B「そうですねえ。ちょっと難しいけれど、でも、何とかしましょう。」

A "Can't you fix the bicycle by Monday?" B "Well, it's a little difficult, but we'll try." A "修理这辆自行车，星期一能搞好吗？" B "是啊，有点难，但是尽力做吧。" A 자전거 수리, 월요일까지 어떻게 안될까요? B 글쎄요. 좀 어렵지만, 어떻게든 해봅시다.

ポイント <何とかする>

形 [何とかする]

意味「難しい問題や課題を解決するために、できるだけのことをする」try one's best to solve a difficult problem or issue 为了解决疑难问题和课题, 尽力而为。어려운 문제나 과제를 해결하기 위해, 할 수 있는 일은 해보다.

使い方 a「試験までにこれを全部覚えるの、たいへんだね」
b「うん、でも、がんばって何とかするよ」

⚠「何とかなる」＝「十分ではないが、問題や課題が解決できる」参照【36】

【52】 正解 3

パソコンが**こわれてしまったために、仕事**ができない。
I cannot work because my computer broke down. 因为电脑坏了,不能工作。 컴퓨터가 고장나버려서 일을 할 수 없다.

ポイント ＜ため/ために＞

形 ［Aため（に）］　A＝動詞／い形容詞・普通形、な形容詞・普通形［〜な］名詞・普通形［〜である］

意味 「Aが原因で／Aので」例「景気が悪いために、失業者が増えている」Because of the bad economy, the number of the unemployed is increasing. 因为景气不好, 失业率增加了。 경기가 나빠져서 실업자가 늘고 있다.

使い方 「うちにはペットが3匹いる**ため**、私はほとんど旅行に行きません」「霧の**ために**飛行機に遅れが出ている」Due to the fog, there're some delays in the flights. 因为大雾飞机延迟了。 안개 때문에 비행기가 늦어지고 있다.

⚠ 「ために」が「目的」を表す文もある。参照【219】

第 5 回

【53】 正解 3

A「この間は、たいへんお世話になりまして、ありがとうございました。」B「とんでもありません。私のほうこそ、いろいろありがとうございました。」
A "Thank you very much for all the kindnesses you did for us the other day." B "Don't mention it. Thank you for everything."
A "上次承蒙关照, 真是谢谢。" B "没有的事, 反而是我要在各方面谢谢你。"
A 요전번에는 대단히 신세가 많았습니다. 감사합니다. B 천만의 말씀입니다. 저야말로 여러모로 감사드립니다.

ポイント ＜とんでもない＞

形 ［とんでもない／とんでもありません］

意味 「いいえ、ぜんぜん違いますよ」（相手の言ったことを強く否定する。お礼を言われたときや、ほめられたときに返すことば。謙遜の気持ちもある　The speaker negates strongly what the other person says. Used to reply to words of thanks or compliment given to the other. Also used to express humbleness. 对对方说的话强烈否定。当被感谢或赞美时回应的话。也有谦逊的意思。 상대방이 말한 내용을 강하게 부정한다. 사례의 말을 들을 때나, 칭찬받을 때 상대방에게 전하는 말. 겸손의 의미도 있다）

使い方 a「青山さんは、英語がペラペラだそうですね。うらやましいです」b「いえいえ、**とんでもない**。まだまだです」

【54】 正解 2

子どものとき、私はピアノ教室に**行かせられて**、それからピアノがきらいになった。
When I was a child, I was forced to go to piano lessons, which made me dislike piano. 孩提时代, 我被送到钢琴教室, 从那以后开始讨厌钢琴。 어렸을 적에, 나는 피아노교실에 억지로 보내져, 그때부터 피아노가 싫어지게 되었다.

ポイント ＜（さ）せられる／される＞

形 ［(人に) A(さ)せられる／される］（使役受身形　causative passive　使令被动式　사역수동형）　A＝動詞・ない形
Ⅰグループ動詞 例：行く⇒行か**せられる**／行か**される**
Ⅱグループ動詞 例：食べる⇒食べ**させられる**
Ⅲグループ動詞 する⇒**させられる**　来る⇒来**させられる**

意味 「人に『Aしなさい』と言われて、いやだけどしかたなくAする」Being told "to do A" by someone, one does A reluctantly. 被人说"请做A", 虽然讨厌但还是做了A。 타인에게 『A해라』라고 얘기듣고, 싫지만 어쩔 수 없이 A하다.

使い方 「交通違反をして、高い罰金を払わ**された**」Committing a traffic violation, I was made to pay a large fine. 违反了交通规则, 被罚了高额罚金。 교통위반하여, 비싼 벌금을 내게 되었다.
「彼は大きなミスをして、会社をやめ**させられた**」After making a huge mistake, he was made to resign from the company. 他犯了很大的错误, 被公司辞退了。 그는 큰 실수를 하여, 회사에서 해고당했다.
「急に英語でスピーチを**させられて**、どきどきした」Being made to give a speech in English suddenly, I had my heart in my mouth. 突然被要求用英语讲话, 很紧张。 갑자기 영어로 스피치를 하게 되어, 긴장했다.

⚠ Ⅰグループ動詞では、「〜せられる」の短い形「〜される」もよく使われる。With Group Ⅰ verbs, the short form 「〜される」 is also commonly used instead of 「〜せられる」. 在Ⅰ组词中, 也经常使用「〜せられる」的简短形「〜される」。 Ⅰ그룹동사에서는, 「〜せられる」의 짧은 형태인 「〜される」도 자주 사용된다.
例「長い時間待た**される**」「苦い薬を飲ま**される**」

【55】 正解 3

ありがたい**ことに**、毎月5万円の奨学金がもらえることになった。
Thank God, I was granted a scholarship of 50,000 yen per month. 真是太庆幸了, 每个月能拿5万日元的奖学金。 감사하게도 매월 5만엔의 장학금을 받을 수 있게 되었다.

ポイント ＜ことに＞

形 ［AことにB］
A＝動詞・た形、い形容詞［〜］、な形容詞［〜な］

意味 「Bので、とてもAだ」（Aは感情を表すことば　A refers to emotional words　A是表示感情的词语。 A는 감정을 나타내는 단어）

使い方 「うれしい**ことに**、第一希望の大学に合格できた」To my happiness, I could pass the university of my first choice. 这是太高兴了, 被第一志愿的大学录取了。 기쁘게도 제1지망 대학에 합격했다.
「驚いた**ことに**、あの大きな会社が倒産したそうだ」To our surprise, that big company went bankrupt, we hear. 真是太吃惊了, 那个大公司倒闭了。 놀랍게도 그 큰 회사가 도산했다고 한다.

【56】 正解 1

おいしい料理を作りたいなら、この本を見て作ってみ**たら**いいですよ。いろんな料理が出ていますから。
If you want to cook something delicious, I recommend you see this book. You'll find all kinds of dishes in it. 如果想做美味佳肴, 可以参照这本书烹调。里面有各种各样的菜肴。 맛있는 요리를 만들고 싶으면,

이 책을 보면서 만들면 좋아요. 다양한 요리가 실려있으니까요.）

ポイント <たらいい>
形 ［Aたらいいですよ／たらいいでしょう］
A＝動詞・た形＋ら
意味 「Aするのがいい」（Aを勧めたり、アドバイスする表現　recommend A or give advice　推荐A，提出建议时的表现　A를 권하거나, 조언하는 표현）
使い方 「痛みがひどいときは、この薬を飲んだらいいでしょう。よくききますよ」
⚠ 「～たらどう」も同じように使う。**参照【23】**

【57】　**正解 1**
種が多い果物は食べにくくて、いやだ。
I don't like seedy fruit because it's not easy to eat.　种子很多的水果很不容易吃，不喜欢。　씨가 많은 과일은 먹기 힘들어서, 싫다.

ポイント <にくい>
形 ［～は（人に）Aにくい］　A＝動詞・ます形
意味 （問題文中の意味）「～をA（する）のは簡単ではない」it's not easy to do A　～做A不容易　～을 A하는 것은 간단하지 않다
使い方 「『優』という漢字は画数が多くて、おぼえにくい」It's hard to learn the kanji 優 because it has many strokes.　"优"这个汉字笔画多，很难记住。『優』라고 하는 한자는 획수가 많아서, 외우기 어렵다.
「そのスプーンは大きくて重いので、子どもには使いにくい」「後ろの席に座ったら、先生の声が聞き取りにくかった」
⚠ ◇「にくい」は「い形容詞」なので、過去形は「にくかった」、て形は「にくくて」になる。
◇「簡単にはAしない性質がある」という意味の文もある。
参照【113】

【58】　**正解 3**
「年のせいか、最近小さい字が見えにくい」と祖母が言う。
"Recently it's hard to read fine characters maybe because I'm getting old," says my grandmother.　大概是因为年纪的关系吧，最近小的字很难看清。　［나이 탓인가, 요즘 작은 글자가 보기 힘들다］라고 할머니가 말씀하신다.

ポイント <せいか>
形 ［AせいかB］
A＝動詞／い形容詞・普通形、な形容詞・普通形（現在形［～な］）、名詞・普通形（現在形［～の］）
意味 「Bは　Aが原因かもしれないが／たぶんAだからだろう」（Bは結果、Aは考えられる原因）　the cause of B may be A/maybe because of A (B is the result, A is the possible cause)　B可能是A的原因。/ 大概是因为A吧。(B是结果，A是能考虑到的原因。)　[B는 A가 원인일지 모르나 / 아마 A 때문이겠지] (B는 결과, A는 가능하다고 여겨지는 원인)
使い方 「天気が悪いせいか、今日は店に来る客が少ない」We have fewer customers in the store today maybe because of the bad weather.　大概因为天气不好吧。今天来店里的客人很少。　날씨가 나쁜

탓일까, 오늘은 가게에 오는 손님이 적다.
「最近運動をよくしているせいか、体の調子がいい」

【59】　**正解 2**
A「あのう、何かお手伝いすることがあったら、やりますが。」B「ありがとうございます。もうすぐ終わりますから、ご心配なく。」
A "Excuse me, is there anything I can help you with?"　B "Thank you, but don't worry because we'll be finished soon."　A "如果有要帮忙的事，我来做。" B "谢谢。马上就完了。不用担心。"　A 저기, 뭔가 도와드릴 수 있는 일 있으면, 하겠습니다만. B 감사합니다. 이제 금방 끝나니까, 걱정마세요.

ポイント <ご心配なく>
形 ［（どうぞ）ご心配なく］
意味 「（だいじょうぶですから）心配しなくてもいいですよ」（丁寧な言い方　polite expression　礼貌的说法　정중한 표현）
使い方 a「お荷物がたくさんありますね。駅までお送りしましょうか」b「だいじょうぶです。どうぞご心配なく」

【60】　**正解 2**
今、赤ちゃんが寝たところだから、静かに入ってきてください。
Come in quietly because the baby has just gone to sleep.　现在婴儿刚睡着，请安静地进来。　지금 아기가 막 잠든 참이니, 조용히 들어와 주세요.

ポイント <ところだ>
形 ［Aところだ］　A＝動詞・た形
意味 「今／ちょっと前に　Aした」「Aが終わった／Aが完了している」"finished A just now/a little while ago" "A is finished/completed"　"现在 / 刚才做了A" "A结束了。/A完了。"　［지금 / 조금 전에 A 했다］［A가 끝났다 / A가 완료했다］
使い方 a「仕事まだあるの？」b「ううん。今終わったところだ」
「木村さんは今部屋を出たところですから、まだ近くにいるでしょう」
⚠ ◇Aが動詞・辞書形の文もあるが、意味が違う。**参照【21】**
◇Aが動詞・て形「Aているところだ」の文もあるが、意味が違う。**参照【163】**
◇「Aたばかりだ」は「A（し）た後、まだ少ししか時間がたっていない」という意味で使う。**参照【6】**

【61】　**正解 3**
この仕事は、経験のない人ではちょっと難しいでしょう。
It will be difficult for a person without experience to do this job.　这项工作，如果是没有经验的人做的话，有点难吧。　이 일은 경험이 없는 사람이면 좀 어렵겠죠.

ポイント <では>
形 ［Aでは］　A＝名詞
意味 「Aだと／Aなら／Aの場合は」
使い方 「美術館の入場料は大人1000円ですが、団体では割引料金になります」The admission to the museum is 1000 yen

for adults, but there's a discount fee for groups. 美术馆的入场券是1000日元，团体的话可以打折。 미술관 입장료는 어른은 1000 엔입니다만, 단체면 할인요금이 적용됩니다.

「このいすはデザインがいいのでよく売れていますが、普通より高めなので、お子さんでは座りにくいかもしれません」 This chair is selling well because of its good design, but children may not be able to sit on it comfortably because it is higher than normal. 这把椅子因为设计得很好，非常好卖。但是比普通的椅子高，小孩可能不容易坐。 이 의자는 디자인이 좋아 잘 팔리고 있습니다만, 보통의 자보다 좀 높은 편이라 자녀분한테는 앉기 힘들지도 모릅니다.

【62】 正解 3

兄は銀行で働いていて、毎日帰りが遅い。一方、弟は日曜日も野球の練習に出かける。2人がそろって家にいることはめったにない。
My older brother works for a bank and comes home late every day. On the other hand, my younger brother goes to practice baseball even on Sundays. The two rarely stay home together. 哥哥在银行工作，每天很晚回家。另一方面，弟弟星期天也出去练习棒球，两个人都在家的时候几乎没有。 형은 은행에서 일하고 있어, 매일 귀가가 늦는다. 한편, 동생은 일요일에도 야구 연습하러 나간다. 둘이 함께 집에 있는 일은 거의 없다.

ポイント ＜一方、～＞

形 [A。一方、B] [A。(その)一方(で)B] A、B＝文
意味 「A。それとは別にBのほうは」 A… on the othere hand B… 另一方面B A… 그와 별도로B쪽은
「A、そして／しかしB」
使い方 「東日本は地震で大きな被害を受けた。一方、西日本は大雨が続いて、あちこちで洪水が起こった」 Eastern Japan suffered great damage in the earthquake, and as for western Japan heavy rain continued and there were floods in many places. 东日本由于地震受害严重。另一方面，西日本连降大雨，各处都起了洪水。 동일본은 지진으로 큰 피해를 입었다. 한편, 서일본은 폭우가 계속되어, 여기저기서 홍수가 났다.
「山田選手はプロのサッカー選手だが、その一方で、環境を守る活動家としても知られている」 Yamada is a professional soccer player, and at the same time he is also known as an activist for protecting environment. 山田选手是专业的足球选手，另一方面，也是大家都知道的保护环境的活动家。 야마다선수는 프로 축구 선수이지만, 한편으로는 환경을 지키는 활동가로써도 알려져 있다.

⚠ [A(する)一方だ]という文もある。参照【12】

【63】 正解 1

A「すみません、子どもが寝ているので、もう少しテレビの音を小さくしていただけませんか。」B「あ、すみません。」
A "I'm sorry but would you mind turning the volume down a little on the TV? My baby is sleeping." B "Oh, I'm sorry." A "对不起，孩子睡了，能不能把电视机的声音调小一点。" B "啊，对不起。" A 죄송합니다. 아이가 자고 있어서 텔레비전 음량을 조금 더 작게 해주시겠습니까? B 아, 죄송합니다.

ポイント ＜ていただけませんか＞

形 [Aていただけませんか] A＝動詞・て形
意味 「A(し)てください／A(するのを)お願いします」
(丁寧に頼むときの表現　polite request　礼貌地请求时的表现　정중히 부탁할 때의 표현)
使い方 「出張のスケジュールが変わったら、早めに知らせていただけませんか」 If there's any change in the business trip schedule, would you let me know earlier? 出差的日程有变化时，能不能尽早通知我？ 출장 스케줄이 바뀌면, 조금 빨리 알려주시겠습니까?
「お客様のご連絡先をこちらに書いていただけませんか」 Would you write down your contact information here? 能不能在这里写下您的联系地址？ 손님의 연락처를 여기에 기입해주시겠습니까?

⚠ 「ていただけませんでしょうか」はさらに丁寧な言い方。参照【115】

【64】 正解 1

来月から始まるピカソの展覧会は国立美術館において行われる。
The Piccaso exhibit which begins next month is going to be held at the National Museum of Art. 从下个月开始的毕加索展览会在国立美术馆举行。 다음달부터 시작되는 피카소 전람회는 국립미술관에서 열린다.

ポイント ＜において＞

形 [Aにおいて] A＝名詞
意味 「Aで」(場所、時間、状況、領域などを表すことば the word which means place, time, situation, area, etc. 表示场所，时间，状况，领域的词语） 장소，시간，상황，영역 등을 나타내는 단어）
使い方 「二人の結婚式はロイヤルホテルにおいて行われた」
「平賀源内は、江戸時代において最も有名な科学者である」 Gennai Hiraga is the most famous scientist in the Edo Period. 平贺源内是江户时代有名的科学家。 平賀源内는, 에도시대에 있어 가장 유명한 과학자이다.
「T国は、宇宙開発において他の国よりも進んでいる」 Nation T is more advanced in the area of space development than any other nation. T国在宇宙开发方面比其他国家更进步。 T국은 우주개발에 있어 다른 나라보다도 발전해 있다.

⚠ ◇Bが名詞の場合は [AにおけるB] の形になる。例「江戸時代における通信手段は主に手紙だった」 The communication method in the Edo Period was mainly by letters. 在江湖时代，主要的通信手段是信。 에도시대에서의 통신수단은 주로 편지였다.
◇あらたまった硬い表現。 formal and stiff expression 是郑重其事的比较生硬的表现　격식차린 딱딱한 표현

【65】 正解 3

気象情報によると、今、日本に近づいている台風は大型で非常に強いということだ。
According to the weather information, the typhoon nearing Japan now is a severe and strong one. 根据天气预报，现在接近日本的台风是大型的非常强的台风。 기상정보에 의하면, 지금 일본에 접근중인 태풍은 대형으로 매우 강하다고 한다.

ポイント <という／ということだ>

形 ［Aという。／Aということだ］ A＝文

意味（問題文中の意味）「A そうだ／と聞いている」 it is said that A/I hear that A　A好像是/听到~　A라고 한다／라고 듣고 있다

使い方「このあたりは、大昔は海だったという」「ヤンさんに連絡が取れないので、コウさんに聞いたら、彼は帰国してしまったということだ」

⚠「ということ」を文の終わりではなく文の中で使う文もある。参照【101】

第6回

【66】**正解 2**
このパンはまだ温かい。焼きたてだ。
This bread is still warm. It's hot from the oven. 这面包还很温热。是刚出炉的。　이 빵은 아직 따뜻하다. 갓 구운 것이다.

ポイント <たて>

形 ［(Bは) Aたてだ］［Aたての B］
A＝動詞・ます形　B＝名詞

意味「Aが終わったばかりだ」A has just been finished.　A 刚结束。　A가 막 끝났다
「Aが終わったばかりの B」

使い方「会社に入りたてのころは、仕事がわからなくて困ることが多かった」「ここは、ペンキぬりたてです。注意してください」It's wet paint here so be careful. 这里刚刷了油漆。请注意。　여기는 페인트를 막 칠한 참입니다. 주의해 주십시오.

⚠ 参照【6】

【67】**正解 2**
山田さんは、両親が日本人なのにアメリカと日本の国籍をもっている。これは彼がアメリカで生まれたことによる。
Mr. Yamada has dual nationalities, American and Japanese, although his parents are Japanese. This is because he was born in America. 山田先生的父母是日本人，但是本人有美国和日本的国籍，这是因为他是在美国出生的。　야마다씨는 부모가 일본인인데 미국과 일본 국적을 갖고 있다. 이는 그가 미국에서 태어났기 때문이다.

ポイント <ことによる>

形 ［BはAことによる／AことによってB］
A＝動詞／い形容詞／な形容詞（現在形［～な］）・普通形、名詞・普通形（現在形［～である］）

意味「BはAからだ／AからB」（Aは理由、原因。Bは結果　A refers to reason or cause. B refers to result. A 是理由，原因。B 是结果。　A는 이유, 원인. B는 결과.）

使い方「この町が発展したのは、交通が便利なことによる」It is because the transportation is convenient that this town bloomed. 这个城镇能够发展，是因为交通方便。　이 마을이 발전한 것은 교통이 편리하기 때문이다.
「子どもの数が減っていることによって、人口のバランスが悪くなっている」The balance of population is getting bad because the number of children is decreasing. 因为孩子人数减少，人口的平衡被破坏了。　아이들의 수가 적어지고 있기 때문에, 인구의 균형이 나빠지고 있다.

【68】**正解 1**
A「今年の夏は去年ほど暑くないですね。」B「そうですね。少し涼しいような感じがしますね。」
A "It's not as hot this summer as last year, is it?" B "I agree. It feels a bit cool, doesn't it?" A：“今年夏天没有去年那么热。” B：“是啊。好像凉快一点。" A 올해 여름은 작년만큼 덥지 않네요. B 그렇네요. 좀 시원한 것 같은 느낌이 들어요.

ポイント <ような感じがする>

形 ［Aような感じがする］ A＝動詞／い形容詞・普通形、な形容詞・普通形［～な］、名詞・普通形［～の］

意味「Aと感じる／はっきりわからないがAではないかと思う」feel like A/not sure but guess A　感到 A/ 不是很清楚，觉得好像是 A　A 라고 느끼다／확실히 모르겠지만 A 이지 않을까 생각하다

使い方「のどがちょっと痛い。風邪を引いたような感じがする」a「昨日よし子にあったけど、少しやせたみたい」b「うん、ちょっとやせたような感じがするね」

⚠「(が)する」参照【116】

【69】**正解 2**
A 4の大きさのコピー用紙を注文したつもりだったのに、B 5 の紙が届いた。
I thought I ordered size A4 of copy paper, but size B5 was delivered. 我想是订了 A4 的复印用纸，但是送来了 B5 的纸。　A4 사이즈의 복사용지를 주문했다고 생각했는데, B5 용지가 도착했다.

ポイント <つもりだったのに>

形 ［Aつもりだったのに、B］ A＝動詞・た形

意味「自分はAしたと思っていたが、B（違うことが起こった）」Although I thought I did A, but B (something different happened). 自己以为做了A，但是发生了不同的B。　자신은 A 했다고 생각했는데, B (다른 일이 일어났다)

使い方「料金はちゃんと払ったつもりだったのに、催促されてびっくりした」I thought I had paid the fee, so I was surprised when it was demanded. 我想已经付了费用，被催讨时吃了一惊。　요금은 분명히 지불했다고 생각했는데, 재촉당해 놀랐다.
「私は仕事を全部やったつもりだったのに、課長に『早く終わらせなさい』と言われた」I thought I had completed all the work required, but was told by the section manager to finish my work soon. 我想已经做完了全部的工作，却被科长说："快点儿做完它。" 나는 일을 전부 끝냈다고 생각했는데, 과장님께 『빨리 끝내게』라는 소리 들었다.

【70】**正解 2**
夏休みに海外へ旅行して以来、体の調子がよくない。
Since I traveled abroad during my summer vacation, I have not been feeling well. 暑假从海外旅行回来以来，身体的状况就不好。　여름 방학에 해외로 여행다녀온 이후로, 몸 상태가 좋지 않다.

N3解答

ポイント ＜て以来＞
形 ［Aて以来、B］　A＝動詞・て形
意味 「A（し）てからずっとB」
使い方 「3年前に日本に来て以来、私は一度も国に帰っていない」「この会社に入って以来、山田さんと同じ課で仕事をしている」

⚠ Bは「続いていること」で、1回だけのことではない。B refers to a continuous action, not a one-time action. B是"连续的事情"，并不只是一次的事情。B는 「계속되는 상황」으로 한번만 있는 일은 아니다. 例：×「日本に来て以来、富士山に登った」　○「日本に来てから富士山に登った」

【71】 正解 4
患者「あのう、先生、検査をもう一度するというのは、どこか悪いということですか。」医者「いえ、それは何とも。でも、よく調べてみる必要があります。」
Patient "Uh…Doctor, do I need to have another examination because there's something wrong with my health?"　Doctor "No, we don't know yet, but you need to have further examination."　患者："嗯，医生，要再次检查，是不是什么地方不好啊？"医生："不，这个现在还什么都说不上。但是，有必要好好检查。" 환자 [저기, 선생님, 검사를 한번 더 한다는 것은, 어딘가 안좋기 때문인가요?] 의사 [아뇨. 그건 아직 뭐라 말씀드릴 수 없습니다. 그렇지만 제대로 조사해 볼 필요가 있습니다.]

ポイント ＜それは何とも＞
形 ［それは何とも］
意味 「それはわかりません」
使い方 a「この国の経済はこれからどうなるでしょうか。よくなるでしょうか」b「さあ、それは何とも。経済学者もいろいろなことを言っていて、よくわかりませんね」a "How is the economy of this nation going to turn out? Is it going to improve?"　b "Well, we don't know for sure. Economists say all kinds of things and weave no idea."　a "这个国家的经济将会怎么变化？会变好吗？" b "是啊，这很难说。经济学家也各有其说，不清楚啊。" A 이 나라의 경제는 앞으로 어떻게 될까요? 좋아질까요? B 글쎄요. 그건 뭐라 말하기가, 경제학자도 여러 얘기를 하고 있어서, 잘 모르겠네요.

⚠ 「何とも言えない」も同じように使う。 参照【227】

【72】 正解 1
外国へ行くんですか。外国へ行くなら、薬を持っていくのを忘れないように。
You are going abroad? If so, don't forget to take your medicine.　去外国吗？如果去外国，别忘了带药。　외국에 가세요？ 외국에 간다면 약 갖고 가는 것을 잊지 않도록.

ポイント ＜なら＞
形 ［Aなら］
A＝動詞・辞書形／ない形［〜ない］、い形容詞［〜い］［〜くない］、な形容詞［〜］［〜ではない］、名詞
意味 （問題文中の意味）「A（の）場合はB」「A（する）場合は、その前にB」（BはアドバイスBや要求などの話者の考えを表す文　B refers to the speaker's advice or demand.　B是表现说话者的建议，要求等想法的文句。　B는 조언이나 요구등 화자의 생각을 나타내는 문장.）
使い方 「参加しないなら、電話かメールで知らせてください」「仕事がつらいなら、やめればいいでしょう」「電気製品なら、あの店で買うといいですよ」「車を運転するなら、酒を飲んではいけません」If you're going to drive, don't drink.　如果要开车，就不要喝酒。　차를 운전한다면 술을 마시면 안됩니다.

⚠ ◇Aが動詞の文では、BはAより前のこと。例「運転する（後）なら、酒を飲まない（前）」If A contains a verb, B is the preceding action. (Ex) If you are going to drive (=after), don't drink (=before).　在 A 是动词的句子中，B 是 A 之前的事。例如：开车（后）的话，不要喝酒（前）。　A가 동사의 문장에서는, B는 A 보다 전의 일. 예: 운전한다면（후）, 술을 마시지 않는다（전）.
一方、「たら」を使うと、前と後の関係が逆になる。例「酒を飲んだら（前）、運転しない（後）」If you use "たら," the "before and after" relation becomes reversed. (Ex) If you drank (=before), don't drive (=after).　另一方面，如果用「たら」前和后的关系相反。例如：喝了酒（前）以后，就不要开车（后）了。　한편, 「たら」를 사용하면, 전과 후의 관계가 거꾸로 된다. 예: 술을 마시면（전）, 운전하지 않는다（후）. 参照【107】【146】
◇条件を表す文もある。Also used for conditionals. 也有表示条件的句子。조건을 나타내는 문장도 있다 参照【177】
◇話題を出すときの使い方もある。参照【91】

【73】 正解 3
A「君はもう仕事が終わったのか。じゃ、帰ってもいいよ。」B「すみません。では、お先に失礼します。」
A "Are you finished with your job? You can go home then."　B "Thank you very much. Sorry to go before you."　A "你已经做完工作了吗？那么，可以回去了。"B "对不起，那么我走了。" A 자네는 이미 일이 끝났는가? 그럼 귀가해도 좋다. B 죄송합니다 그럼 먼저 실례하겠습니다.

ポイント ＜お先に失礼します＞
形 ［お先に失礼します］
意味 「先に帰ります／先にします」（丁寧な表現「私のほうが先でごめんなさい」という気持ちを表す　polite expression which means "I'm sorry I am going home before you."　礼貌的表现，表示"我先走了对不起"的心情。　정중한 표현 [제가 먼저라도 미안합니다] 라는 기분을 나타낸다）
使い方 （車に乗るとき）a「どうぞ」b「あ、すみません。では、お先に失礼します」（bが先に乗る）

⚠ ◇「お先に」は「お先に失礼します」の短い言い方。「お先に失礼します」ほど丁寧ではないので、友人や同僚に使う。「お先に」is the short form of「お先に失礼します」and not as polite as the long form, so it is said to friends or colleagues. ［お先に］是「お先に失礼します」的简短说法。因为没有「お先に失礼します」礼貌，可以在朋友，同事之间使用。　［お先に］는 「お先に失礼します」의 짧은 표현. 「お先に失礼します」만큼 정중하지 않으므로, 친구나 동료에게 사용한다.

例：（居酒屋で）a「私、明日は朝早く出かけるので、すみませんが、お先に」b「え、もう帰るの？」(at an Izakaya, Japanese-style pub) a "I need to leave early in the morning, so I'll see you." b "What, you're leaving already?" （在居酒屋）A"我明天要很早出门，对不起，先走了。"B"哎，要回去了？"（술집에서）A 저 내일은 아침 일찍 외출해야해서 미안하지만, 먼저 실례．B 뭐? 벌써 갈려구? （部屋の入り口で）a「お先に」b「どうぞ」（aが先に入る）◇「どうぞお先に／お先にどうぞ」＝「あなたが先にどうぞ」例：（部屋の入り口で）a「どうぞお先に」b「すみません」（bが先に入る）

【74】 正解 3
私は祖母を2日おきに病院に連れていかなければならない。昨日行ったので、次はあさってだ。
I need to take my grandmother to the hospital every two days. I took her yesterday, so the next time is the day after tomorrow. 我必须每隔两天送祖母去医院。昨天去了，下一次是后天。 나는 할머니를 이틀 간격으로 병원에 모시고 가야야 한다. 어제 갔다 왔으니, 다음은 내일 모레다.

ポイント ＜おきに＞

形 ［Aおきに］ A＝数や量を表すことば A=number or quantity A＝表示数和量的词语 A＝수나 양을 나타내는 단어
意味 「Aの間隔をおいて」every A （每）隔A A의 간격을 두고
使い方 「道の両側には、10メートルおきに電柱が立っている」On both sides of the road, an electric poll stands every 10 meters. 道路的两侧，每隔10米，竖着电线杆。 길 양쪽에는 10미터 간격으로 전봇대가 서 있다.
「この薬は、1日4回、6時間おきに飲んでください」
⚠「おきに」と「ごとに」は本来の意味は同じではないが、実際には同じように使われることもある。
例「3日おきに働く」＝「3日の間隔をおいて働く」work every three days 每隔3天工作 3일 간격으로 일하다 ●○○○●○○○●・・・
「3日ごとに働く」＝「3日に一度働く」work once in three days 3天工作一次 3일에 한번 일하다 ●○○●○○●・・・
しかし、実際には、「6時間おきに薬を飲む」と「6時間ごとに薬を飲む」は、どちらも「6時間に1回飲む／1日に4回飲む」という意味で、同じように使われる。

【75】 正解 1
最近はインターネットによって情報を集めることが多くなった。
Recently people often gather information through the Internet. 最近越来越多地用网络收集情报。 최근에는 인터넷으로 정보를 수집하는 경우가 많아졌다.

ポイント ＜によって＞

形 ［AによってB］ A＝名詞
意味 「AでB（する）／Aの方法でB（する）」
使い方 「うちの会社では社内の連絡もメールによって行っている」In our company we use Email for sending information inside our office. 我们公司即使是公司内部的联络，也使用电子邮件。 우리 회사에서는 사내 연락도 메일로 하고 있다.
「上のクラスに進めるかどうかは、テストによって決められる」Whether or not we get promoted to the upper class is determined through tests. 是不是升入上级的班级，由考试来决定。 윗 클래스로 갈 수 있는지 어떤지는 테스트로 결정된다.
⚠◇Bが名詞の場合は［AによるB］の形になる。例「この学校ではバイクによる通学が禁止されている」In this school commuting by motorcycle is prohibited. 这个学校禁止骑自行车上下学。 이 학교에서는 오토바이로의 통학이 금지되어 있다.
◇「Aが違うとBも違う」という意味の使い方もある。Also used to mean "if A is different, B is also different". 也有表示"A如果不同, B也不同"的意思的用法。「A가 틀리면 B도 틀리다」라는 의미의 사용법도 있다. 例「国によって文化が変わる」「人によって考え方が違う」

【76】 正解 2
A「社長は何時にお戻りになりますか。」B「4時ごろになるとおっしゃっていました。」
A "What time will the president come back?" B "He said he would be back around four." A"社长几点钟回来？" B"他说大概4点回来。" A 사장님은 언제 돌아오십니까? B 4시쯤 될꺼라고 말씀하셨습니다.

ポイント ＜おっしゃる＞

形 ［(目上の人が～と）おっしゃいます］
意味 「言う」（尊敬語 honorific 尊敬语 존경어）
使い方 「『予定を変えよう』と社長がおっしゃいました」
「お名前は何とおっしゃいますか」May I have your name? 请问您的尊姓大名？ 성함은 어떻게 되십니까？

【77】 正解 4
入り口に車を止められて、中に入ることができない。
I can't drive in because somebody parked his car at the entrance. 入口停着车，不能进来。 입구에 차가 세워져 있어, 들어올 수가 없다.

ポイント ＜れる・られる＞

形 ［（人は ～に）～を A1れる／A2られる］ 受身形：A1＝Ⅰグループ動詞・ない形 A2＝Ⅱグループ動詞・ない形 「する」⇒「される」、「来る」⇒「来られる」
意味 「（人は）Aの動作（～を～する）の影響を受ける」I am affected by ～to do A 我从～)A的动作（做～）受到影响。（나는 ～이니까）A의 동작（～을 ～하다）의 영향을 받는다
使い方 「私は昨日電車の中で財布を盗まれた」I was robbed of my wallet on the train yesterday. 昨天, 我在电车上钱包被偷了。 나는 어제 전차 안에서 지갑을 도난당했다.
（＝昨日電車の中でだれかが私の財布を盗んだ）
「名前を呼ばれたので、私は部屋に入った」（＝だれかが私の名前を呼んだので部屋に入った）
⚠◇「だれかが入り口に車を止めた。その影響で／そのために、私は入ることができない」を受身文に変えると「（私

は）入り口に車を止められて、入ることができない」（問題文）になる。If you change the sentence "Someone parked his car at the entrance. Because of that I cannot go inside." into the passive voice, you get "Someone's car was parked at the entrance and so I cannot go inside." 把"不知谁在入口停了车。因为这个影响，/ 因为这个，我不能进来。"改成被动式是"我在入口车被别人停的车弄得不能进来。" ［누군가가 입구에 차를 세웠다. 그 영향으로 / 그 때문에 나는 들어갈 수가 없다］을 수동문으로 바꾸면 ［（나는）입구에 차가 세워져있어, 들어갈 수 없다］（문제문장）이 된다.

◇別の使い方の受身文もある。参照【27】【97】

【78】 正解 1
まり子は、私の自転車を借りたきり、まだ返してくれない。
Mariko borrowed my bicycle and has not returned it to me yet. 真理子把我的自行车借去后就这样一直没归还。 마리꼬는 내 자전거를 빌려간 채, 아직 돌려주지 않았다.

ポイント <きり>
形 ［Aきり、B］ A＝動詞・た形 B＝否定文
意味 「Aした後、ずっとB」
使い方 「ヤンさんとは、１年前に駅で偶然会ったきり、ずっと会っていない。どうしているだろうか」I ran into Yan-san at the station a year ago and haven't seen him since. I wonder how he is doing. 一年以前和杨（人名）在车站偶然碰到以后，一直没有再见到。不知他（她）怎么样了？ 양상은, 1년전에 역에서 우연히 만난 뿐, 쭉 만나지 못했다. 어떻게 지내고 있을까.
「弟は家を出たきり３日も帰ってこなかった。家族はみんなとても心配した」

⚠ A＝名詞の使い方もあるが、意味が違う。参照【96】

第7回

【79】 正解 1
主婦の立場から見ると、電気製品の新しい機能には要らないものも多い。
From a housewife's point of view, many of the new functions of the electric appliances are not necessary. 从主妇的角度来看，电器产品的新功能中，有很多是不必要的。 주부 입장에서 보면, 전자제품의 새로운 기능에는 필요없는 것도 많다.

ポイント <から見ると>
形 ［Aから見ると］ A＝名詞
意味 「Aの立場で考えると／Aの点を考えると」from the standpoint of A/taking A into consideration 从A的观点来考虑／考虑A点 A의 입장에서 생각하면／A의 점을 생각하면
使い方 「日本には、外国人から見ると理解しにくい習慣もある」In Japan there are some customs that are hard to understand for foreigners. 在日本，也有在外国人看来很难理解的习惯。 일본에는 외국인 입장에서 보면 이해하기 힘든 관습도 있다.
「英語の力は、筆記試験の成績から見ると中田君の方が上だが、会話は西山さんのほうがずっと上手です」Mr. Nakada is better in written exam's grade in English, but regarding conversation, Ms. Nishiyama is far better. 关于英语能力，从笔试成绩来看田中君比较好，而会话是西山更拿手。 영어실력은 필기시험 성적으로 보면 나가다군이 위지만, 회화는 니시야마씨가 훨씬 잘 한다.

⚠ ［から見ると／見れば／見たら／見て］の形もある。
例「大人から見ると／見れば／見たら／見て つまらないものでも、子どもから見るとおもしろいものがある」

【80】 正解 2
田口君は、先生にあいさつもせずに急いで帰ってしまった。
Taguchi went home hurriedly without greeting to his teacher. 田口君没有和老师打招呼就急着回家了。 다구치군은 선생님한테 인사도 하지 않고 급히 돌아가 버렸다.

ポイント <ずに>
形 ［AずにB］ A＝動詞・ない形「する」⇒「せずに」
意味 「A（し）ないでB（する）」
使い方 「中村さんは、今日とても忙しそうだ。昼食も食べずに仕事をしている」「あの店はいつもこんでいるから、予約をせずに行くと、入れないかもしれない」

【81】 正解 2
今晩、仕事の後でビールを飲みに行くんですが、よろしかったら、いっしょにどうですか。
We are going to have some beer after work tonight. Would you like to join us? 今晚，工作完后去喝啤酒，如果你愿意，一起去吗？ 오늘밤 일 끝나고 맥주 마시러 갈건데, 괜찮으시면 같이 어떠세요？

ポイント <よろしかったら>
形 ［よろしかったら〜］
意味 「もし、あなたがそうしたいなら／都合が悪くなければ」（誘うとき、勧めるときの丁寧な表現） if you want/if it is not inconvenient for you (polite expression used when inviting for something or suggesting something) 如果你愿意这样做／如果没有不方便的话（劝诱、提议时的礼貌的表现） ［만약 당신이 그렇게 하고 싶으면／상황이 나쁘지 않으면］（권할 때, 추천할 때의 정중한 표현）
使い方 「今度の土曜日、パーティーをします。よろしかったらいらっしゃいませんか」

⚠ 「よろしければ」も同じように使う。例「これうちで作ったケーキです。おいしいかどうかわかりませんが、よろしければ召し上がってください」

【82】 正解 4
どれがいいかなあ。あ、これがよさそうだ。
I'm puzzled which to choose. Oh, this one looks good. 哪个好啊？这个好像不错。 어느 것이 좋을까？, 이게 좋겠다.

ポイント <よさそう> 参照【19】【158】
形 ［A そうだ。／そうなB／そうにC］ A＝よさ（「いい」）+「そう」⇒よさそう B＝名詞 C＝動詞
意味 （問題文中の意味）（A＝「いい」）「A（いい）という様子、印象」feel/sound/seem A(good) A(好)的样子，印象 A（좋다）라는 상황, 인상
使い方 「久しぶりに祖母に会った。前にあったときより体の

調子がよさそうだったので、安心した」
「車がよく売れていて、M社の経営状態は非常によさそうだ」Having good sales on their cars, M Company seems to have very good business. 车子卖得很好，M公司的经营状态好像不错。 차가 잘 팔려서, M사의 경영상태는 상당히 좋은 것 같다.

⚠️ 「そう」には別の使い方もある。参照【19】◇①②

【83】正解 1
暑くなるにしたがって、電気の使用量が増える。
As it gets hotter, the amount of electricity use increases. 随着天气变热，电的使用量也在增加。 더워짐에 따라, 전기 사용량이 는다.

ポイント <にしたがって>

形 [AにしたがってB]　A＝動詞・辞書形、名詞

意味 「Aが変わると、Bもいっしょに変わる」(A、Bは変化を表すことば) "If A changes, B changes as well." (A and B are the words that are to change) "A 有变化的话，B 也一起变化。" (A, B 是表示变化的词语) [A가 변하면, B도 함께 변한다] (A,B는 변화를 나타내는 단어)

使い方 「北へ行くにしたがって、だんだん寒くなる」「時代の変化にしたがって若者の考え方も変わる」As the age changes, the view of the young changes. 随着时代变化，年轻人的思考方式也在变 시대가 변함에 따라 젊은이들의 사고방식도 변한다.

⚠️ 「とともに」「につれて」も同じように使う。参照【176】【230】

【84】正解 2
これは、子どもがかいたにしては上手な絵だ。
This painting is excellent for a child's job. 小孩子画得这样已经很不错了。 이것은 어린이가 그린 것치고는 잘 그린 그림이다.

ポイント <にしては>

形 [Aにしては]　A＝動詞／い形容詞・普通形、な形容詞／名詞・普通形(現在形[～])

意味 「Aから予想されるのと違って」contradictory to what is imagined about A 和从A预想的不同 A로 예상한 것과는 달리

使い方 「準備をしていなかったにしては、スピーチがうまくできてよかった」I'm glad my speech went well though I didn't prepare for it at all. 没有准备过的话，这演讲说得很精彩，很好。 준비를 안 하고 있었던 것치고는 스피치가 잘 되어 다행이다.
「今日は4月にしては寒い」

⚠️ [わりに／わりには]も同じように使う。参照【40】

【85】正解 3
社員「来週の水曜日1時から会議を開きたいのですが、課長のご都合はいかがでしょうか。」課長「ちょっと待ってください。スケジュールを調べますから。」
Employee "We would like to have a meeting next Wednesday at 1:00. Would it be convenient for you, Section Chief?" Section Chief "Hold on a minute. I'll check my schedule." 职员: "想在下周三一点钟开会，科长方便吗？" 科长: "请等一下，查看一下日程表。"

사원「다음주 수요일 1시부터 회의를 열고 싶습니다만, 과장님 스케줄은 어떠십니까?」과장「잠시 기다려 주세요, 스케줄을 알아볼 테니까요.」

ポイント <ご都合はいかがでしょうか>

形 [ご都合はいかがでしょうか]

意味 「(日時や場所は)いつが／どこが いいですか」「あなたの予定に合いますか」(丁寧な言い方　polite　礼貌的说法 정중한 말투)

使い方 a「来週一度お訪ねしたいと思いますが、ご都合はいかがでしょうか」b「午前中なら、いつでもけっこうですよ。お待ちしています」

【86】正解 2
私は、仕事中にねむくなると、コーヒーを飲む。
I drink coffee when I feel sleepy during work. 我在工作中如果瞌睡的话，就喝咖啡。 나는 일하는 중에 졸리면, 커피를 마신다.

ポイント <と>

形 [Aと、B]　A＝動詞・辞書形／ない形[～ない]、い形容詞[～い][～くない]、な形容詞／名詞[～だ][～ではない]

意味 「Aの場合は、(いつも／必ず)Bになる」If A happens, B (always) follows. A的场合，(总是／一定)变成B A의 경우는，(언제나／반드시) B가 된다.

使い方 「急がないと遅刻するよ。急ぎなさい」
「花の種をまくと、芽が出る。芽が成長するとつぼみができる。つぼみが大きくなると花が咲く」If you sow flower seeds, shoots come out. When the shoots grow, buds will appear. When the buds grow big, flowers bloom. 撒下花的种子的话，会发芽。芽成长后会有花蕾。花蕾长大后就开花了。 꽃의 씨앗을 뿌리면, 싹이 튼다. 싹이 성장하면 봉오리가 생긴다. 봉오리가 커지면 꽃이 핀다.
「箱がもう少し大きくないと全部は入らない」The box isn't big enough to put the whole things in. 如果箱子不再大一点的话，不能全部放进去。 상자가 좀더 크지 않으면 전부 안 들어가.
「この荷物を船便で送ると2500円ですが、航空便だと4100円です」If you send this parcel by surface mail, it costs ￥2500, and ￥4100 by air mail. 这个行李船运的话是2500日元。空运的话4100日元。 이 짐을 배편으로 보내면 2500엔입니다만, 항공편이면 4100엔입니다.

⚠️ Bには、過去形、「てください」、「ましょう」などは来ない。例：×「暑いと、窓を開けてください」 ○「暑かったら／暑ければ／暑いなら、窓を開けてください」

【87】正解 4
A「じゃ、行ってきます。」B「いってらっしゃい。気をつけて。」
A "I'm leaving, see you." B "All right. Be careful." A"那么，我走了。" B"走好。" A 그럼, 다녀 오겠습니다. B 다녀오세요. 조심하세요.

ポイント <気をつけて>

形 [気をつけて／お気をつけて]

意味 「あぶないことがあるかもしれないから、よく注意してく

ださい」（これから出かける人、帰る人に言うあいさつのことば。「お気をつけて」は丁寧な表現） There may be something dangerous, so be careful. (greeting said to a person going out or going home.「お気をつけて」 is more polite.) 说不定有危险的事，请密切注意。(是对即将出去和回去的人说的寒喧语。「お気をつけて」是礼貌的表现。) 위험한 일이 있을지 모르니, 충분히 주의하세요 (지금부터 나갈 사람, 돌아올 사람에게 말하는 인삿말.「お気をつけて」는 정중한 표현)

使い方「旅行、気をつけて行ってらっしゃい」「ご旅行、どうぞお気をつけて」
a「では、失礼します」b「お気をつけてお帰りください」

⚠ あいさつとしてではなく、「よく注意しなさい」と警告する使い方もある。Also used as a warning, not as a greeting, which means "Be very careful." 并非只是寒喧语，也可在给对方警告"请密切注意"时使用。 인사가 아닌,「매우 주의하세요」라고 경고하는 사용법도 있다． 例「あ、あぶない！気をつけて！」

【88】 正解 4
この仕事を今日中に全部終わらせるのは無理です。できません。
It's impossible to finish up all this work within today, really. 这工作今天全部完成很难。不能做到。 이 일을 오늘중으로 전부 끝내는 것은 무리입니다．할 수 없습니다．

ポイント ＜のは～（だ）＞
形 ［AのはB（だ）］ A＝動詞・辞書形／ない形［～ない］、い形容詞［～い］、な形容詞［～な］ B＝形容詞
意味「A（こと）は B（だ）／Bことだ」
使い方「駅まで４キロありますから、歩いていくのはたいへんです」「運動して汗をかいた後でシャワーを浴びるのは、とても気持ちがいい」「体がじょうぶなのは、ありがたいことだ」

⚠ 助詞が、名詞ではなく文につくときは、「文＋の／こと＋助詞」になる。When a sentence instead of a noun is used before the particle, it becomes "sentence + の／こと + particle." 助詞不是在名詞后面，而是在句子后面時，变成"句子＋の／こと＋助詞"的形式. 조사가 명사가 아닌 문장에 붙을 경우,「문장＋の／こと＋조사」의 형태로 된다． 例「スポーツは楽しい」⇒「スポーツをするのは楽しい」「スポーツをすることは楽しい」 参照【162】【214】【258】

【89】 正解 2
A「昨日は、おじゃましました。楽しかったです。ありがとうございました。」B「またぜひいらっしゃってくださいね。」
A "Thank you very much for having me yesterday. It was fun and thanks again." B "Please do come again." A:"昨天打扰了。很快乐。谢谢了。" B:"请下次一定再来。" A 어제는 실례했습니다. 재미있었어요. 감사합니다 B 또 꼭 방문해 주세요.

ポイント ＜おじゃま（を）する＞
形 ［（私が／は 人の家や職場に）おじゃま（を）します］
意味（問題文中の意味）「（人の家や職場を）訪問する」visit (someone's home or office) 去拜访（别人的家或工作单位） (타인의 집이나 직장을) 방문하다
（丁寧な言い方）

使い方「明日の午後、ちょっと会社のほうにおじゃましたいんですが、ご都合はいかがですか」

⚠「おじゃまします」は、人の家や部屋に入るときに言うあいさつの表現としても使う。「すみません。中に入りますよ」という意味。「おじゃまします」 is also a greeting used when one enters somebody's house or room. It means "Excuse me, I'm going to be in." 「おじゃまします」是在进入别人家中时说的招呼语。是"对不起，我要进来了"的意思。 「おじゃまします」는 타인의 집이나 방에 들어갈 때 말하는 인사의 표현으로도 사용한다 [죄송합니다. 안으로 들어갈게요] 라는 의미. 例：a「さあ、どうぞお入りください」b「はい、おじゃまします」

【90】 正解 3
小学生のときの友だちの住所を知りたいが、だれに聞いてもわからないので、あきらめるほかない。
I want to find out the address of my elementary school friend, but nobody I asked knows, so need to give up. 想知道小学时代的朋友的住址，问谁都不知道，只能放弃了。 초등학생 때의 친구집 주소를 알고 싶은데, 누구한테 물어도 모르니, 포기할 수밖에 없다.

ポイント ＜ほかない＞
形 ［Aほかない］ A＝動詞・辞書形
意味「A以外の方法はない」「（しかたがないので）A（する）しかない」have no choice but to do A （没有办法）只能（做）A （어쩔 수 없으니）A（하는 수）밖에 없다
使い方「まだ仕事が残っているので残業するほかない」We still have work to do, so there's no choice but to work overtime. 还有没做完的工作，只能加班了。 아직 일이 남아 있으니, 잔업할 수밖에 없다.「熱があったけれど、だれもいないので自分で薬を買いに行くほかなかった」

⚠「Aほかしかた（が）ない」という表現もある。例「大学に入って一人暮らしを始めた。たいへんだけど、掃除や洗濯を自分でやるほかしかたない」

【91】 正解 4
A「すみません。英和辞典をお持ちでしたら、ちょっと貸していただけませんか。」B「英和辞典なら、ここにありますよ。はい、どうぞ。」
A "Excuse me, would you mind lending me an English-Japanese dictionary if you have one?" B "Here's an English-Japanese dictionary. Help yourself." A "对不起，如果你带着英日词典，能借用一下吗？" B "如果是英日词典，这就是。请用吧。" A 죄송합니다. 영일사전을 갖고 계시면, 좀 빌려주시겠습니까? B 영일사전이라면 여기 있어요. 네 그러세요.

ポイント ＜なら＞
形 ［Aなら］ A＝名詞
意味（問題文中の意味）「Aは／Aについて言うと」（Aは話題として取り上げられているもの A is what is on the topic of a dialog A 是作为话题被提起或报道的东西 A 는 화제로 언급되고 있는 것）
使い方 a「課長はいらっしゃいますか」b「あ、課長なら、も

うお帰りになりましたよ」
「最近の若い社員は英語が上手だ。うちの会社でも英語のできる人なら何人もいる」Young company workers nowadays are good at speaking English. There are a number of people who are good at English in our company as well. 最近年轻职员英语很行。我们公司会英语的人也不少。 요즘 젊은 사원은 영어를 잘한다. 우리 회사에서도 영어가 가능한 사람이라면 몇명이나 있다.

⚠️ ◇ **条件**を表す文もある。**参照**【177】
◇ アドバイスや**要求**などの話者の考えを表す文もある。**参照**【72】

第8回

【92】 正解 2
このマンションは駅に近くて便利だが、狭いので、一人暮らしの人向きだ。
Being close to the station, this condo is convenient, but (the rooms are) small, so it is meant for people living alone. 这公寓离车站很近很方便,但是很狭小,适于一个人住。 이 맨션은 역에서 가까와서 편리하지만, 좁으니 혼자 사는 사람용이다.

ポイント <向き>

形 [A向きだ] A＝名詞
意味「Aに合っている／Aに合った性質をもっている」（Aは「人」が多い） suitable for A/have characteristics suited for A (A is often "a person") "适合A/有适合A性质"(A 一般指人) [A에게 맞다 / A에게 맞는 성질을 갖고 있다](A는 사람이 많다)
使い方「このパソコンは使い方が簡単ですから、初心者向きです」「この映画は成人向きです。子どもには見せられません」This movie is for adults. We cannot let children watch it. 这部电影适合于成人观看。不能给孩子看。 이 영화는 성인용입니다. 어린이들에게는 보여줄 수 없습니다.

⚠️ ◇「A向け」は「Aのために／Aに合うように 作られている」という意味。「A向け」means "be made for (use by) A". "A向け"是"为了A/为了适合A制作的"的意思。「A向け」는 [A를 위해 / A에게 맞도록 만들어지다] 例「これは、もともと子ども向けのアニメだが、大人も十分楽しめる」
◇「A用」は「Aが／Aに 使うため」という意味で、「使う物／道具」について言うことが多い。「A用」means "for A's use/to use for A" and A often refers to "things to use or tools." 「A用」是"A用/为了A用"的意思。较多用在"使用物／道具"上。「A用」은 [A가 / A에 사용하기 위해] 라는 의미로, [사용하는 물건 / 도구] 에 대해 말하는 경우가 많다。 例「海外旅行用の大きいかばんがほしい」「携帯用のノートパソコンは便利だ」
◇「A向き」には「方角」を示す使い方もある。「A向き」is also used to refer to "directions." 「A向き」也用作表示方位。「A向き」에는 [방향] 을 나타내는 사용방법도 있다。 例「この部屋は南向きで、明るい」

【93】 正解 1
A「この仕事、だれに頼もうか。」B「課長、ぜひ私にやらせてください。」
A "Who should I pick for this job?" B "Section Manager, let me do it, please." A "这件事，就拜托你了。" B "科长，一定让我干。" A 이 일, 누구한테 부탁하지? B 과장님, 부디 저에게 맡겨주십시오.

ポイント <（さ）せてください>

形 [（私に）A（さ）せてください]
A＝動詞・ない形 A（さ）せて＝動詞・使役形のて形
意味「（私が）A（し）ます／A（し）たいです」「私がそれをやりたいですが、いいですか」（**謙譲表現** humble 谦让表现 겸양표현）
使い方「うわあ、かわいい子猫ですね。写真をとらせてください」Oh, what a cute kitten! Let me take a picture. 啊，多可爱的小猫。让我拍张照吧。 와, 귀여운 아기 고양이이네요. 사진 찍게 해주세요.
「これ、イタリアの車ですね。ちょっと運転させてください」
⚠️ [Aさせて] は動詞・使役形のて形。使役形について：**参照**【144】

【94】 正解 3
お客様のコートは、こちらでお預かりいたします。
We will keep your coat, ma'am/sir. 顾客的大衣，可以寄存在这里。 손님 코트는 저희가 보관하고 있겠습니다.

ポイント <お／ご～いたします> **参照**【11】【123】【179】

形 [Aいたします] ①A＝お＋動詞・ます形 例「お知らせいたします」 ②する動詞（「説明する」など）A＝ご＋「××する」例「ご説明いたします」
意味「（あなたのために私が）Aします」（**謙譲表現**。「お／ご～する」よりさらに丁寧な言い方 a humble expression and more polite than the「お／ご～する」pattern 谦让表现。是比"お／ご～する"更礼貌的说法 겸양표현。[お／ご～する] 보다 더 정중한 표현）
使い方「当社のパンフレットをお送りいたします」We will send you some pamphlets of our company. 我将邮寄给你本公司的小册子。 저희 회사 팜플렛을 보내드리겠습니다.
「修理が終わりましたら、ご連絡いたします」
⚠️「お」と「ご」の使い方
●「ご」は「する動詞」（「説明する」「連絡する」など[漢字＋漢字＋する]の形の動詞）の前につける。例「この料理の作り方をご説明いたします」「お部屋にご案内いたします」 例外「お電話いたします」
●「お」は、その他の動詞につける。例「お話しいたします」「お送りいたします」 ただし、「見る」「いる」「着る」「来る」「する」など、ます形（[Bます]のB）が一文字だけの場合は、[おBいたします]とは言わない。
例：✕「お見いたします」 ○「拝見いたします」（＝見ます）
✕「おいいたします」 ○「おります」（＝います）
✕「お来いたします」 ○「まいります」（＝来ます）
✕「おしいたします」 ○「いたします」（＝します）

【95】 正解 1
事故で電車が止まってしまったので、学校へ行きたくても行

けない。
I want to go to school but cannot because the trains stopped running due to the accident.　因为事故电车停止了，想去学校也不能去。　사고로 전차가 멎춰 버려서, 학교에 가고 싶어도 갈 수 없다.

ポイント <たくても～できない>
形 ［Ａ１たくても（Ａ２）できない］
Ａ１＝動詞・ます形
Ａ２＝動詞Ａ１の可能形の否定形　negative of the potential form of verb A1　动词A1的可能式的否定式　동사 A1 의 가능형의 부정형
Ａが「する動詞」(「勉強する」のように「××する」の形の動詞) の場合は「××したくてもできない」の形になる。
例「勉強したくてもできない」
意味 「Ａ（し）たいけれど、できない」 want to do A but cannot　想做A但是不行　A 하고 싶지만, 할 수 없다
使い方 「歯の具合が悪いので、肉を食べたくても食べられない」 I want to eat meat but cannot because of my bad teeth.　因为牙齿不好，想吃肉也不能吃。　치아 상태가 좋지 않아서, 고기를 먹고 싶어도 먹을 수 없다.
「戦争中、学生は勉強したくてもできなかった」 During the war students wanted to study but couldn't.　在战争中学生想学习也不能。　전쟁 중, 학생은 공부하고 싶어도 할 수 없었다.

【96】　正解 2
Ａ「久しぶりね。もう 10 年ぶりくらいかしら。」Ｂ「そうだな。今夜は二人きりで、ゆっくり酒でも飲もうよ。」
A "It's been a long time. Has it been like 10 years?" B "I think so. Why don't we sit back and relax together tonight and have a drink?　A"好久不见了。好像有十年了吧。" B"是啊。今晚我们两个人，慢慢地喝杯酒吧。"　A 오랜만이네, 벌써 10 년만인가？ B 그렇네. 오늘밤은 단둘이서 느긋하게 술이라도 마시자.

ポイント <きり>
形 ［Ａきり（だ）］
Ａ＝名詞／助数詞　noun/counter　名詞/量詞　명사 / 조수사
意味 「Ａだけだ」
使い方 「え、これきり？もっとないの？」 Is this all? Don't you have more?　哎，就这个？没有其他的吗？　어, 이것뿐이야？ 좀더 없어？
「最近、一人きりで暮らすお年寄りが増えています」
⚠ Ａが動詞・た形の場合、文の意味が違う。 参照【78】

【97】　正解 4
この港から日本の自動車が世界各国に運ばれる。
From this port Japanese cars are shipped all over the world.　在这个港口，日本的汽车被运往世界各地。　이 항구로 부터 일본 자동차가 세계 각국에 운반된다.

ポイント <れる・られる>
形 ［～は／が Ａ１れる／Ａ２られる］　受身形：Ａ１＝Ｉグループ動詞・ない形　Ａ２＝Ⅱグループ動詞・ない形
「する」⇒「される」「来る」⇒「来られる」
意味 「～は／が Ａの動作を受ける」 the subject is the recipient of action A　～承受了A的动作　～는 / 가 A 의 동작을 받다
使い方 「山田さんは社長にほめられた」「ネズミがネコに食べられた」「Ｎ町に世界一高いタワーが作られた」「この国では 4 つの言葉が話されている」「今日送ると、荷物が配達されるのは、いつになりますか」 If I send it today, when will the parcel be delivered?　如果今天 (被) 发送的话, 货物什么时候到？　오늘 보내면, 짐이 배달되는 것은 언제쯤입니까？
⚠ 別の使い方の受身文もある。 参照【27】【77】

【98】　正解 2
歌手のＳは声がすばらしいうえにダンスもうまいので、若者に人気がある。
Because the singer S not only has a good voice but also is a good dancer, he is popular among young people.　S歌手不但嗓音好听, 舞也跳得好, 在年轻人中很有人气。　가수 S 는 목소리가 굉장한데다가 댄스 솜씨도 좋아서, 젊은이들에게 인기가 있다.

ポイント <うえに>
形 ［Ａうえに Ｂ］
Ａ＝動詞・い形容詞・普通形・な形容詞・普通形（現在形［～な］）／名詞・普通形（現在形［～の］）
意味 「Ａだけではなくて B も」（Ａと B は同じ性質のこと。たとえば、Ａがいいことなら B もいいこと、Ａがよくないことなら B もよくないこと　A and B are of the same nature. For example, if A refers to something good, B should be good too, and if A refers to something bad, B should be bad too.　A 和 B 是相同性质的事。如果 A 好, B 也好。如果 A 不好 B 也不好。　A 와 B 는 같은 성질의 것. 예를 들어, A 가 좋으면 B 도 좋은 것, A 가 좋지 않으면 B 도 좋지 않은 것.）
使い方 「宿題がたくさんあるうえに、来週テストもあるので、今週末は遊びに行けない」「この店は、料理がおいしいうえに値段も安いので、いつもこんでいる」
⚠ 「Ａ（する）ためにはＢが必要だ」という意味で使う文もある。 Also means "B is necessary to do A"　也可表示"为了做 A，B 是必要的。"　[A (하기) 위해서는 B 가 필요하다] 라는 의미로 사용되는 경우도 있다。（Ａ＝動詞・辞書形、名詞）　例「外国語を勉強するうえに辞書は絶対に必要だ」「何かの研究をするうえに必要なものは、アイデアとあきらめない気持ちだ」 What you need most in doing a research are ideas and a "never-give-up" spirit.　做研究必要的是主意 (想法) 和永不放弃的意志。　어떤 연구를 하는데 있어서 필요한 것은, 아이디어와 포기하지 않는 마음이다.

【99】　正解 3
遠いところよく来てくださいました。さあさあ、お入りになってください。お茶でもいかがですか。
Thank you for coming all the way from far.　Please come in.　Would you like some tea or something?　你从这么远的地方来 (真不容易)。来吧, 请进来。来喝杯茶吧。　먼곳까지 잘 오셨습니다. 어서 들어 오세요. 차라도 어떠세요？

ポイント <お茶でもいかがですか>
形 ［お茶でもいかがですか］

意味「何か飲み物を飲みませんか」（丁寧な言い方。「いっしょに何か飲みながら話をしよう」と誘う意味もある）"Would you like something to drink?"(Polite. The speaker could also be suggesting like "Let's have something to drink while we talk.")
"喝点什么？"（是礼貌的讲话方式。有"一起一边喝点什么，一边说说话"的意思。） [뭔가 음료를 마시겠습니까]（정중한 말투. [같이 뭔가 마시면서 얘기합시다] 라는 권하는 의미도 있다）

使い方 a「お久しぶりですね。ちょっとお茶でもいかがですか」b「すみません。今日は時間がなくて…」

⚠️「Aでも」＝「A（など）」「Aでなくてもいい、ほかのものでもいいけれど、何か」と、表現をやわらかく、丁寧にする。例「今度、映画でも見に行きませんか」

【100】 正解 4
病気で入院中の父親にかわって、娘が出席した。
For the father who is ill in the hospital, his daughter attended it. 女儿代替因病住院的父亲出席了。 병으로 입원중인 아버지를 대신하여, 딸이 출석했다.

ポイント ＜にかわって＞

形［AにかわってB］ A、B＝名詞

意味「Aができないので、Aがするはずのことを B が（する）」Because A cannot, B does what A is supposed to do 因为A不在，所以B代替A做了应该A做的事。 A 가 하지 못하니, A가 해야 할 것을 B가 (한다)

使い方「母にかわって姉が私の高校の卒業式に出席した」「午前中は山田先生にかわって田中先生が授業をした」

⚠️◇「にかわり」は少しあらたまった場合に使う。「にかわり」is a little more formally used. 「にかわり」是在比较正式的场合使用。 「にかわり」는 조금 격식차려야 하는 경우에 사용한다. 例「海外出張中の社長にかわり、私がごあいさつをさせていただきます」 Let me give a speech for our president who is abroad on a business trip now. 请允许我代替正在海外出差的社长致词。 해외출장중인 사장님을 대신하여, 제가 인사말을 드리겠습니다.

◇「〜のかわりに」も同じように使う。参照【29】

【101】 正解 3
ゆうべ関東地方で起きた地震の被害はかなり大きかったということが、今日のニュースでわかった。
We learned in today's news that the damage from the earthquake that occurred last night in the Kanto Region was pretty serious. 从今天的新闻中得知，昨晚发生在关东地区的地震的受害严重。 어젯밤 관동지방에서 발생한 지진의 피해가 상당히 컸다는 사실을, 오늘의 뉴스로 알았다.

ポイント ＜ということ＞

形［Aということ］ A＝文

意味（問題文中の意味）「Aこと」（「こと」の前の文が長い場合は、「ということ」を使うことが多い）

使い方「彼女の結婚相手が中山さんだということは、まったく知りませんでした」I didn't know at all that her fiance was Mr. Nakayama. 我完全不知她的结婚对象是中山先生。 그녀의 결혼상대가 나카야마씨라는 사실은, 전혀 몰랐습니다.

「国の選挙で投票することができるのは日本国籍を持っている人でなければならないということが法律で決められている」It is ruled in the constitution that people who can vote at the government's elections must own the Japanese citizenship. 法律规定，能投票的国家选手必须是持有日本国籍的人。 국가 선거에 투표할 수 있는 사람은 일본국적을 지닌 사람이어야만 한다는 사실이 법률로 정해져 있다.

⚠️「という／ということだ」には、聞いたことや読んだことを伝える使い方もある（伝聞 hearsay 传闻 전문）。参照【65】

【102】 正解 3
A「田中さん、立派なお宅を建てられたそうですね。おめでとうございます」B「いえ、いえ。せまい家ですけど、ぜひ遊びにいらっしゃってください」
A "Mr. Tanaka, I've heard you got a beautiful house built. Congratulations." B "Oh, no, it's a small house, but please do come visit us." A "田中先生，恭喜您造了漂亮的家宅。" B "哪里哪里，很小的家，一定过来玩啊。" A 다나까씨, 훌륭한 집을 지으셨다고 들었어요. 축하드립니다. B 아니요 별말씀을. 좁은 집입니다만, 꼭 놀러 오세요.

ポイント ＜おめでとう＞

形［おめでとう／おめでとうございます］

意味「よかったですね」（相手にいいことがあったことを喜ぶ気持ちを表す saying you are happy for the other person with some good luck 表示因为对方有好事而为之高兴的心情。 상대방에게 좋을 일이 있었던 점에 대해 기뻐하는 마음을 나타낸다）

使い方「ご結婚、おめでとうございます」
a「試験、合格したんですってね。おめでとう」b「ありがとうございます」

【103】 正解 4
新しいタワーの高さは 350 メートルあります。
The new tower is 350 meters high. 新塔的高度有 350 米。 새로운 타워의 높이가 350 미터입니다.

ポイント ＜〜さ＞

形［Aさ］ A＝い形容詞［〜↩］ 例：大きい⇒大きさ な形容詞［〜］ 例：便利⇒便利さ（「さ」は形容詞を名詞に変えることば 「さ」changes an adjective to a noun 「さ」是把形容词变成名词的词语 「さ」는 형용사를 명사로 바꾸는 단어）

意味「どれぐらいAか」「Aであること」"how A (tall, big etc.)" " being A" "有多少程度A" "是A" [얼만큼 A인가][A 인것]

使い方「重さが 20 キロ以上あるかばんを飛行機の中に持って入ることはできない」You cannot carry on board a bag which weighs over 20 kilograms. 不能把超过 20 公斤的包带上飞机。 무게가 20 킬로이상인 가방을 비행기 안으로 갖고 들어갈 수 없다.

「交通の便利さと生活のしやすさを考えてこの家を買いました」We bought this house considering the convenience of traffic and comfort of living. 考虑了交通的方和生活的便利，买了这个家。 교통의 편리함과 생활하기 쉬운 점을 생각하여 이 집을 샀습니다.

【104】 正解 1

社長は来月奥様とごいっしょにヨーロッパへいらっしゃるそうですよ。

I understand the president is going to Europe with his wife next month. 好像社长下个月和夫人一起去欧洲。 사장님은 다음달 부인과 함께 유럽에 가신다고 해요．

ポイント ＜いらっしゃる＞

形 ［(目上の人が)(〜へ／に)］いらっしゃる］

意味 「行く／来る／いる」(尊敬語　honorific　尊敬语　존경어)

使い方 「先生はこれからどちらへいらっしゃいますか」「ヤン先生が日本にいらっしゃるので、空港までお迎えに行きます」a「今日は、お父様はお宅にいらっしゃいますか」b「はい、おります」

⚠ 「ていらっしゃる」は「ている」の尊敬語。参照【149】

第9回

【105】 正解 4

あ！カップが割れちゃった！お母さんに見つからないうちに、捨てちゃおう。

Oops! The cup broke! I'm going to throw it before Mom finds it out. 啊，杯子碎了。在妈妈没发现前，快扔了吧。 어! 컵이 깨졌다! 엄마가 발견하기 전에 버려야지．

ポイント ＜ないうちに＞

形 ［AないうちにB］ A=動詞・ない形

意味 「Aする前にBする」

使い方 「雨が降り出さないうちに、引っ越しを終わらせよう」Let's finish our moving before it starts raining. 在雨还没下前，快结束搬家。 비가 내리기 전에, 이사를 끝내자．
「暗くなるとあぶないから、暗くならないうちに帰ろう」

⚠ ◇「AうちにB」という文もある。参照【223】
◇「割れちゃった」は「割れてしまった」の縮約形（短い形）。「捨てちゃおう」は「捨ててしまおう」の縮約形。縮約形はインフォーマルな会話で使う。The contracted form is used in informal conversations. 省略式是在非正式的会话中使用。 축약형은 약식적(비공식적)인 회화에서 사용한다．

【106】 正解 4

何か不明な点がありましたら、どうぞご遠慮なくご質問ください。

If you have any questions, please feel free to ask us. 如果有不明确的地方，请随便提出来。 뭔가 궁금하신 점 있으시면, 부디 주저마시고 문의주세요．

ポイント ＜ご遠慮なく＞

形 ［(どうぞ)］ご遠慮なく

意味 「遠慮しないで、どうぞ」(丁寧な表現）"Don't hold back and help yourself."（polite）"不要客气，请。"（礼貌性表现） 사양하지 말고, 아무쪼록 (정중한 표현）

使い方 「みなさま、こちらにお飲物を用意しております。ご遠慮なくお召し上がりください」All, we have something for you to drink over here. Don't hold back and please help yourselves. 大家好。这里准备了饮料，请不要客气，随便饮用。 여러분, 여기에 음료를 준비하였습니다. 주저마시고 드십시오．
「何か足りないものがありましたら、どうぞご遠慮なくおっしゃってください」

【107】 正解 3

来年大学を出たら、父の会社で働くつもりです。

After I graduate from college next year, I plan to work at my father's company. 明年大学毕业以后，想在父亲的公司工作。 내년에 대학을 졸업하면, 아버지 회사에서 일할 생각입니다．

ポイント ＜たら＞

形 ［Aた＋ら］ A=動詞・た形

意味 (問題文中の意味)「A(し)た後で／てから」(Aは決まっていること、予定していること　A refers to something already planned or scheduled　A是决定, 规定或预定的事　A는 정해져 있는 일, 예정하고 있는 일）

使い方 「仕事が終わったら、みんなで食事に行こう」「子どもが生まれたら、もう少し広い家に引っ越したいと思っています」

⚠ ◇＜もし／〜場合＞という意味を表す文もある。参照【236】
◇＜〜した後でわかったこと＞を表す文もある。参照【288】

【108】 正解 3

かみなりが鳴ったとたん、部屋の電気が消えた。

The moment it started thundering, the room lights turned off. 雷声响起后一瞬间，屋子里的灯灭了。 천둥이 친 순간, 방의 전기가 꺼졌다．

ポイント ＜たとたん＞

形 ［Aたとたん(に)B］ A=動詞・た形

意味 「A(し)たすぐその後に、急にBが起こった」(AとBはほとんど同時）"Immediately after A happened, B suddenly occurred."（A and B happen almost simultaneously.）"A发生后, B立刻发生了。"（A和B几乎同时） [A 한 바로 그 다음에, 갑자기 B가 일어났다](A 와 B 는 거의 동시）

使い方 「玄関のドアを開けたとたん、うちの猫が外へ飛び出していった」Right when I opened the entrance door, our cat got out of the house. 打开玄关的门的几乎同时，我家的猫就跳了出来。 현관의 문을 연 순간, 우리집 고양이가 밖으로 뛰어나가버렸다．
「昨日の夜は、とても疲れていたので、ふとんに入ったとたんに眠ってしまった」I was so tired last night I fell asleep the moment I got into bed. 昨晚太累了，钻进被窝就睡着了。 어젯밤은 너무 피곤했기 때문에, 이불에 들어간 순간 잠이 들어버렸다．

【109】 正解 4

A「ごぶさたしております。その後、みなさん、お元気ですか。」B「はい、おかげさまで。」

A "I'm sorry for the long absence. How have you all been?" B "We've been fine, thank you." A "好久不见了，那以后，大家好吗？" B "很好，托您的福。" A 격조했습니다. 그 후 여러분 건강하신지요. B 네 덕분에．

ポイント ＜ごぶさたしております＞
形 ［ごぶさたしております］
意味 「長い間連絡をしていなくて、すみませんでした」（丁寧な表現　polite　礼貌的表現　정중한 표현）
使い方 a「お久しぶりです。ごぶさたしておりますが、お変わりありませんか」b「おかげさまで元気にしております。そちらのみなさまは、いかがですか」a "It's been a long time. How have you been?" b "We've been fine, thank you. How about you all?"　A "好久不见。久不问候, 有什么变化吗？" B "托您的福, 很好。你们过得怎么样？"　a 오랫만입니다. 격조하였습니다만, 별고 없으십니까? b 덕분에 건강히 지내고 있습니다. 그곳 여러분은 어떠십니까?

【110】 **正解 3**
予定が変わったら、すぐに知らせてもらいたいんですが。
Would you let me know soon if the plan has changed?　预定有变化时, 能马上通知我们吗？　예정이 변하면, 바로 알려주셨으면 합니다만.
ポイント ＜てもらいたい＞
形 ［Aてもらいたい］　A＝動詞・て形
意味 「Aをお願いしたい／Aてほしい」（依頼の表現　request　委托的表現　의뢰의 표현）
使い方 a「山田さん、来週、大阪支社に出張してもらいたいんだが、いいかな」b「はい、わかりました」a "Mr. Yamada, I want you to go on a business trip to the Osaka branch next week. Will that be OK?" b "All right, sir."　A "山田, 下周想派你去大阪分公司出差, 可以吗？" B "好的, 知道了。" a 야마다씨, 다음주에 오사카지점으로 출장갔으면 하는데, 괜찮은가? b 네, 알겠습니다.
a「この時計、修理してもらいたいんですが、何日ぐらいかかりますか」b「1日でできると思います」
⚠ 会話では「てもらいたい<u>んですが／んだが</u>」と言うことが多い。

【111】 **正解 2**
ここは有名な小説家が子どものころに住んでいた町として知られている。
This town is known as the place where a famous novelist used to live when he was a child.　这里因为是有名的小说家小时候生活过的地方而出名。　이곳은 유명한 소설가가 어렸을 적에 살았던 마을로 유명하다.
ポイント ＜として＞
形 ［Aとして］　A＝名詞
意味 「Aということで／Aの立場で」as/in the light of A　因为A/A的立场　A라는 점에서 / A의 입장에서
使い方 「トムさんはクラスの代表としてスピーチをした」
「春子さんは、会社では課長として、家では3人の子どもの母親として、毎日とても忙しい」Haruko is very busy every day working as Section Manager at a company, and as a mother of three children at home.　春子在公司是科长, 在家是3个孩子的母亲, 每天都很忙。　하루꼬씨는 회사에서는 과장으로서, 집에서는 3명의 아이 엄마로서, 매일 정말 바쁘다.
「ニュートンは万有引力を発見した人として知られている」Newton is known as the discoverer of universal gravitation.　牛顿作为万有引力的发现者而知名。　뉴튼은 만유인력을 발견한 사람으로서 알려져 있다.
「最近、経済的で環境に害の少ない乗り物として自転車が見直されている」Recently people find new merits in the bicycle as an economical and environmentally harmless vehicle.　最近, 自行车作为即经济又对环境污染少的的交通工具而被重新认识。　최근, 경제적이면서 환경에 해가 적은 교통편으로 자전거가 재인식되고 있다.

【112】 **正解 3**
あぶないから、夜、暗い道を一人で歩いちゃだめだよ。
Don't walk on a dark road at night alone because it's dangerous.　因为很危险, 晚上不能一个人走在黑暗的路上。　위험하니, 밤에 어두운 길을 혼자서 걸어선 안된다.
ポイント ＜ちゃだめ＞
形 ［Aちゃだめ（だ）／A（ん）じゃだめ（だ）＝Aてはだめだ］　A＝動詞・て形　［〜て／で］
意味 「A（し）ては だめ／いけない」（くだけた会話で使う禁止の表現　prohibition used in casual conversations　在通俗的会話中使用的禁止的表现　스스럼없는 회화에서 사용하는 금지의 표현）
使い方 「泣いちゃだめ。さあ、なみだをふいて」Don't cry. Wipe your tears.　不能哭。来, 擦干眼泪。　울어선 안돼. 어서, 눈물을 닦어.
「車で来たの？それじゃ、酒、飲んじゃだめだ」
⚠ 「ちゃいけない」（＝てはいけない）も同じように使う。
例「人の悪口を言っちゃいけないよ」Don't speak ill of others.　不能说别人的坏话。　남의 험담을 해서는 안되요.

【113】 **正解 2**
M社の電気製品は、じょうぶでこわれにくい。
M Company's electrical products are durable and don't break easily.　M公司的电器产品很耐用, 不容易坏。　M사의 전기제품은 튼튼하여 쉽게 고장나지 않는다.
ポイント ＜にくい＞
形 ［Aにくい］　A＝動詞・ます形
意味 （問題文中の意味）「すぐには／簡単には A（し）ない性質をもっている」do not …A easily　马上／不会轻易发生A的品质　금방／간단하게 A 하지 않는 성질을 갖고 있다
使い方 「このガラスは普通のものより硬くて、割れにくい」This glass is harder than the ordinary type and doesn't break easily.　这玻璃比一般的坚硬, 不容易碎。　이 유리는 보통유리보다 단단하여, 쉽게 깨지지 않는다.
「病気になりにくい、強い体を作るには、食事のし方が大切です」The diet is important to build a strong body resistant to illnesses.　为了拥有不易生病而强健的身体, 饮食的方法很重要。　쉽게 병에 걸리지 않는, 강한 몸을 만들기 위해서는 식사법이 중요하다.
「この地方では冬は道が凍るので、車にはすべりにくいタイヤをつける」In this region the roads get frozen in the winter time, so cars wear slip-resistant tires.　这地方冬天结冰, 汽车需要装上防滑的轮子。　이 지방에서는 겨울에 길이 얼기 때문에, 차에는 좀처럼 미끄러지지 않는 타이어를 부착한다.

⚠ ◇「にくい」は「い形容詞」なので、て形は「にくくて」になる。
◇「Aするのが 簡単ではない／難しい」という意味の使い方もある。参照【57】

【114】 正解 1
うちの母は、ほしいものなら値段にかかわらず買ってしまう。
My mother buys whatever things she wants regardless of the price.　我母亲想要的东西会不管价钱买下来。　우리 엄마는 갖고 싶으면 가격에 상관없이 사버린다.

ポイント ＜にかかわらず＞
形 ［Aにかかわらず］　A＝名詞
意味 「Aに関係なく／Aがどうでも」 regardless of A　与A无关／无论A如何　A에 관계없이／A가 어떻든
使い方 「年齢にかかわらずゲームを楽しむ人が増えている」 More and more people enjoy games regardless of age.　无论年龄，喜欢玩游戏的人增加了。　연령과 상관없이 게임을 즐기는 사람이 늘고 있다.
「この会社に入るには、国籍にかかわらず英語の試験を受けなければならない」 To enter this company everybody needs to take an English test regardless of the nationality.　为了进这家公司，无论国籍（是什么），都必须参加英语考试。　이 회사에 들어가기 위해서는, 국적과 상관없이 영어 시험을 치뤄야만 한다.

⚠ ◇「かかわらず」の前に、反対の意味の２つの語を続ける使い方が多い。例「行く行かないにかかわらず、返事をメールでお願いします」 Regardless of whether you attend or not, please RSVP via email.　无论去否，请用电子邮件回应。　가고 안 가고와 상관없이, 답변을 메일로 부탁드립니다.
「マラソン大会は、天気がいい悪いにかかわらず行います」
◇「にもかかわらず」は別の表現で、意味が違う。参照【294】

【115】 正解 3
ファックスをお送りいたしますので、届きましたら、お電話をいただけませんでしょうか。
We are going to send you a fax, so when you have received it, would you call us?　我将给你发传真，收到后能给个电话吗？　팩스를 보내드릴테니、도착하면、전화주시겠습니까？

ポイント ＜いただけませんでしょうか＞
形 ［(Aを)いただけませんでしょうか］　A＝名詞
意味 「(Aが)ほしいです」「(Aを)もらえませんでしょうか」（「いただく」は「もらう」の謙譲語）"would you give me A?"（「いただく」is the humble form of「もらう」）"想要(A)" "能给我(A)吗？"（「いただく」是「もらう」的谦让语。）　［(A가) 필요합니다］［(A를) 주시지 않으시겠어요？］（「いただく」는「もらう」의 겸양어）
使い方 旅行会社の人「出発の時間に間に合わない場合は、ご連絡をいただけませんでしょうか」旅行客「はい。その場合は、必ず連絡します」 Travel agent "Would you contact us when you can't come by the departure time?" Traveler "Sure. I will certainly do so in such a case."　旅行社的人"如果不能赶上出发时间，能与我们联系吗？"旅客"知道了。如果赶不上，一定联系。"　여행사 사람 [출발시간에 늦을 경우는、연락을 주시겠습니까.] 여행객 [네, 그럴 경우는、반드시 연락하겠습니다.]

a「会の場所が決まりましたら、メールをいただけませんでしょうか」 b「はい、わかりました。地図といっしょにお送りします」

⚠ 「いただけませんでしょうか」は「いただけませんか」より丁寧な言い方。「いただけませんでしょうか」is more polite than「いただけませんか」.「いただけませんでしょうか」是比「いただけませんか」更礼貌的说法。　「いただけませんでしょうか」는「いただけませんか」보다 정중한 말투.
丁寧な順に並べると　The order of politeness levels are (from most polite to least polite)　下面是按礼貌的程度排列的句子。　정중한 순으로 나열하면 : ①「電話をいただけませんでしょうか」②「電話をいただけませんか」／「電話をいただきたいんですが」③「電話をもらえませんか」④「電話をください」

【116】 正解 3
A「なんか変なにおいがするね。」B「あっ、やかんだ。お湯をわかしているのを忘れてた！」
A "I smell something funny." B "Oh, it's the kettle. I forgot I was boiling water!"　A "好像有怪怪的气味。"B "是水壶，忘了在烧开水了。"　A 뭔가 이상한 냄새가 나지？ B 어, 주전자다. 물 끓이고 있는 걸 잊어버렸다！

ポイント ＜（が）する＞　参照【68】
形 ［Aがする］　A＝感覚を表す名詞　A=noun meaning the sense(s)　A= 表示感觉的名词　A = 감각을 나타내는 명사
（におい／味／音／声／感じ など）
意味 「Aが ある／感じられる」 feel/sense A　有A／感到A　A가 있다／느껴진다
使い方 「電話の音がする。だれの電話が鳴っているんだろう」 I hear a phone ringing. I wonder whose is ringing.　有电话声, 是谁的电话在响？　전화 소리가 들린다. 누구 전화가 울리고 있는거지？
「この魚は変な味がする。腐っているかもしれない」 This fish tastes funny. It may have gone bad.　这鱼味道很怪, 可能臭了。　이 생선은 이상한 맛이 난다. 상했을지도 모른다.

【117】 正解 3
A「明日の社長のご予定は？」B「明日は南区の新しい工場をご覧になる予定です。」
A "What's the president's schedule for tomorrow?" B "He is scheduled to go see the new factory in Minami Ward tomorrow."　A "明天社长的预定怎么样？"B "明天准备去看南区新建的工厂。"　A 내일 사장님의 예정은？ B 내일은 미나미구의 새로운 공장을 보실 예정입니다.

ポイント ＜ご覧になる＞
形 ［(目上の人が〜を) ご覧になる］
意味 「見る」（尊敬語）　honorific　尊敬语　존경어
使い方 「先生、今朝の新聞をご覧になりましたか」
a「社長は？」b「あそこでテレビをご覧になっています」

第10回

【118】 正解 2
書類の内容を確認してからでないとみなさんに報告することはできません。
We cannot report to you yet before we check the contents of the documents. 如果没有确认文件的内容，就不能向大家报告。 서류 내용을 확인한 다음이 아닌 이상, 여러분에게 보고할 수는 없습니다.

ポイント ＜てからでないと＞

形 ［AてからでないとB（ない）］ A＝動詞・て形

意味 「A（し）た後でB（する）／B（する）ためには、先にA（し）なければならない」（Bは否定文） do B after doing A/need to do A first in order to do B (B is negative) "做了A后做B/ 为了做B, 首先必须做A"（B是否定句） A 한 다음에 B(하다) / B(하기) 위해서는, 먼저 A 하지 않으면 안된다 (B는 부정문)

使い方 「この肉は焼いてからでないと食べられません。生で食べないでください」「課長の許可をもらってからでないと出かけることはできない。課長が来るまで待とう」We cannot leave before we get our Section Manager's approval. Let's wait till he comes. 如果没有科长的许可就不能出去。等科长回来吧。 과장님의 허가를 받은 다음이 아니고선 외출하지 못한다. 과장님이 올때까지 기다리자.

【119】 正解 2
たばこを吸うなと医者に言われたので、やめることにした。
I've decided to quit smoking because my physician told me to. 因为医生说不要再吸烟了，所以戒烟了。 담배를 피우지 말라고 의사가 말했기 때문에, 그만두기로 했다.

ポイント ＜な＞

形 ［Aな］ A＝動詞・辞書形

意味 「A（し）てはいけない」

使い方 「運転するときは酒を飲むな。酒を飲んだときは運転するな」Don't drink when you drive. Don't drive when you drank. 开车时不要喝酒。喝了酒不要开车。 운전할때는 술을 마시지 말아라. 술을 마셨을 때는 운전하지 말아라.

⚠ 強い禁止の表現なので、命令や指示に使う。strong prohibition used for commands or directions 这是强烈禁止的表现, 在命令或指示中使用。 강한 금지의 표현이므로, 명령이나 지시 때 사용한다.

【120】 正解 1
お忙しいところをおじゃまして申し訳ありませんが、ちょっとご相談したいことがありまして。
I'm sorry to bother you when you're busy, but there's something I'd like to talk with you about. 在您百忙之中打扰您真对不起, 有事要和您商量。 바쁘신데 방해드려 죄송합니다만, 좀 상담드릴 것이 있어서요.

ポイント ＜申し訳ありません＞

形 ［Aて（で）申し訳ありません。］

A＝動詞／い形容詞・て形 な形容詞／名詞［～で］

意味 「Aて、すみません／ごめんなさい」（丁寧な表現 polite 礼貌的表现 정중한 표현）

使い方 a「お待たせして申し訳ありません」b「いいえ、私も今来たところです」

「せまい部屋で申し訳ありませんが、どうぞお入りください」

【121】 正解 3
こんな古い車に乗っていると、事故を起こしかねない。
If you drive such an old car, you could end up having an accident. 坐这样旧的车, 可能会出事故的。 이런 낡은 차를 타고 있으면, 사고를 낼 수도 있다.

ポイント ＜かねない＞

形 ［Aかねない］ A＝動詞・ます形

意味 「Aかもしれない／Aおそれがある」（Aはよくないこと）

使い方 「そんなに働くと病気になりかねないから、気をつけなさい」

⚠ ［Aかねる］は別の表現で、「Aできない」という意味で使う。少し遠慮した言い方。「Aかねる」means "cannot do A" and an indirect way of saying 「Aできない」. ［Aかねる］是另外的表现, 是"不能做A"的意思。是比较客气地说法。 ［Aかねる］는 다른 표현으로, 「Aできない(A 할 수 없다)」라는 의미로 사용한다. 조금 조심스러운 말투.

例 「申し訳ありませんが、その質問にはお答えできかねます」I'm sorry but I cannot answer that question. 对不起, 那个问题不能回答。 죄송합니다만, 그 질문에는 대답드릴 수 없습니다.

「私にはあなたの考えが理解しかねます」I cannot understand your ideas. 我不能理解你的想法。 저는 당신의 생각을 이해할 수 없습니다.

【122】 正解 3
A「スイスに行ったことがありますか。」B「いいえ。ぜひ行きたいと思っていますが。」
A "Have you ever been to Switzerland?" B "No, but I'd love to (sometime)." A "你去过瑞士吗？" B "没有。很想去啊。" A 스위스에 가본 적이 있습니까? B 아니오. 꼭 가보고 싶습니다만.

ポイント ＜ぜひ／ぜひとも（～たい）＞

形 ［ぜひ／ぜひとも A たい／ませんか／ましょう］
A＝動詞・ます形

意味 「必ず／絶対に A（し）たい」（願望や誘いを強める表現 emphasizing one's wish or suggestion 强化愿望和劝诱的表现 소망(원망)이나 권유를 강하게 나타내는 표현）

使い方 「その展覧会では普通はなかなか見られない画家の絵が見られるそうですから、ぜひ行きたいと思います」I've heard that at the exibit we can see some artists' paintings that we can't normally see easily, so I definitely would like to go. 那个展览会能看到平时看不到的画家的画, 很想去。 그 전람회에서는 평소에 좀처럼 볼 수 없는 화가의 그림을 볼 수 있다고 하니, 꼭 가보고 싶습니다.

「この計画をぜひとも実現させましょう」Let's materialize this plan by all means. 一定要实现这个计划。 이 계획을 꼭 실현시킵시다.

⚠ ◇「ぜひとも」のほうが「ぜひ」より強い。「ぜひとも」is stronger than「ぜひ」.「ぜひとも」比「ぜひ」强烈。「ぜひとも」쪽이「ぜひ」보다 강하다.

◇「ぜひ」を「～てください」「お願いします」などといっ

しょに使う文もある。参照【248】

【123】 正解 4
A「塩をお取りいたしましょうか。」B「あ、お願いします。」
A "Would you like me to pass the salt for you, sir?" B "Yes, please, thank you." A "帮你把盐拿来吧。" B "好的，拜托了。" A 소금 집어 드릴까요? B 아, 부탁드립니다.

ポイント ＜お／ご～いたしましょうか＞ 参照【11】【94】【179】

形 [Aいたしましょうか] ①A＝お＋動詞・ます形 例「お知らせいたしましょうか」 ②A＝ご＋する動詞 [～する] 例「連絡する」→「ご連絡いたしましょうか」

意味 「Aしましょうか」（謙譲語。相手のためにすることを丁寧に申し出る表現 Humble. Politely offering to do something for the other person. 谦让语。提出要为对方做事时的礼貌的表现。 겸양어. 상대방을 위해 하는 행동을 정중하게 자청하는 표현）

使い方 a「あ、雨だ。かさがない。困ったな」b「かさならございます。お貸しいたしましょうか」a "Oh, it's raining. I don't have an umbrella with me. What am I going to do?" b "We have umbrellas, sir, and are happy to lend you one." a "啊，下雨了，没有伞，怎么办。"不"如果是伞的话这儿有，借给你吧。" A 어, 비다. 우산이 없어. 난처하네. B 우산이라면 있습니다. 빌려드릴까요?

「お荷物、重そうですね。お持ちいたしましょうか」

⚠ ◇「お（ご）～しましょうか」（例「お荷物、お持ちしましょうか」）よりさらに丁寧な言い方。Politer than「お（ご）～しましょうか」(Ex. Could I carry your luggage for you, sir?) "お（ご）～しましょうか"是更有礼貌的说法。("例如我来给你拿行李吧"）。「お（ご）～しましょうか」(예「짐, 들어드릴까요?」) 보다 더 정중한 말투

◇「お」と「ご」の使い方：

● 「ご」は「する動詞」（「説明する」「連絡する」など [漢字＋漢字＋する] の形の動詞）の前につける。

例「作り方をご説明いたしましょうか」「お部屋にご案内いたしましょうか」 例外「お電話いたしましょうか」

● 「お」は、その他の動詞につける。

例「お作りいたしましょうか」「お送りいたしましょうか」ただし、「いる」「来る」「する」など、ます形（[Bます]のB）が一文字だけの場合は、[おBする／おBいたしましょうか]とは言わない。

例：×「ここにおいいたしましょうか」 ○「ここにおりましょうか」（＝ここにいましょうか）

×「お来いたしましょうか」 ○「まいりましょうか」（＝来ましょうか）

×「おしいたしましょうか」 ○「いたしましょうか」（＝しましょうか）

【124】 正解 3
だいぶあたたかくなってきたから、ストーブを片付けてしまいましょう。
As it's getting pretty much warmer, let's put away the heater now. （天气）已经变得很暖和了，是不是该取暖器收起来了。 꽤 따뜻해 졌으

니, 슬슬 스토브를 정리해 넣어 둡시다.

ポイント ＜だいぶ＞

形 [だいぶA] A＝形容詞、副詞、変化を表す動詞 A=adjectives, adverbs, verbs to show change A＝形容词，副词或表示变化的动词 A ＝ 형용사, 부사, 변화를 나타내는 동사

意味 「かなりA」「（前と比べると）ずいぶん／かなりA」（量や程度が大きいことを表す a large quantity or a high degree 表示量或程度很大 양이나 정도가 큰 것을 나타낸다）

使い方 a「具合はどうですか」b「昨日より今日のほうがだいぶいいです」

「はじめは下手だったが、練習したら、だいぶ上手になった」「彼と会ったのは、もうだいぶ前です」

【125】 正解 2
電車が遅れたせいで、約束の時間に間に合わなかった。
I didn't make it for the appointed time due to the delay of the trains. 因为电车晚点了，没有赶上约定的时间。 전차가 늦어진 관계로, 약속 시간을 맞출 수 없었다.

ポイント ＜せいで＞

形 [AせいでB] A＝動詞／い形容詞・普通形、な形容詞・普通形（現在形 [～な]）、名詞 [～の]

意味 「Aが原因でBの結果になる」（Bはよくない結果。Bの結果を残念に思ったり不満に思う気持ちがある） result in B due to A (B refers to a bad result. Expresses the speaker's regret or dissatisfaction toward the result of B.) "因为A的原因，产生了B的结果。"(B是不好的结果。对B这一结果有可惜或不满的心情。) [A가 원인으로 B의 결과가 되다](B는 좋지 않은 결과. B의 결과를 유감스럽게 생각하거나, 불만스럽게 생각하는 기분이 있다)

使い方 「勉強しなかったせいで、入学試験に失敗した」「強風のせいで、飛行機が遅れた」

⚠ 「おかげで」も原因と結果を表すが、いい結果が多い。

参照【156】

【126】 正解 2
来週は忙しいから、この週末はゆっくり休んでおいたほうがいい。
We should take a rest this weekend because we'll be busy next week. 因为下星期很忙，这个周末安静地休息一下比较好。 다음주는 바쁘니까, 이번 주말은 느긋하게 쉬어두는 것이 좋다.

ポイント ＜ておく＞

形 [Aておく] A＝動詞・て形

意味 「後のことを考えて、その準備のためにAする」do A in order to prepare for what will follow later 考虑以后的事，为了这件事准备做A。 나중 일을 생각하여, 그 준비를 위해 A 하다

使い方 「前の日に予習をしておくと、授業がよくわかる」「結婚のときにお金がかかるから、貯金をしておきなさい」「のどがちょっと痛い。ひどくならないように、薬を飲んでおこう」

【127】 正解 2

課長、お留守中にS社の田中さんから電話がありました。あとでまた電話するとのことです。
Section Manager, while you were gone you had a phone call from Mr. Tanaka at S Company. He said he would call again later. 科长，你外出时，S公司的田中先生来过电话。过一会儿再会打电话来。 과장님, 부재중에 S사의 다나까씨로부터 전화가 있었습니다. 나중에 다시 전화하신다고 합니다.

ポイント ＜とのことだ＞

形 ［Aとのことだ］ A＝文

意味 「Aそうだ／Aということだ」（伝言を伝える表現。Aは伝える内容。少しあらたまった言い方 used when passing on a message. A is the contents of the message. A little formal. 转达留言。A是转达的内容。是比较正式的说法。 전언을 전하는 표현．A는 전하는 내용．조금 격식차린 표현）

使い方 「昨日、久しぶりに山下さんに会いました。彼女、とても元気そうでしたよ。『みなさんによろしく』とのことでした」 Yesterday I saw Ms. Yamashita for the first time in a long time. She looked very well and said hello to all. 昨天，遇见了久违了的山下，她看上去很好。她说："问大家好。" 어제 오랫만에 야마시따씨를 만났습니다. 그녀 매우 건강해 보였어요．[여러분께 안부 전해주세요] 라고 하더군요.

「今朝のメールによると、林さんは今日病院に行くので、出社するのが遅くなるとのことです」 In his email sent this morning, he said he would come in late because he needs to go to the hospital today. 根据今天早上的电子邮件，林今天去医院，会较晚一点来公司。 오늘 아침 메일에 의하면, 하야시씨는 오늘 병원에 가니, 출근이 늦어진다고 합니다.

【128】 正解 1

A「森さんが結婚するって、知ってた？」B「えっ、ほんとう？知らなかった。」
A "Did you know Mr. Mori is getting married?" B "Really? No, I didn't know that." A "森先生好像要结婚了, 你知道吗？" B "啊, 真的？不知道。" A 모리씨가 결혼한단 사실, 알고 있었어? B 뭐, 정말? 몰랐어.

ポイント ＜って＞

形 ［Aって］ A＝動詞／形容詞／名詞・普通形

意味 「A ということは／ということを」

使い方 「漢字を覚えるって、たいへんですね」「川田さんが会社をやめるって聞きましたけど、ほんとうですか」

⚠ あらたまった会話では使わない。 not used in formal conversations. 在正式会话中不使用。 격식차린 회화에서는 사용하지 않는다

【129】 正解 4

ここ、すべりやすくてあぶないよ。気をつけて。
It's slippery and dangerous over here. Be careful. 这儿很滑很危险。当心。 여기, 미끄러지기 쉬워서 위험해요. 조심하세요.

ポイント ＜やすい＞

形 ［～はAやすい］ A＝動詞・ます形

意味（問題文中の意味）「すぐに／簡単に Aする」 soon/easily do A 马上／很容易地做A 금방／간단히 A 하다

「Aする傾向がある」 tend to do A 有做A的傾向 A 하는 경향이 있다

使い方 「私は風邪を引きやすいので、冬は苦手です」 I catch cold easily, so don't like winter. 我很容易感冒, 冬天很难过。 나는 쉽게 감기에 걸리기 때문에, 겨울은 좋아하지 않습니다.

「『おばさん』と『おばあさん』は、間違えやすい」「生の魚は腐りやすいから、早く食べたほうがいい」「私は太りやすい体質なんです」

⚠ ◇「やすい」は、い形容詞なので、て形は「やすくて」になる。

◇「～するのが 楽だ／簡単だ」という意味の文もある。**参照【37】**

【130】 正解 3

A「部長、M社が来月新製品を発売するのをご存じですか。」B「ああ、さっき社長から聞いた。」
A "Department Head, do you know that M Company is going to start selling their new product next month?" B "Yeah, I heard about it earlier from the president." A "部长，您知道M公司将在下个月发售新产品吗？" B "啊，刚才，从社长那儿听说了。" A 과장님, M사가 다음달 신제품을 발표한다는 사실을 알고 계십니까? B 어, 좀전에 사장님한테서 들었다.

ポイント ＜ご存じです＞

形 ［(目上の人が～を)ご存じです］

意味 「知っています」（尊敬語 honorific 尊敬语 존경어）

使い方 社員「部長、あの方をご存じですか」部長「ああ、あの人はS社の山田社長だよ」

第11回

【131】 正解 4

A「今日は、仕事がいろいろあって忙しかったなあ。さあ、帰ろう。」B「お疲れ様でした。」
A "It has been a busy day today with so many things to do. Well, let's go home." B "Good night." A "今天工作上遇到了各种各样的事，很忙啊。现在，回家吧。" B "您辛苦了。" A 오늘은 여러가지 일이 있어 바빴네. 자, 귀가하자. B 수고하셨습니다.

ポイント ＜お疲れ様＞

形 ［お疲れ様／お疲れ様でした］

意味 「お仕事、たいへんでしたね。疲れたでしょう」（仕事の後で相手の労をねぎらう気持ちを表すあいさつのことば greeting used to show appreciation for the other person's hard work 在工作完了以后，对对方的劳动表示慰劳的寒暄语 일이 끝난 후 상대방의 노고를 위로하는 마음을 나타내는 인사말）

使い方 a 「部長、企画書を書きましたのでご覧になってください」b 「あ、ありがとう。お疲れ様」 a "Department Head, the project report is ready and I want you to take a look at it, please." b "Oh, thank you for doing this." A"部长，我已经写了规划书，请过目。"B"哦，谢谢。辛苦了." A 부장님, 기획서를 작성하였으니 봐 주십시오．B 어, 고마워．수고했어．

【132】 正解 1

携帯電話さえあれば、財布もカメラも持つ必要がない。

If you only have a cellphone, you don't need to carry your wallet or a camera. 只要有手机，钱包和相机都没必要带。 휴대폰만 있으면, 지갑도 카메라도 갖고 있을 필요가 없다．

ポイント <さえ～ば>

形 ［AさえBば］ A＝名詞 B＝動詞［～ば］、い形容詞［～ければ］、な形容詞／名詞［～ならば］

意味 「AだけBば、それでいい／Aのほかは必要ない／Aが大切だ」 A alone is enough for B/nothing else other than A is needed/A is important 只要B(动词)A，就可以了。/除了A不必要别的。/A很重要 A만 B하면, 그것으로 좋다／A 외는 필요 없다／A가 중요하다

使い方 「天気さえよければ、旅は楽しくなる」「お金さえあれば、ほかには何もいらない」

⚠️◇［A（で）さえ］という使い方もある。 **参照【228】**

◇Aが動詞・ます形の文もある。例「『ごめんなさい』と言いさえすれば許してもらえるのに、どうして言わないの」 If you only say "I'm sorry," you'll be forgiven, so why don't you? 只要说声"对不起."就可以被原谅。为什么不说？ 『미안합니다』라고 말하기만 하면 용서받을 수 있는데, 왜 말하지 않는거니．

◇［Aてさえいれば］（Aて＝動詞・て形）という文もある。例「彼はゲームをしてさえいれば幸せそうだ」 He looks happy as long as he is playing games. 他只要能玩游戏就好像很幸福。 그는 게임만 하고 있으면 행복해 보인다．

（＝「彼はゲームさえしていれば幸せそうだ」）

【133】 正解 3

あの人、雨が止んでいることに気がつかないで、かさをさしたまま歩いていますよ。

Look. That guy is walking still under his umbrella, not knowing the rain has cleared up. 那个人，没有注意到雨已经停了，还撑着伞在走了呢。 저 사람 비가 그쳤는지도 모르고, 우산을 쓴 채 걸어가고 있어요．

ポイント <たまま>

形 ［Aたまま（で）B］ A＝動詞・た形

意味 「A（し）た状態でB（する）」（Aは、ほんとうはしないほうがいいことが多い） "do B under the state of A" (A usually refers to something one is not supposed to do) "在做A的状态的同时，做B。" (A 一般多指不必做的事, "不做为好"的事。） ［A 한 상태로 B（하다）］(A는, 사실은 하지 않은 편이 좋은 내용들이 많다）

使い方 「口の中に食べ物を入れたまま話しちゃだめ。行儀が悪いですよ」 Don't talk with your mouth full. You're bad mannered. 嘴里含着食物不能说话。这样不礼貌。 입안에 음식물을 넣은 채 말하면 안돼．버릇 없어요．

「あの車、ライトをつけたままで駐車している。ライトを消さないと、エンジンがかからなくなってしまう」That car is parked with the head lights on. The engine won't get started later unless the lights are turned off. 那辆车，开着车灯停在那儿。如果不关掉灯的话，引擎会启动不了的。 저 자동차, 라이트 켠 채 주차하고 있다．라이트를 끄지 않으면, 엔진을 걸 수 없게 되버린다．

【134】 正解 2

A「部長、今ちょっとよろしいでしょうか。」B「はい、何ですか。」

A "Department Head, do you have a minute now?" B "Yes, what is it?" A"部长，现在可以将话吗？"B"可以，什么事？" A 부장님, 지금 좀 괜찮으십니까？B 네, 무슨일입니까？

ポイント <（今）よろしいですか>

形 ［（今）よろしいですか］

意味 「（今）いいですか／だいじょうぶですか／迷惑じゃありませんか」（相手の人と少し話したいことがあるとき、遠慮しながら言う hesitantly ask a person if one can talk to him/her 想和对方说一点话时，客气的说法 상대방과 좀 얘기하고 싶을 때, 조심스럽게 말하다）

使い方 「先生、ちょっと相談があるんですが、今よろしいですか」Teacher, I want to talk with you a little bit. Do you have time now? 老师，有事和你商量，现在可以吗？ 선생님, 잠깐 상담드리고 싶습니다만, 지금 괜찮으십니까？

（電話で）a「今よろしいですか。お忙しかったら、また後でかけますが」b「だいじょうぶですよ」

【135】 正解 4

すみません。たばこを吸いたいんですが、ここで吸ってもかまいませんか。

Excuse me, may I smoke here? 对不起，想吸烟，能在这儿吸吗？ 죄송합니다．담배를 피우고 싶은데, 여기서 피워도 괜찮겠습니까？

ポイント <てもかまわない>

形 ［Aても／でも かまわない］ A＝動詞／形容詞・て形

意味 「Aてもいい／Aても問題ない」 may do A/no problem in doing A A 也可以．/A 也没问题．A 해도 좋다／A 해도 문제없다

使い方 「6時まで会社にいなくてもかまいません。仕事が終わったら早く帰ってもかまいません」「家族がみんな元気でいれば、貧しくてもかまわない」 I don't care if we are poor only if all my family members are doing fine. 只要家里人都健康，穷也没关系。 가족이 모두 건강하다면, 가난해도 상관없다．

⚠️Aが名詞の場合、「Aでもかまわない」になる。「空気がきれいな所に住みたい。通勤には不便でもかまわない」 I want to live in a place with clean air. I don't mind a little inconvenience for commuting to work. 想在空气新鲜的地方住。上下班不便也没关系。 공기가 깨끗한 곳에서 살고 싶다．통근이 불편해도 상관없다． **参照【225】**

【136】 正解 1

そんなつまらないうわさなんか、信じないほうがいいよ。

You don't need to believe such a worthless rumor. 那样无聊的风言

风语,还是不要相信的好。 그런 재미없는 소문따위 믿지 않는 편이 좋아.

ポイント ＜なんか＞

形 ［AなんかB］　A＝名詞

意味 「AはB」（Aを強く言う。あらたまった場合には、「Aなどは」を使う。Bは否定的な意味のことば　emphasize A. 「Aなどは」is used in a formal situation. B is a phrase of negative meaning. 强烈说A, 在正式的场合, 用「Aなどは」, B是否定意义的词语。 A를 강하게 말하다. 격식차려야 할 경우에는「Aなどは」를 사용한다. B는 부정적인 의미의 단어

使い方 「勉強なんかきらいだ」「難しい試験なんか受けたくない」

⚠ ◇Aにつく助詞が省略されることが多い。The particle that follows A is often omitted.　跟着A的助词,大多都被省略。 A에 붙는 조사가 생략되는 경우가 많다.

例 「勉強 が／は きらいだ」 ⇒ 「勉強なんかきらいだ」
「出張に行きたくない」 ⇒ 「出張なんか行きたくない」

◇Aが文の場合は「なんて」を使う。**参照【257】**

【137】 正解 3

友だちが貸してくれた本は、あまり難しいので、ほとんど読めなかった。

The book my friend lent me was too difficult for me I could hardly read it.　朋友借给我的书,太难了,几乎没有读。 친구가 빌려준 책은 너무 어려워서 거의 읽을 수 없었다.

ポイント ＜あまり／あんまり＞

形 ［あまり／あんまり A、B］　A＝形容詞、副詞

意味 「とてもA、だからB」（Aは原因・理由、Bは結果　A=cause, reason B=result　A是原因, 理由。B是结果　A는 원인. 이유, B는 결과）

使い方 「店の人があまり熱心にすすめるので、その商品を買うことにした」Because the store clerk persistently recommended it, I decided to buy the product.　店里的人非常热心地推荐, 我决定买那个商品。 가게 점원이 너무 열심히 권해서, 그 상품을 사기로 했다.

「映画のストーリーがあんまり悲しくて、私、思わず泣いちゃった」The story of the movie was so sad I couldn't help crying. 电影的故事太悲惨了, 我禁不住哭了。 영화 내용이 너무나도 슬퍼서, 나도 모르게 울고 말았다.

⚠ ◇「あんまり」は話しことばで使うことが多い。

◇「あまりAない」という文もある。例「今日の試験はあまり難しくなくて、よかった」**参照【5】**

【138】 正解 4

A「山田さんは子どものときアメリカに住んでいたんだって」B「あ、そうだったのか。英語が上手なわけだね」

A "I hear Mr. Yamada used to live in America when he was a child." B "Oh, is that right? That's why he speaks English well."
A "听说山田在孩提时代在美国住过。" B "哦,是这样。所以英语这样好。"
A 야마다씨는 어릴 적에 미국에서 살았었데。B 아, 그랬구나. 영어를 잘할 만도 하다.

ポイント ＜わけだ＞

形 ［A。Bわけだ］［Bわけだ。A］　A＝動詞／い形容詞・普通形、な形容詞／名詞・普通形（現在形［～な］）

意味 「だからAだ／なぜBかという理由（A）がわかった」（Aは理由、Bは結果　A=reason B=result　A是理由。B是结果　A는 이유, B는 결과）

使い方 「寒いわけだ。外は雪が降っている。／外は雪が降っている。寒いわけだ。」

「体力があるわけだ。彼は小学生のときからずっとサッカーをやっているそうだ」No wonder he is physically strong. They say he has been playing soccer since he was in elementary school. 所以他有体力啊。好像他从小学起一直踢足球。 체력이 있을 만도 하다. 그는 초등학생 때부터 줄곧 축구를 해 왔다고 한다.

⚠ ◇「わけ」の前に文が来るのではなく単独で使われる場合は「理由」という意味になる。If「わけ」is used by itself instead of following a sentence, it means "reason."　在「わけ」的前面没有句子, 单独使用时, 有 "理由" 的意思。 「わけ」 앞에 문장이 오지 않고, 단독으로 사용될 경우는「理由（이유）」라는 의미가 된다.

例 「どうして学校に行きたくないの。わけを話してちょうだい」Why don't you want to go to school? Tell me why. 为什么不想去学校。把理由说出来。 왜 학교에 가기 싫은거니？이유를 얘기 해줘.

【139】 正解 3

これだけがんばったのだから、失敗したとしても、後悔はしないだろう。

Since they did their very best, they will not regret even if they fail.
这样努力过,还是失败了。不会后悔吧。 이 만큼 노력했으니, 실패하더라도 후회는 하지 않겠지.

ポイント ＜としても＞

形 ［AとしてもB］　A＝動詞／形容詞／名詞・普通形

意味 「もしAの場合でも、B」「A（し）てもB」 even if A happens, B　即使(做)A, 结果也是 B　A 해도 B

使い方 「もしアメリカに留学したとしても、がんばらなければ、英語が話せるようにならないだろう」Even if you go to America to study, you will not be able to speak English well if you do not work hard.　就算去美国留学, 如果不努力, 也学不会讲英语。 만약 미국으로 유학갔다 하더라도, 노력하지 않으면 영어로 말할 수 있게 되진 않겠지.

「頭を下げてあやまったとしても、彼は許してくれないだろう」Even if you deeply apologize to him, he will not forgive you. 即时低头道歉, 他也不会原谅我的。 머리를 숙여 사과한다 하더라도, 그는 용서해 주지 않겠지.

「試験問題が簡単だとしても、ミスをしないように、よく注意してください」Even if the exam questions are easy, be very careful not to make mistakes.　即使考试题目很简单, 也得注意不要出错。 시험문제가 간단하다 하더라도, 실수를 하지 않도록 충분히 주의해주세요.

【140】 正解 1

大学を卒業するまでに、英語が自由に話せるようになりたい

と思っている。
I want to be able to speak English fluently by the time I graduate from college.　在大学毕业以前，想能够自由地说英语。　대학을 졸업할 때까지 영어로 자유롭게 얘기할 수 있었으면 좋겠다고 생각한다．

ポイント　＜ようになりたい＞
形　[Aようになりたい]
A＝動詞・可能形／「できる」「わかる」
意味　「（今は持っていない）Aの能力がほしい」want the ability of A (which one doesn't have now)　相要现在自己所没有的能力A　（지금은 지니고 있지 않은）A의 능력을 갖고 싶다
使い方　「金持ちになりたい。ほしいものが何でも買えるようになりたい」「足のけがが早く治って、歩けるようになりたい」

【141】　正解 1
結婚をなさったそうですね。おめでとうございます。
I've heard you got married. Congratulations.　好像结婚了。祝贺你。　결혼하셨다고 들었어요．축하드립니다．

ポイント　＜なさる＞
形　[（目上の人が～を）なさる／なさいます]
意味　「する」（尊敬語　honorific　尊敬语　존경어）
使い方　「先生が入院なさったので、お見舞いに行った」
a「飲み物は何になさいますか」b「ビールにします」

【142】　正解 3
今年の夏は、去年に比べて海外旅行に行く人が少ないらしい。
It is reported that the number of people traveling abroad this summer is less than last year.　和去年比，今年夏天去海外旅行的人好像少了。　올 여름은，작년에 비해 해외여행 가는 사람들이 적다고 한다．

ポイント　＜に比べて＞
形　[Aに比べて]　A＝名詞
意味　「Aより」
使い方　「日本人の平均寿命は、男性に比べて女性のほうが約5年長い」Regarding Japanese average life span, women live about five years longer than men.　日本人的平均寿命女性要比男性长五年。　일본인의 평균수명은 남성에 비해 여성이 약 5년 길다．
「大阪は東京に比べて物価が少し安い」Things are a little cheaper in Osaka than in Tokyo.　大阪比东京物价要稍微便宜一点。　오사카는 동경에 비해 물가가 조금 싸다．

⚠「に比べると」も同じように使う。例「昨日に比べると、今日はだいぶ暖かい」

【143】　正解 1
この小説は、作者が子どものころの経験をもとにして書いたものだという。
It is said that the novel was written based on the author's experiences during his childhood.　这部小说是根据作者儿时的经历写成的。　이 소설은 작가가 어렸을 때의 경험을 바탕으로 하여 적은 것이라고 한다．

ポイント　＜をもとに／もとにして＞
形　[Aをもとに／もとにして]　A＝名詞
意味　「Aを基礎にして／Aから考えて」based on A　以A作为基础／从A考虑　A를 기초로 하여／A로 부터 생각하여
使い方　「この映画はイギリスの伝説をもとに作られた」This movie was made based on the British legends.　这部电影是根据英国的│传说制作的。　이 영화는 영국의 전설을 바탕으로 하여 만들어 졌다．
「お客様へのアンケートの結果をもとにして商品の並べ方を決めました」We have arranged the merchandise according to the result of the questionnaire for our customers.　根据对顾客的调查结果决定了商品的排列方式。　손님의 앙케트 결과를 바탕으로 상품의 배열방법을 결정했습니다．

⚠「にもとづいて」も同じように使う。例「実際に起こった事件にもとづいて小説が書かれた」A novel was written based on a case that actually happened.　小说是根据实际发生的事件来写成的。　실제로 일어난 사건을 바탕으로 소설이 쓰여졌다．
「裁判は法律にもとづいて行われる」Trials are carried out in accordance with the Constitution.　裁判是根据法律来进行的。　재판은 법률에 의거하여 진행된다．

第 12 回

【144】　正解 1
妻「京子が夏休みにアルバイトをやりたいって言っているんだけど、どうでしょう。」夫「もう高校生なんだから、やらせてもいいんじゃないか。」
Wife "Kyoko wants to do a part time job during summer vacation. What do you think?"　Husband "Since she is now a high school student, why don't we let her?"　妻子：" 京子说在暑假想打工，怎么办？"　丈夫：" 已经是高中生了，可以了吧。"　부인 [쿄꼬가 여름방학때 아르바이트하고 싶다고 얘기하는데, 어떨까요?]　남편 [이제 고등학생이니，시켜도 괜찮지 않을까.]

ポイント　＜せる／させる＞
形　[（人に／を）Aせる／させる]（使役形　causative　使役式　사역형）　A＝動詞・ない形
Ⅰグループ動詞 例：行く⇒行かせる
Ⅱグループ動詞 例：やめる⇒やめさせる
Ⅲグループ動詞 例：する⇒させる　来る⇒来させる
意味（問題文中の意味）「（子どもや目下の人に対して）Aすることを止めない。禁止や反対をしない。許す」(to children or subordinates) not stop a person to do A/not prohibit a person from doing A/allow　（对于孩子或下属），不能阻止他们做A。不禁止和反对。允许。　（아이나 아랫사람에 대해）A 하는 것을 막지 않는다．금지나 반대를 하지 않는다．허락한다
使い方　「携帯電話を持つのはまだ早すぎるよ。高校生になったら、持たせてやろう」You're too young to have a cellphone. I'll let you have one when you become a high school student.　带手机还太早了。到读高中的时候，再让他带。　휴대폰을 갖는 건 아직 일러요．고등학생이 되면，갖게 해주자．
「私は、子どもが何かをしたいと言ったら、したいようにさせています」I try to let my children do whatever they want to

do. 如果孩子说想做什么，我就让他做什么。 저는 아이가 뭔가 하고 싶다고 말하면, 하고 싶은대로 시키고 있습니다.

⚠️ ◇使役形の動詞はⅡグループ動詞になる。 Causative verbs belong to Group II verbs. 使令式的动词是第二组动词. 사역형의 동사는 2그룹 동사가 된다. 例：やる⇒やらせる⇒やらせない（ない形）、やらせて（て形）、やらせられる（使役受身形）
◇使役形が「結果」を表す文もある。参照【174】
◇使役形が「指示や命令をする」という意味で使われる文もある。参照【3】

【145】 正解 2
A「国へ帰ってからも、私たちのことを忘れないでね。」
B「はい。みなさん、ほんとうにお世話になりました。」
A "Don't forget about us after you go back to your country, OK?" B "I won't. Thank you very much, all, for everything." A "回国后，也不要忘记我们啊。" B "好的。真是受到了大家的照顾。" A 고향에 돌아가더라도 우리들을 잊지 말아줘. B 네. 여러분, 정말 신세 많았습니다.

ポイント <お世話になりました>
形 ［お世話になりました］
意味 「あなたに助けてもらったり、いろいろ親切にしてもらいました。ありがとうございました」（相手が自分を助けてくれたことや親切にしてくれたことを感謝する気持ちを表す。帰国したり会社をやめたりするときなど、別れるときのあいさつにも使う。express thanks for the help and kindness. Also used when parting from someone when one goes back to his/her country or leaving his/her company. 对别人帮组自己或者对自己的好意表示感谢的心情。在回国，辞职等告别时的寒暄语。 상대방이 자신을 도와준 점이나, 친절하게 대해 준 점에 대해 감사하는 기분을 나타낸다. 귀국하거나 회사를 그만두거나 할때, 이별할 때의 인사로도 사용된다.）
使い方「今日で退職します。みなさん、お世話になりました」
「旅行中は、たいへんお世話になりました。おかげさまで楽しい旅行になりました」

【146】 正解 2
名前を呼ばれたら、診察室にお入りください。
When your name is called, please come into the consultastion room. 当被叫到名字时，请进入诊室。 이름이 불려지면, 진찰실로 들어가 주세요.

ポイント <たら>
参照【107】

【147】 正解 2
息子が間違いだらけのテストを持って帰ってきた。
My son came home with a test with full of mistakes. 儿子把错误百出的考卷带回了家。 아들이 틀린 것 투성이인 테스트를 갖고 돌아왔다.

ポイント <だらけ>
形 ［Aだらけ］ A＝名詞
意味 「Aがいっぱい ある／ついている」（Aはよくないもの） filled with A (A is something bad) 有很多 A/附着很多 A(A 是不好的东西) ［A 가 많이 있다 / 붙어 있다］(A 는 좋지 않은 내용)

使い方「雨の中で山道を歩いたので、くつがどろだらけになった」Because I walked on a mountain road in the rain, my shoes got all muddy. 在雨中走了山道，鞋上粘满了泥。 빗속에 산길을 걸었더니, 구두가 흙투성이가 되었다.
「この部屋、ごみだらけだ。掃除をしなさい」

【148】 正解 3
昨日は一日中家にいました。というのは、大事な書類が届くのを待っているうちに夜になってしまったからです。
I was home all day yesterday. It was because I was waiting for an important document to be delivered and it was already after dark (when it was delivered). 昨天一天都在家中。因为等着送来的重要文件时，不知不觉到了晚上。 어제는 하루종일 집에 있었습니다. 왜냐하면, 중요한 서류가 도착하길 기다리고 있는 동안에 밤이 되어버렸기 때문입니다.

ポイント <というのは>
形 ［A。というのは、Bからだ］ A＝文
意味 「A。なぜなら、Bからだ」（BでAの理由を言う B explains the reason for A. 用 B 来说明 A 的理由 B 로 A 의 이유를 말하다）
使い方「会議は明日になりました。というのは、課長が急用で出かけてしまったからです」The meeting has been put off till tomorrow. It is because the section manager is out on urgent business. 会议改在明天开。因为科长有急事外出了。 회의는 내일로 미뤄졌습니다. 왜냐면, 과장님이 급한 일로 외출했기 때문입니다.
「私は田舎には住めない。というのは、田舎では車がないと不便なのに、私は運転ができないからだ」I cannot live in the country. It is because I cannot drive although it is inconvenient without a car in the country. 我不能在乡下生活。因为在乡下没有车就不方便，而我却不会开车。 나는 시골에서는 못산다. 왜냐하면 시골에선 자동차가 없으면 불편한데, 나는 운전을 못하기 때문이다.

⚠️ 説明や定義をするときの表現もある。Also used to explain or define something. 说明，定义时的表现。 설명이나 정의를 할 경우의 표현도 있다.
例「『夕刊』というのは、夕方に出る新聞のことです」"夕刊" means the evening edition of a newspaper. "晚报"就是傍晚印发的报纸。 『석간』이라는 것은, 저녁에 나오는 신문을 말합니다.

【149】 正解 4
A「お兄様は何をしていらっしゃるんですか？」B「実家で父の店を手伝っています。」
A "What does your older brother do?" B "He is helping my father's store at my parents' house." A "你哥哥是做什么的？" B "在老家帮助父亲经营店。" A 오라버니는 무엇을 하고 계십니까？ B 친가에서 아버지 가게를 돕고 있습니다.

ポイント <ていらっしゃる>
形 ［Aていらっしゃる］ A＝動詞・て形
意味 「Aている」（尊敬語 honorific 尊敬语 존경어）
使い方 a「奥様は、高校で教えていらっしゃるんですってね」
b「ええ、家内は英語を教えているんです」

【150】 正解 2

会議(かいぎ)に遅(おく)れて来(く)るなんて、いつもまじめな彼(かれ)らしくない。
I'm surprised he who is usually punctual came late for the meeting. 开会迟到,不像平时认真的他。 회의에 늦게 오다니, 늘 착실한 그답지 않다.

ポイント ＜らしい＞

形 ［〜はAらしい］ A＝名詞
意味 「〜はAに特有(とくゆう)の性質(せいしつ)をもっている」〜refers to characteristics of A ～是A特有的性质 ～는 A에 특유의 성질을 갖고 있다
（Aは「人」が多い）
使い方 「嵐(あらし)の海(うみ)で子(こ)どもを助(たす)けたあの人(ひと)は、ほんとうに男(おとこ)らしい男(おとこ)だ」That man who saved the child in the stormy sea is really a guy-like man. 在暴风雨的海上救起孩子的那个人,是真正的男子汉。 폭풍우가 치는 바다에서 아이를 구한 저 사람은, 정말 남자다운 남자다.

「最近(さいきん)元気(げんき)がないね。いつも元気(げんき)なあなたらしくない。どうしたの」 You don't look well lately. It's not like you who is always cheerful and lively. Anything wrong? 最近没精神啊,不像总是精力充沛的你。怎么了? 요즘 기운이 없어보이네. 늘 건강한 너인데, 무슨일 있니?

⚠ ◇「らしい」は、い形容詞なので、否定形(ひていけい)は「らしくない」、て形は「らしくて」、動詞(どうし)の前で「らしく」になる。
例「男(おとこ)らしい行動(こうどう)」⇒「男(おとこ)らしく行動(こうどう)する」
◇「らしさ」は「らしい」の名詞(めいし)の形(かたち)。参照【277】
◇「らしい」が「推測(すいそく)」を表(あらわ)す文(ぶん)もある。参照【232】

【151】 正解 4

A「台風(たいふう)が来(く)るから、週末(しゅうまつ)は出(で)かけられませんね。」B「あ、それが、台風(たいふう)は予想(よそう)に反(はん)してこっちへは来(こ)ないようですよ。」
A "We can't go out this weekend because a typhoon is coming, can we?" B "Oh, but it is reported that, contrary to the forecast, the typhoon is not coming this way." A "台风来了。周末不能出去了。" B "啊,那个台风呀。台风和预想的相反,不到这儿来了。" A 태풍이 오니, 다음주 외출할 수 없네요. B 아, 그게 태풍은 예상과 반대로 이쪽으로는 오지 않는다고 해요.

ポイント ＜に反して＞

形 ［Aに反(はん)してB］ A＝名詞
意味 「Aとは反対(はんたい)にB／Aとは違(ちが)ってB」
使い方 「医者(いしゃ)になってほしいという親(おや)の希望(きぼう)に反(はん)して、息子(むすこ)は音楽(おんがく)に夢中(むちゅう)になっている」 Our son is crazy about music against parents' wish that we want him to be a doctor. 和想让他成为医生的父母的希望相反,儿子对音乐入了迷。 의사가 되어 주었으면 하는 부모의 희망과는 반대로, 아들은 음악에 열중하고 있다.

「選挙(せんきょ)の前(まえ)は山田氏(やまだし)のほうが強(つよ)いと言(い)われていたが、予想(よそう)に反(はん)して田中氏(たなかし)が当選(とうせん)した」 Mr. Yamada was said to be more hopeful before the election, but Mr. Tanaka got elected against our speculation. 在选举前说山田氏较强,但与预想的相反,田中氏当选了。 선거 전에는 야마다씨 쪽이 강하다고 했으나, 예상과 반대로 다나까씨가 당선되었다.

⚠ ［A 反面(はんめん)／半面(はんめん) B］は、1つのものに性質(せいしつ)の違(ちが)う2つの面(めん)（AB）があることを表(あらわ)す。参照【296】

【152】 正解 4

あちらに見(み)えますのは、この地方(ちほう)で有名(ゆうめい)なお城(しろ)でございます。
What you see over there is a castle famous in this region. 那里看到的,是这地方有名的城堡。 저쪽에 보이는 것이, 이 지방에서 유명한 성입니다.

ポイント ＜でございます＞

形 ［Aでございます］ A＝名詞
意味 「Aです」（丁寧(ていねい)な言(い)い方(かた)）
使い方 a「これはどこのワインですか」b「フランスのワインでございます」
「これは私(わたし)の妹(いもうと)でございます。よろしくお願(ねが)いいたします」
⚠「〜（物(もの)）がございます」＝「〜があります」

【153】 正解 1

今(いま)の政府(せいふ)に満足(まんぞく)していると答(こた)えた人(ひと)は、100人中(にんちゅう)16人(にん)にすぎなかった。
It was found out that only 16 out of 100 people said they were satisfied with the current government. 回答对现政府满意的人,100个人中,只有16个。 지금의 정부에 만족하고 있다고 답한 사람은, 100명 중 16명에 불과했다.

ポイント ＜にすぎない＞

形 ［Aにすぎない］ A＝動詞(どうし)／い形容詞・普通形(ふつうけい)／な形容詞／名詞・普通形(ふつうけい)（現在形(げんざいけい)［〜］）
意味 「Aしかない／Aだけだ」（Aが数(かず)の場合(ばあい)は「少(すく)ない」という評価(ひょうか)を表(あらわ)す If A is a number, it means "only few." A是数字时,表示"很少"的评价。 A가 숫자일 경우는 「少ない（적다）」라는 평가를 나타낸다.)
使い方 「彼(かれ)が言(い)ったことは事実(じじつ)ではなく、作(つく)り話(ばなし)にすぎない」 What he said is not true but only a made-up story. 他说的话不是事实,只是编造的话。 그가 말한 내용은 사실이 아니고, 만들어 낸 얘기에 불과하다.

「私(わたし)は一社員(いちしゃいん)にすぎないから、社長(しゃちょう)といっしょに食事(しょくじ)をする機会(きかい)はほとんどない」 Since I'm only one of the employees, I have little chance to have dinner with the president. 我只是一个职员,和社长一起用餐的机会几乎没有。 그는 한 사원에 불과하므로, 사장님과 함께 식사할 기회는 거의 없다.

「当(あ)たり前(まえ)のことをしたにすぎません。そんなにお礼(れい)を言(い)わなくてもいいですよ」 I just did what I was supposed to do, so you don't need to thank me so much. 我只是做了应该的事。不必这么感谢。 당연한 일을 한것에 불과합니다. 그렇게 감사해 하지 않으셔도 됩니다.

「今日(きょう)の試合(しあい)の入場者数(にゅうじょうしゃすう)は800人(にん)にすぎなかった。天気(てんき)が悪(わる)かったからだろう。」
The number of attendants at today's game was only 800. Maybe it was due to the bad weather. 今天的比赛的入场者人数不满800人。是因为天气不好吧。 오늘 시합의 입장자수는 800명에 불과했다. 날씨가 좋지 않아서겠지.

【154】 正解 2

外国での生活は、思うようにならなくて、泣きたくなるときもある。

Living in a foreign country, I sometimes feel like crying when things don't go smoothly.　在外国的生活并不如想象的那样。想哭的时候也有。　외국 생활은 생각한 대로 되지 않아서, 울고 싶어질 때도 있다.

ポイント <ようにいかない／ようにならない>

形 ［Aように ならない／いかない］
A＝動詞・辞書形／た形

意味 「A（する／した）通りに進まない／うまく進まない」 not go well as A/not move on smoothly　没有像 A 那样／没有好好进展　A(한／했던) 대로 되지 않다／제대로 진행되지 않다

使い方 「今度の仕事が、予定していたようにいかなくて、困っています」「子育ては、思うようにならないことが多くて、なかなか難しい」 Having a lot of things you cannot handle easily, rearing children is pretty difficult.　育儿有很多地方不像想象的那样, 很难.　아이를 키우는 일은, 생각대로 되지 않는 경우가 많아서, 상당히 어렵다.

【155】 正解 2

私は北海道へ一度も行ったことがないけれど、きっと自然が美しいところだろう。

I've never been to Hokkaido, but I'm sure it has beautiful nature.　我一次也没有去过北海道, 那儿一定是拥有美丽自然的地方吧。　저는 북해도에 한번도 가본 적이 없지만, 필시 자연이 아름다운 곳이겠지.

ポイント <一度も>

形 ［一度も ない／Aことがない］　A＝動詞・た形

意味 「経験がまったくない／したことがない」 have no experience at all/have never done　完全没有经验／没有做过　경험이 전혀 없다／한적이 없다

（「まだ」「今までに」といっしょに使うことが多い）

使い方 「私は歌手Ｔの大ファンで、ＣＤをたくさん持っています。でも、コンサートに行ったことは、まだ一度もありません」 I am a big fan of Singer T and have a lot of her CD's, but have never gone to her concert yet.　我是 T 歌手的歌迷, 但是演唱会一次也没有去过。　저는 가수 T 의 열성 팬으로, CD 를 많이 갖고 있습니다. 하지만, 콘서트에 간 적은 아직 한번도 없습니다.

「ドリアンという果物は、一度も食べたことがありません。おいしいですか」

【156】 正解 4

みんながんばったおかげで、今日は仕事が早く終わってよかった。

Thanks to all of you working hard, I'm happy we finished work earlier today.　托大家一起努力的福, 今天工作提早完成了。　모두가 노력한 덕분에, 오늘은 일이 빨리 끝나서 다행이다.

ポイント <おかげで>

形 ［AおかげでB］　A＝動詞／い形容詞・普通形、な形容詞・普通形（現在形［〜な］）、名詞・普通形（現在形［〜の］）

意味 「AだからB」（Bはいい結果。Aはその結果を引き起こしたもの。いい結果になったのでAに感謝するという気持ちがある　B refers to a good result. A refers to what caused the good result. Expresses appreciation to A for the good result.　B 是好的结果。A 是产生这一结果的原因。因为有了好结果, 所以对 A 怀着感谢的心情。　B 는 좋은 결과. A 는 그 결과를 끌어 낸 것. 좋은 결과가 되어 A 에 감사한다는 마음이 있다.）

使い方 「母の看病のおかげで父は元気になった」 My father got better thanks to my mother's nursing.　因为照顾生病的母亲, 爸爸变得健康了。　엄마의 간병 덕분에 아빠는 건강해 졌다.

「先生のご指導のおかげで試験に合格できました。ありがとうございました」 I could pass the examination thanks to your guidance, teacher. Thank you very much.　因为老师的指导, 考试及格了。谢谢。　선생님의 지도 덕분에 시험에 합격할 수 있었습니다. 감사합니다.

⚠️ ◇皮肉な意味で、悪い結果に使うこともある。Sometimes used for a bad result ironically.　有讽刺的意思时, 也用在坏的结果上。　비꼬는 의미로, 나쁜 결과에 사용되는 경우도 있다.

例：a「君のミスのおかげで課長に怒られちゃったよ」b「そうですか。それは申し訳ありません」a "I was scolded by the section manager thanks to your mistake." b "You were? I'm so sorry."　A"就是因为你的错误, 科长被批评了。"B"是吗？那真是太抱歉了。"　A 니 실수 덕분에 과장님께 혼났어. B 그렇습니까. 그거 정말 죄송합니다.

◇「せいで」も原因と結果を表すが、悪い結果を表す。**参照【125】**

第 13 回

【157】 正解 4

A社は新しい商品を発売する前に、主婦100人に対してアンケート調査を行った。

Company A carried out a survey for 100 housewives before they start the sales of their new product.　A 公司在开发新产品前, 对 100 位主妇进行了征询意见的调查。　A 사는 새로운 상품을 발표하기 전에, 주부 100 명에 대해 앙케트 조사를 실시했다.

ポイント <に対して>

形 ［Aに対してB］　A＝名詞

意味 「Aに向かってB（する）」（AはBする相手や対象） do B targeting A (A refers to people who receive B)　对 A 做 B(A 是做 B 的伙伴或对象)　[A 를 향해 B(하다)](A 는 B 하는 상대나 대상)

使い方 「彼女は結婚式で両親に対して感謝の気持ちを表したいと思っている」 She wants to express her thanks to her parents at her wedding ceremony.　她在结婚宴会上想表达对父母的感谢的心情。　그녀는 결혼식에서 부모님에 대해 감사의 마음을 표현하고 싶다고 생각하고 있다.

「日本はアジアの国に対して自動車や電気製品を輸出している」 Japan exports cars or electrical products to Asian countries.　日本对亚洲国家出口汽车和电器产品。　일본은 아시아 국가에 자동차나 전기제품을 수출하고 있다.

⚠️ ◇Aが文の場合［A、一方、B］という文になる。**参照【24】**
◇Bが名詞の場合は［Aに対するB］という文になる。**参照【43】**

【158】 正解 1

「いっしょに行かない？」と誘ったけれど、彼女は興味がなさそうだった。

I invited her to go with me, but she sounded uninterested. "一起去吗？"我试着约她,但是她好像没有兴趣。 ［함께 가지 않을래?］라고 권했지만, 그녀는 흥미가 없어보였다.

ポイント ＜（なさ）そう＞　参照【19】【82】

形 ［Aなさそうだ。／Aなさそうな B／Aなさそうに C］
A＝動詞・ない形、い形容詞［～く］、な形容詞／名詞［～では］　B＝名詞　C＝動詞

意味 「A（ない）という様子」 look/seem (not) A （不）A 的样子 A 없는 것 같은 상황, 모양

使い方 「この本はおもしろくなさそうだ」 This book doesn't look interesting. 这本书没什么意思。 이 책은 재미 없는 것 같다.
「やさしく説明したつもりだった。でも、その子は、私の説明がわからなさそうな顔をしていた」 I thought I explained it in a simple way, but the child didn't look like he understood what I explained. 我努力简单易懂地说明了。但是那个孩子的脸上的表情好像不懂我的说明。 알기 쉽게 설명했다고 생각했다. 그렇지만 그 아이는 내 설명에 대해 잘 모르겠다라는 얼굴을 하고 있었다.

⚠ 「そう」には別の使い方もある。参照【19】◇①②

【159】 正解 4

仕事がやっと片付きました。それでは、失礼します。

I've finally finished my work. See you then. 终于处理完工作了。那么, 我先走了。 일이 겨우 끝났습니다. 그럼, 실례하겠습니다.

ポイント ＜失礼します＞

形 ［失礼します］

意味 「帰ります／さようなら」（帰るときに言う、あらたまったあいさつのことば said when leaving a formal greeting 回家时说的话, 正式的打招呼的用语 돌아갈 때 말하는, 격식차린 인삿말）

使い方 a「お先に失礼します」 b「お疲れ様でした」

【160】 正解 2

A「日曜日なのに、今日も会社に行くの？」B「ああ。部長も来るから、行かざるをえないんだ。」

A "Are you going to work today on a Sunday?" B "Yeah. The department head is coming, so I need to." A"今天是星期天, 也去公司吗？" B"啊, 因为部长也去, 不得不去啊。" A 일요일인데, 오늘도 회사에 가니? B 어. 과장님도 오시니까, 안갈 수가 없어.

ポイント ＜ざるをえない＞

形 ［Aざるをえない］
A＝動詞・ない形　「する」⇒「せざるをえない」

意味 「（何か理由や事情があって）Aしたくなくても、しなければならない」 have to do A even though one doesn't want to (because of some reason or circumstances) 因为有什么理由或者情况, 不得不做。（어떤 이유나 사정이 있어) A하고 싶지 않아도, 해야만 한다

使い方 「お金がなくなったので、旅行は終わりにして、帰らざるをえない」「試験が近いので勉強せざるをえない」

⚠ 「ないわけにはいかない」も同じように使う。
例「日曜日だけど、部長も来るから、会社に行かないわけにはいかない」 It's Sunday today, but since the department head is coming, I cannot afford not to. 虽然是星期天, 因为部长也来, 不能不到公司去。 일요일이지만, 과장님도 오시니, 회사에 가지 않을 수 없다.
「試験の前だから勉強しないわけにはいかない」

【161】 正解 3

A「あのう、このネクタイをプレゼント用に包んでもらえますか。」B「かしこまりました。」

A "Excuse me, could you wrap up this tie as a gift?" B "Certainly, ma'am." A"能把这领带包成礼品包装吗？" B"明白了。" A 저기, 이 넥타이를 선물용으로 포장해 주시겠어요? B 알겠습니다.

ポイント ＜かしこまりました＞

形 ［かしこまりました］

意味 「はい、わかりました。そうします」（謙譲表現。相手の依頼、命令など指示を受けて、「その通りにします」と伝える表現 A humble expression used when accepting the other person's request, command, or direction. 谦让的表现。接受对方的依赖、命令、指示等。 겸양표현. 상대의 의뢰, 명령 등의 지시를 받아, ［그대로 하겠습니다］라고 전하는 표현）

使い方 社長「ああ、暑い。冷たいお茶をもってきてくれ」社員「はい、かしこまりました」

⚠ 「承知しました／承知いたしました」も同じように使うが、「かしこまりました」のほうが、命令に従う謙譲の気持ちが強い。「承知しました／承知いたしました」 are also used in the same way but 「かしこまりました」 is more humble expressing stronger obedience to a command. 也同样用"承知しました／承知いたしました"但是,「かしこまりました」的遵从命令的谦让语气更为强烈。「承知しました／承知いたしました」도 마찬가지로 사용되나,「かしこまりました」쪽이 명령에 따른다는 겸양의 기분이 강하다.

【162】 正解 1

すみませんが、この資料をみなさんに配るのを手伝ってくれませんか。

Sorry to bother you, but would you help me distribute this material to all? 对不起, 能不能把这个资料发给大家。 죄송합니다만, 이 자료를 모두에게 나눠주는 것을 도와주시지 않겠어요.

ポイント ＜のを＞　参照【214】【258】

形 ［AのをB（する）］　A＝動詞・辞書形

意味 「AをB（する）」

使い方 「手紙の返事が来るのを待っていますが、なかなか来ません」「水田さんが入院したのを知ってる？」「あ、いけない。あなたに借りた本を持ってくるのを忘れた」

⚠ 助詞が、名詞ではなく文につくときは、「文＋の／こと＋助詞」になる。 When the particle is used after a sentence instead of a noun, "sentence + の／こと + particle" is the structure. 助词在非名词的句子的后面时, 变成"文＋の／こと＋助词"。 조사가 명사가 아닌 문장에 붙을 때는, ［문장＋の／こと＋조사］가 된다.
例「返事を待つ」⇒「返事が来るのを待つ」

「料金の支払いを忘れていた」⇒「料金を支払うのを忘れていた」

【163】 正解 3
子「おかあさん、ご飯、まだ?」母「今、作っているところだから、もうちょっと待って」
Child "Mom, isn't dinner ready yet?"　Mother "I'm fixing it now. Wait a little more while."　孩子:"妈妈,饭,还没好吗?"　母亲:"现在正在煮着,再等一会儿。"　자녀 [엄마, 밥 아직이예요?]　엄마 [지금 만드는 중이니까, 좀 더 기다려.]

ポイント <ところだ>
形 [Aているところだ]　A＝動詞・て形
意味 「今ちょうどA(し)ている」 be in the middle of doing A　现在正在做A　지금 막 A 하고 있다
使い方 「今会社に向かって歩いているところです。もうすぐ着きます」「今食事をしているところです。少し待ってください」
⚠◇Aが動詞・辞書形の文もあるが、意味が違う。参照【21】
◇Aが動詞・た形の文もあるが、意味が違う。参照【60】

【164】 正解 3
この夏は電力不足が心配されています。できるだけ電気を使わないようにしましょう。
They are concerned about power shortage for this summer. Let's try to save as much electricity as possible.　这个夏天可能会电力不足。尽可能少用电吧。　이번 여름은 전력부족이 우려되고 있습니다. 가능한 한 전기를 사용하지 않도록 합시다.

ポイント <だけ>
形 [Aだけ]　A＝動詞・可能形、動詞・ます形＋たい、「ほしいだけ」「好きなだけ」
意味 「Aの範囲内の全部／たくさん」in all the range of A/a lot　在 A 范围内的全部 / 很多　A 의 범위내 전부 / 많이
使い方 「地震の後、食べ物や服を持てるだけ持って逃げました」We fled carrying as much food and clothing as possible after the earthquake.　地震后,尽量拿着食物和衣服逃出来了。　지진발생 후, 음식물이나 옷을 가져갈 수 있을 만큼 가지고 피했습니다.
「どうぞ食べたいだけ、好きなだけ食べてください。料金は同じです」Please eat as much as you want. The fee is fixed.　请想吃多少吃多少。都是一样的价钱。　어서 먹고 싶은 만큼, 좋아하는 만큼 드세요. 요금은 같습니다.
「疲れたときは寝たいだけ寝る。そうすれば元気になる」

【165】 正解 3
最近、食べ過ぎで太ってきた。これから食事に気をつけよう。
I've gained some weight recently from overeating. I need to watch my diet from now on.　最近,吃得太多,胖了。今后要注意饮食。　요즘, 너무 많이 먹어서 뚱뚱해졌다. 이제부터 식사를 조심하자.

ポイント <てきた>
形 [Aてきた]　A＝動詞・て形（変化を表す動詞が多い）
意味 （問題文中の意味）「最近Aの変化が進んでいる／前から今までずっとA(し)続けている」a change in A has been progressing recently/has been doing A for a while　最近 A 的变化在增进 / 到现在为止一直继续着 A　최근 A 의 변화가 진행되고 있다 / 전부터 지금까지 계속 A 하고 있다
使い方 「結婚したがらない若者が増えてきたのはなぜでしょうか」Why is it that more young people don't want to get married?　为什么不想结婚的年轻人增加了?　결혼하고 싶어하지 않는 젊은이가 늘고 있는 것은 왜일까요?
「ギターを習い始めたころはあまり難しくなかったけれど、レベルが上がって、だんだん難しくなってきた」When I first started learning to play the guitar, it wasn't so difficult, but as the level gets higher, it's getting more and more difficult.　开始学习弹吉它时不太难,随着水准的上升,渐渐地越来越难了。　기타를 배우기 시작했을 때는 그다지 어렵지 않았는데, 레벨이 높아져, 점점 어려워지고 있다.
「父は高校を出てから30年間自動車工場で働いてきた」My father has worked at a car factory for 30 years since he graduated from high school.　父亲高中毕业后,在汽车工厂工作了30年。　아버지는 고등학교를 졸업한 후 30년간 자동차 공장에서 일해 왔다.
「人間は長い間にいろいろな発明をしてきた」Humans have invented various things for a long period of time.　长期以来,人类创造了各种发明。　인간은 오랜 기간 여러가지 발명을 해 왔다.
⚠◇「持ってきた」「行ってきた」などは使い方が違う。例「あ、雨だ。でも、かさ、持ってきたから、だいじょうぶ」「先週台湾へ行ってきました。これ、おみやげです」
◇「ていく」も変化を表すが、「一般的な変化」や「これから進む変化」を表す。参照【280】

【166】 正解 2
もし過去に戻れるとしたら、小学生の頃に戻りたい。
If I could live back in the past, I would go back to my elementary school days.　如能回到过去,想回到小学时代。　만약 과거로 돌아갈 수 있다면, 초등학생 무렵으로 돌아가고 싶다.

ポイント <としたら>
形 [(もし)Aとしたら]　A＝動詞／形容詞／名詞・普通形
意味 「Aと仮定すると／Aの場合を考えてみると」supposing A/in case of A　如果假定A/ 考虑A 的场合　A 라고 가정하면 / A 의 경우를 생각해보면
使い方 「留学するとしたら、どの国に行きたいですか」If you were to study abroad, to which country would you like to go?　如果去留学,想去哪个国家?　유학한다면, 어느 나라로 가고 싶습니까?
「もし私が首相だとしたら、外交問題にもっと力を入れるだろう」If I were the prime minister, I would focus more on the diplomatic issues.　如果我是首相,一定会在外交问题上更加努力。　만약 내가 수상이라면, 외교문제에 좀더 힘을 쓰겠지.

【167】 正解 3
すみません。みんなで写真をとりたいので、シャッターをおしてもらえませんか。
Excuse me. We would like a picture of us together, so would you mind pressing the shutter for me?　对不起,想大家一起照张相,能按

一下快門吗？ 죄송합니다. 모두 함께 사진을 찍고 싶은데, 카메라 셔터를 눌러 주시겠어요?

ポイント ＜てもらえませんか＞

形 ［Aてもらえませんか］ A＝動詞・て形

意味 「A（し）てください／A（するのを）お願いします」（依頼の表現 request 依頼，委托的表現 의뢰의 표현）

使い方 「まだ準備ができていないので、すみませんが、こちらで少し待ってもらえませんか」We are not ready yet, so would you mind waiting a little over here? 还没有准备好, 对不起。能不能在这儿稍等一会儿？ 아직 준비가 되어 있지 않아서, 죄송합니다만, 여기서 좀 기다려 주시겠어요?

⚠ ◇「～ていただけませんか」は、丁寧な言い方。参照【63】
◇「てもらえないかな」は、くだけた言い方。「てもらえないかな」is a casual version. 「てもらえないかな」是比较随便的说法。「てもらえないかな (～해주지 않을래)」는, 스스럼 없는 말투.
例「ちょっとわからないところがあるんだ。説明してもらえないかな」

【168】 正解 2
A「昨日、テニスに行ったんでしょう？楽しかった？」B「それが、朝、急におなかがいたくなっちゃって、やめたんだ。」
A "You went to play tennis yesterday, didn't you? Was it fun?" B "Well, I canceled it because I had a sudden stomachache in the morning." A"昨天去打网球了吗？玩得高兴吗？" B"早晨突然肚子疼，没有去。" A 어제, 테니스 다녀왔지? 즐거웠어? B 그게, 아침에 갑자기 배가 아파서, 그만뒀어.

ポイント ＜それが＞

形 ［A。それがB］

意味 「A。ところが／そうではなくて B」（AとBは反対の関係。Bは起こった意外なこと A and B are contrastive. B is something that happened unexpectedly. A和B是相反的关系。B是突然发生的意外事件。 A와B는 반대의 관계. B는 일어난 의외의 일）

使い方 「朝はよく晴れていた。それが、昼から急に雲が出て、午後は雨になった」It was clear in the morning, but around noon it got cloudy suddenly and was rainy in the afternoon. 早晨天气很好。然后中午突然云出现了，下午下雨了。 아침은 참 날씨가 개어 있었다. 그것이, 점심때부터 갑자기 구름이 나오더니, 오후는 비가 내렸다.
a「人気のアニメ映画だから、おもしろかったでしょう？」
b「それが、全然おもしろくなかった。がっかりしたよ」

【169】 正解 1
彼は人のアイデアを、まるで自分が考えたかのように発表した。
He published someone's ideas as if it were his own. 他把别人的想法, 就像自己想的一样发表出来。 그는 남의 아이디어를 마치 자신이 생각한 것처럼 발표했다.

ポイント ＜かのよう＞

形 ［A かのようだ／かのような／かのように］
A＝動詞／い形容詞・普通形、な形容詞／名詞・普通形（現在形［～である］）

意味 「（ほんとうは違うのに）A（の）ようだ／ように／ような」as if … were A (though not true)（実际上是不同的）但是像A那样 （사실은 틀리지만）A와 같다／같이／같은

使い方 「あの歌手の声はすばらしい。まるで天使が歌っているかのようだ」That singer's voice is beautiful. It sounds like an angel is singing. 那位歌手的声音真美，好像天使在唱歌。 저 가수의 목소리는 멋지다. 마치 천사가 노래하고 있는 것 같다.
「彼は何でも知っているかのような話し方をしているが、あまり信用できない」He talks as if he knew everything, but cannot be trusted much. 他像什么都懂一样地说话, 不能太相信他。 그는 무엇이든 알고 있는 것같은 말투로 얘기하지만, 그다지 신용할 수 없다.
「今日は春になったかのように暖かくなりました」It's warm today as if spring was here. 今天像春天来临了一样地变得很温暖。 오늘은 봄이 된 것 같이 따뜻해졌습니다.

第 14 回

【170】 正解 2
地震の際は、エレベーターは使用できません。
You cannot use the elevator in case of an earthquake. 在地震的时候，不能使用电梯。 지진이 일어났을 때는, 엘리베이터는 사용할 수 없습니다.

ポイント ＜際＞

形 ［A際（は／に）］ A＝動詞・辞書形／た形、名詞 ［～の］

意味 「A（の）とき／場合」（Aは、比較的大きなことや特別の場合 A refers to something major or special A是比较大的事或特别场合。 A는 비교적 큰 일이나 특별한 경우）

使い方 「海外旅行の際はパスポートを常に携帯してください」Always remember to carry your passport with you when you travel abroad. 在海外旅行时, 随时要带着护照。 해외여행 시는 여권을 항상 휴대해 주세요.
「外出する際は、火が消えているかどうかを確認すること」Before you go out, make sure the fire is out. 外出时, 要确认是否已经关火。 외출할 때는 불이 꺼져있는지를 확일할 것.
「これは、社長が去年上海に行った際に買った絵です」

【171】 正解 4
高級レストランでごちそうを食べたつもりでその分を貯金した。
I saved the money pretending I spent it for a good dinner at a fancy restaurant. 就当作在高级饭店吃过饭了，把（吃饭的）那笔钱存了起来。 고급 레스토랑에서 맛있는 것을 먹었다 셈치고, 그 부분을 저축했다.

ポイント ＜つもりで＞

形 ［AつもりでB］

意味 「Aしたと考えてBする」（Aは頭の中で考えたことで、実際にしたことではない A refers to something imagined and not a real action. A是脑子里想的东西, 并不是实际上做了的事。 A는 머릿속에서 생각한 것으로, 실로로 한 것은 아니다）

使い方 「死んだつもりでがんばるなんて、そんなこと、ぼくにはできない」I can't do such a thing as to work myself nearly

to death. 像拼死一样的努力，我可做不了。 죽은 셈치고 노력하다니, 그런 거 나는 못한다.
「旅行に行った**つもりで**地図を見て楽しむのが私の趣味です」 Pretending I am on a trip and enjoying watching maps is my hobby. 我的爱好是，就像实地旅行那样地看着地图享乐。 여행에 간 셈치고 지도를 보며 즐기는 것이 나의 취미입니다.

【172】 正解 2
たとえ小さい子ども**でも**、悪いことをしたらあやまらなければならない。
Even if it's a small child, he/she has to apologize if he/she has done something bad. 即使是幼儿，做了坏事也必须道歉。 설령 작은 아이라 할지라도 나쁜 짓을 하면 사과하지 않으면 안된다.

ポイント ＜たとえ〜ても＞
形 ［たとえAても（でも）、B］
A＝動詞／形容詞・て形、名詞 ［〜で］
意味 「もしAても（でも）、B」 even if A…, B… 即使A, 也B 만약 A 라도, B
使い方 「たとえ大金がもらえても、私は悪いことはしたくない」 I don't want to do anything criminal even if I can receive a lot of money. 即便能挣到大钱，我也不想做坏事。 설령 큰돈을 받을 수 있다하더라도, 나는 나쁜짓을 하고 싶지 않다.
「たとえ国王でも、国の法律は守らなければならない」 Even if one is the King, he must abide by the law of the nation. 即是是国王，也必须遵守国家的法律。 비록 국왕이라 하여도 나라의 법률은 지켜야만 한다.

【173】 正解 1
100枚のくじの中に当たりが1枚あると**すると**、当たる確率は1パーセントになる。
If there is one winning lottery ticket among 100 tickets, the winning chance will be one percent. 如果100张彩票中有1张中奖的话, 中奖率为百分之一。 100장의 제비 중에 당첨이 1장 있다고 하면, 당첨될 확률은 1%가 된다.

ポイント ＜とすると＞
形 ［Aとすると］ A＝動詞／形容詞／名詞・普通形
意味 「Aと仮定すると／Aの場合を考えてみると」 supposing A/regarding the case of A 假定A/考虑A的场合 A 라고 가정하면/A의 경우를 생각해 보면
使い方 「これから映画を見るとすると、家に帰るのがずいぶん遅くなるけど、だいじょうぶ？」 If we watch a movie now, we will get home very late. Are you going to be OK? 如果现在去看电影，回家会很晚的，不要紧吗？ 지금부터 영화를 보게 되면, 귀가가 꽤 늦어지는데 괜찮아?
「犯人が外から入ったのではないとすると、ここにいる人の中に犯人がいるはずだ」 If the criminal didn't get in from outside, there should be the criminal among the people here. 如果犯人不是从外面进来的，那么犯人就在现在在这里的人中间。 범인이 밖에서 들어오지 않았다고 하면, 여기에 있는 사람 중에 범인이 있을 것이다.

⚠ 「としたら」も同じように使う。 参照【26】

【174】 正解 2
私は、子どものとき、よくけがをして親を心配**させた**。
I often got injured and worried my parents when I was a child. 我是个孩子的时候，总是受伤让父母担心。 저는 아이였을때, 자주 다쳐서 부모님을 걱정시켰다.

ポイント ＜せる・させる＞
形 ［（人 に／を）A せる／させる］（使役形 causative 使令式 사역형） A＝動詞・ない形
Ⅰグループ動詞 例：行く⇒行か**せる**
Ⅱグループ動詞 例：やめる⇒やめ**させる**
Ⅲグループ動詞 例：する⇒**させる** 来る⇒来**させる**
意味（問題文中の意味）「Aの結果になる」 result in A 变成A的结果。 A 의 결과가 되다
例：子どもがけがをする（原因）⇒親が心配する（結果）＝「子どもがけがをして、親を心配**させる**」 The child gets injured and worries his parents. 孩子受伤，让父母担心。 아이가 다쳐서, 부모를 걱정시키다.
使い方 「小さい子どもをいじめて泣か**せて**はいけないよ」 Don't bully and make little children cry. 不能欺负小孩子，把他弄哭。 작은 아이를 놀려서 울리면 안되요.
「山田さんは、いつも冗談を言って、みんなを笑わ**せて**います」 Mr. Yamada always tells jokes and makes us all laugh. 山田总是开玩笑让大家大笑。 야마다씨는 언제나 농담을 말해, 모두를 웃끼고 있습니다.

⚠ ◇使役形の動詞はⅡグループ動詞になる。例：怒る⇒怒らせる⇒怒らせない（ない形）、怒らせて（て形）
◇問題文にあるタイプの使役形は、「笑わせる」「怒らせる」のような感情の動きを表す動詞が多い。 Such causative verbs as are in the question are often emotional ones such as "make one laugh" or "make one get angry." 试题中的这类使役式，用像"使笑""使发怒"等感情的变化的动词较多。 문제의 문장에 있는 타입의 사역형은,「笑わせる」「怒らせる」와 같은 감정의 움직임을 나타내는 동사가 많다.
◇使役形が「自由に〜することを許す」という意味で使われる文もある。 参照【144】
◇使役形が「指示や命令をする」という意味で使われる文もある。 参照【3】

【175】 正解 1
A「田中さんはいらっしゃいますか。」 B「田中さんはもう**お帰りになりました**よ。」
A "Is Mr. Tanaka there?" B "He has already gone home." A"田中先生在吗？" B"田中先生已经回家了。" A 다나까씨는 계십니까? B 다나까씨는 벌써 돌아갔습니다.

ポイント ＜お〜になる＞
形 ［おAになる］ A＝動詞・ます形
例：「お書きになる」（書く）「お読みになる」（読む）
意味 「（目上の人が）Aする」（尊敬語 honorific 尊敬语 존경어）
使い方 「これは田中先生がお書きになった本です」「社長はも

うお帰りになりました」

⚠ 特別な尊敬語 「する」→「なさる」、「来る」「いる」→「いらっしゃる」、「言う」→「おっしゃる」、「見る」→「ご覧になる」

【176】 正解 4
子どもは成長するとともに親の言うことをきかなくなる。
Children stop listening to their parents as they grow. 随着孩子的成长，变得越来越不听父母的话。 아이는 성장할 수록 부모 말을 듣지 않게 된다.

ポイント ＜とともに＞
形 ［AとともにB］ A＝動詞・辞書形
意味 「Aが変わると、いっしょにBも変わる」（A、Bは変化を表す動詞） If A changes, B also changes. (A and B are the verbs containing change.) A改变后，B也一起改变。(A, B是表示变化的动词。) A가 변하면, 함께 B도 변한다 (A,B는 변화를 나타내는 동사)
使い方 「山の頂上に近づくとともに空気が薄くなり、息が苦しくなる」 As you near the top of a mountain, the air gets thinner and you find it hard to breathe. 接近山顶时，空气变得稀薄，呼吸变得困难。 산 정상에 가까워질수록 공기가 적어져, 호흡이 곤란해 졌다.
「暖かくなるとともに、あちこちで花が咲き始めた」
⚠ 「につれて」も「にしたがって」も同じように使う。参照【230】【83】

【177】 正解 2
今度の日曜日ひま？ ひまなら、プールに行かない？
Are you going to be free this Sunday? If you are, why don't we go to a pool? 这个星期天有空吗？有空的话去不去游泳池？ 이번 일요일 한가해? 한가하면, 수영장에 가지 않을래?

ポイント ＜なら＞
形 ［Aなら］ A＝い形容詞［〜い］、な形容詞／名詞［〜］
意味（問題文中の意味）「A（の）場合は／もしAだったら／Aば」in case of A/if …A A 的场合 / 如果是A/A 的话 A 의 경우는 / 만약 A 라면 / A 이면
使い方 「寒いなら、窓を閉めてもかまいませんよ」「中国語は、やさしい会話ならできます」「問題が簡単なら、答えはすぐに出る。でも、難しいなら、だれかに教えてもらいなさい」 If the question is easy, you'll get the answer easily. But if it's difficult, ask someone to help you. 如果问题简单的话，答案会马上找到。但是，难的话，请让谁教你一下。 문제가 간단하면 답은 금방 나온다. 하지만 어려우면 누군가에게 가르쳐달라고 해라.

⚠ ◇アドバイスや要求などを表す文もある。参照【72】
◇話題を出すときの使い方もある。参照【91】

【178】 正解 1
A「課長、来週の出張についてちょっとご相談したいんですが。」B「うん。どんなこと。」
A "Section manager, I'd like to talk with you regarding next week's business trip." B "Yeah. What is it?" A "科长，关于下周的出差，想和你商量一下。" B "嗯，想商量什么？" A 과장님, 다음주 출

장에 대해 좀 상담하고 싶습니다만，B 응. 무슨일이야.

ポイント ＜について＞
形 ［Aについて］ A＝名詞
意味 「Aのことで／Aに関係して」about A/regarding A A 的事 / 关于A，有关A A 의 일로 / A 에 관계하여
使い方 「私は中国の文化について研究している」I am doing researches on Chinese culture. 我在研究有关中国文化（的领域） 나는 중국 문화에 대해 연구하고 있다.
「私が説明したことについて質問があればどうぞ」
⚠ 「に関して」も同じように使う。例「社長はその事件に関して何も知らないようだ」It seems like the president doesn't know anything about the case. 关于那件事，社长好像一点都不知道。 사장은 이 사건에 관해 아무것도 모르는 것 같다.

【179】 正解 2
お名前をお呼びするまで、しばらくこちらでお待ちいただけませんか。
Would you wait here for a while till we call your name? 在叫到名字之前，可以在这儿等一会儿吗？ 이름을 부를 때까지 잠시 여기서 기다려주시겠습니까．

ポイント ＜お／ご〜いただけませんか＞ 参照【11】【94】【123】
形 ［Aいただけませんか］
①A＝お＋動詞・ます形 例「お知らせいただけませんか」
②する動詞（「説明する」など）A＝ご＋「××する」 例「ご説明いただけませんか」
意味 「Aしてください」（丁寧な言い方） polite 有礼貌的说法 정중한 말투）
使い方 a「こちらにご住所をお書きいただけませんか」 b「はい。書きます」
a「スケジュールが変わったら、早めにご連絡いただけませんか」 b「はい、そのときはすぐ連絡します」 a "Would you let me know soon when the schedule has changed?" b "Yes, I will do so soon in such a case." A "日程有变化的话，能早一点和我联系吗？" B "好，那时会马上联系的。" A 스케줄이 바뀌면, 일찍 연락주시겠습니까. B 네, 그렇게 되면 바로 연락하겠습니다.

⚠ ◇「お」と「ご」の使い方：
● 「ご」は「する動詞」（「連絡する」「説明する」など［漢字＋漢字＋する］の形の動詞）の前につける。
例「明日の予定についてもう少しご説明いただけませんか」
Could you explain a little more about tomorrow's schedule? 关于明天的预定，能再说明一下吗？ 내일 예정에 대해 좀더 설명해주시겠습니까.
例外「お電話いただけませんか」
● 「お」は、その他の動詞につける。
例「結果をお知らせいただけませんか」「書類は郵便でお送りいただけませんか」
ただし、「見る」「いる」「着る」「来る」「する」など、ます形（［Bます］のB）が一文字だけの場合は、［おBいただけませんか］とは言わない。
例：× 「お見いただけませんか」 ○ 「ご覧いただけませんか」

×「お来いただけませんか」 ○「いらしていただけませんか／いらっしゃっていただけませんか」

◇「お／ご~いただけませんでしょうか」は、さらに丁寧な言い方。

【180】 正解 1
ちょっと熱があるだけです。風邪ですから心配することはありません。

He just has a little fever. He has caught a cold and there's nothing to worry about. 只是有点发烧。是感冒了, 不用担心。 좀 열이 있을 뿐입니다. 감기이니 걱정하실 것 없습니다.

ポイント ＜ことはない＞

形 [Aことはない] A＝動詞・辞書形

意味 「A（する）必要はない／A（し）なくてもいい」 not need to do A 没必要做A/不做A也行 A할 필요는 없다 / A하지 않아도 된다

使い方 「今日の仕事は全部終わったから、残業することはない」 We have finished all the work for today, so don't need to work overtime. 今天的工作全完了, 不用加班了。 오늘 일은 전부 끝났으니, 잔업할 필요없다.

「悪いのは田中さんだから、君があやまることはない」

⚠ ◇「Aが起きる可能性はない／Aはずはない」という意味の文もある。Also means "There's no possibility of A happening/cannot be A" A不可能发生 / 不可能A A가 일어날 가능성이 없다 / A 일리 없다

例：a「あれ、あの人、ヤンさんかな」b「ヤンさんは帰国したから、ヤンさんがここにいることはないと思うよ」a "Look, isn't that Mr. Yan?" b "He has gone back to his country, so I don't think he can be here." a "啊, 那个人, 是杨吗?" b "杨回国了, 我想杨不会在这儿。" A 어? 저 사람, 양씨인가? B 양씨는 귀국했으니, 양씨가 여기에 있을리 없다고 생각해요.

「太陽が西から昇ることはない」 It is not possible that the sun rise in the West. 太阳不会从西边升起。 태양이 서쪽에서 오르는 일은 없다.

◇ [A（ない）ことはない]（A＝動詞・ない形［~ない］）は、「Aする可能性がある／Aすることもある」という意味で使う。Means "one may possibly do A/one sometimes does A" (A=verb ない form). （不会不（做）A）(A= 動詞・ない形［~ない］),（有可能做A/ 也做过 A） [A（ない）ことはない (A하지 않는 것은 아니다)]（A＝동사・ない형［~ない］）는, 「A할 가능성이 있다 / A하는 경우도 있다」라는 의미로 사용한다.

例「お酒は飲まないことはないんですが、あまり好きではありません」 It's not that I don't drink alcohol, but I don't care for it much. 不喝酒不太可能, 但是不能喝得太多。 술은 마시지 않는 것은 아닙니다만, 그다지 좋아하지 않습니다.

【181】 正解 2
A「うわあ、アイスクリーム、いろいろ種類がある。迷うね。」B「うん、どれにしようか。」

A "Wow, there're so many flavors of ice cream! It's hard to decide." B "Yeah, which one should I pick?" A "啊, 冰淇淋, 有很多种类。不知选那个。" B: "嗯, 选哪个好呢？" A 와, 아이스크림, 여러 종류가 있다. 고민되네 B 응, 어떤걸로 할까.

ポイント ＜にする＞

形 [Aにする] A＝名詞

意味 「Aを選ぶ／Aに決める」 choose A/decide on A 选A/ 决定A A를 선택하다 / A로 결정하다

使い方 a「何がいい？何にする？」b「私は、ハンバーガーにする」 a "What do you want? What are you going to have?" b "I'll have a hamburger." A "什么好吃？点什么呢？" B "我要汉堡包。" A 뭐가 좋아？뭐로 할래？B 나는 햄버거로 할래.

「夏休みの旅行は、北海道にした。楽しみだ」 I've decided to go to Hokkaido during summer vacation. I'm excited. 暑假的旅行, 选了北海道。很开心。 여름방학 여행은 북해도로 정했다. 기대된다.

⚠ Aが文の場合は「文＋ことにする」を使う。例「夏休みに北海道へ行くことにした」参照【14】

【182】 正解 3
前にも言ったように、最近書類のミスが多いです。注意してください。

As I already said before, there are a lot of mistakes on the documents recently, so be careful. 以前也提到过, 最近文件的错误很多。请注意。 전에도 말했듯이, 요즘 서류 실수가 많습니다. 주의해 주세요.

ポイント ＜ように＞

形 [Aように] A＝動詞・普通形、名詞［~の］

意味 「Aに書いてありますが／Aで話しましたが／Aで見ましたが」（AはBの前置き A is the introductory remark of B. A在B的前面 A는 B의 서론)

使い方「この新聞に書いてあるように、地球の温暖化は大きな問題です」 As is written on this newspaper, the global warming is a serious problem. 就像这报纸上所写的那样, 温室效应已经变成很大的问题了。 이 신문에 적혀 있듯이, 지구 온난화는 큰 문제입니다.

「社長のお話のように、みんなでアイデアを出しあってがんばりましょう」 As the president told us, let us exchange ideas and work hard together. 就像社长所说的那样, 大家多出主意, 好好努力吧。 사장님 말씀처럼, 모두 함께 아이디어를 내어 노력합시다.

⚠ [Aように]には「Aと 同じく／同じに Bする」という使い方もある。例「昨日はとても疲れていたので、死んだように眠った」 I was very tired yesterday, so I slept like a dead person. 昨天因太累了, 睡得很死。 어제는 너무 피곤했기 때문에, 죽은 듯이 갔다.

「鳥のように空を飛びたいなあ」

第 15 回

【183】 正解 3
会議の最中に私の電話が鳴った。あわてて電話を切った。

My cellphone rang in the middle of the meeting. I hastily turned it off. 会议中我电话响了, 慌慌张张地关了电话。 d 회의 중에 내 전화가 울렸다. 당황하여 전화를 끊었다.

ポイント ＜最中／最中に＞

形 ［A最中（に）］　A＝動詞［～ている］、名詞［～の］（動作を表す名詞　action nouns　表示动作的名词　동작을 나타내는 명사）

意味 「ちょうどAをしているとき」right in the middle of doing A　正在做A时　마침 A를 하고 있을 때

使い方 「楽しいパーティーの**最中**に仕事の話をしないでほしい」I want you to stop talking business when we're having a fun party. 在快乐的聚会中，不想听工作的话。 즐거운 파티 중에 일 얘기는 안했으면 좋겠다.
「映画を見ている**最中**に眠ってしまった」

⚠ ［A中］（A＝名詞）は「Aをしているとき／ところだ」の意味で使う。例「授業中は携帯電話を切ってください」「この部屋は今使用中です」

【184】 **正解 3**
努力を忘れないでがんばることは、やさしいことではありません。
It is not easy to work hard while making efforts all the time. 不忘记努力地拼命苦干，并不是那么容易的事。 노력을 잊지 않고 노력하는 것은, 쉬운 일은 아닙니다.

ポイント ＜ことは～だ＞

形 ［Aことは Bだ／Bことだ］
A＝動詞・辞書形　B＝形容詞

意味 「AはB」（一般的な判断を言う）

使い方 「おいしいものを食べることは楽しい」「アルバイトで生活することはたいへんなことだ」

⚠ 「ことは」を「のは」に変えても意味は変わらない。例「おいしいものを食べるのは楽しい」

【185】 **正解 3**
コーチが熱心に指導してくださったからこそ、ぼくたちは優勝できたんです。
We could win the championship only because our coach trained us earnestly. 正是因为教练热心的指导，我们才得了冠军。 코치가 열심히 지도해줬기 때문에, 우리들은 우승할 수 있었습니다.

ポイント ＜からこそ＞

形 ［AからこそB］

A＝動詞／い形容詞・普通形、な形容詞／名詞・普通形

意味 「A（だ）からB」（理由Aを強く言う　emphasize the reason A　強調理由A　이유 A를 강하게 말하다）

使い方 「父は、家族を幸せにしたい**からこそ**休まず働いているのだ」Our father is working hard without even taking a break only because he wants to make us family members happy. 父亲正是为了全家能幸福地生活才不停地劳动。 아버지는 가족을 행복하게 하고 싶기 때문에 쉬지 않고 일하고 있는 것이다.
「あなたに期待している**からこそ**厳しいことを言うのですよ」I am telling you harsh things only because I have high hopes for you. 正是因为对你有所期待才说严厉的话。 당신에게 기대하고 있기 때문에 엄하게 얘기하는 겁니다.
「暑い季節だ**からこそ**、夏は冷たいものではなく、熱いものを食べています」Because it's a hot season, I eat something hot instead of cold things in summer. 正是因为是炎热的季节，所以要吃热的东西而不吃冷的。 더운 날씨이기에, 여름은 차가운 것이 아닌, 뜨거운 것을 먹고 있습니다.

【186】 **正解 2**
いくら働いても、生活が楽にならない。
My life doesn't get easy however hard I work. 无论怎么劳动，生活还是不容易。 아무리 일해도, 생활이 편해지질 않는다.

ポイント ＜ても／でも＞

形 ［（いくら／どんなに）A ても／でも、B］
A＝動詞／形容詞・て形

意味 「とても／たくさん Aても／でも、しかしB」very much/even if one does A a lot　很／即使很多 A／即使　매우／많이 A 해도
A、Bは反対の内容。

使い方 「顔がきれいでも、心がきれいじゃない人は、好きになれません」I don't fall in love with a person who doesn't have a pure mind even if she has a pretty face. 即使脸很漂亮，心不漂亮的人，我是不喜欢的。 얼굴이 예뻐도, 마음이 예쁘지 않은 사람은 좋아할 수 없습니다.
「普通はたくさん食べれば太るのに、いくら食べても太らない人もいる」We normally gain weight if we eat a lot, but some people never gain weight no matter how much they eat. 一般吃得很多的话会胖，但是也有吃多少也不会胖的人。 보통 많이 먹으면 살이 찌는데, 아무리 먹어도 찌지 않는 사람도 있다.
「どんなに難しく**ても**、最後まであきらめないでがんばろう」Let us not give up and try our best to the end no matter how difficult it may be. 不管怎样难，坚持到最后不要放弃努力。 아무리 어려워도, 마지막까지 포기하지 말고 노력하자.

【187】 **正解 2**
台風の影響で、今夜から明日の朝にかけて雨と風が強くなるでしょう。
Due to the typhoon, we will have strong rain and wind starting tonight and lasting till tomorrow morning. 由于受到台风影响，从今晚起到明天早上风雨会增强。 태풍의 영향으로, 오늘밤부터 내일 아침에 걸쳐 비와 바람이 강해질 것입니다.

ポイント ＜にかけて＞

形 ［AからBにかけて］　A、B＝名詞

意味 「AからBまでの範囲で」（A、Bは時間または場所を表すことば）in the range from A to B (A and B refer to time or place)　从A到B的范围内。(A，B是表示时间或场所的词。)　A부터 B까지의 범위에서 (A,B 는 시간 혹은 장소를 나타내는 단어)

使い方 「来月の初めから半ばにかけて出張でヨーロッパに行きます」I'm going on a business trip to Europe from the beginning till the middle of next month. 从下个月初起到月中，我去欧洲出差。 다음주 초부터 중반에 걸쳐 출장으로 유럽에 갑니다.

「関東地方から東北地方にかけて激しい雨が降っています」 It is raining hard in the areas from the Kanto District up to the Tohoku District. 从关东地区到东北地区普降暴雨。 관동지방에서 동북지방에 걸쳐 심한 비가 내리고 있습니다.

⚠ A、Bは大まかな時や場所を表すことばが多い。はっきりした時や場所を表す場合は「AからBまで」を使うことが多い。A and B are often approximate times or places. When clearly denoting times or places, 「AからBまで」 is usually used. A,B 一般是粗略的时间或场所。在表示清楚的时间或地点时，比较多用「AからBまで」的表现。 A,B는 대략적인 때와 장소를 나타내는 단어가 많다. 정확한 때와 장소를 나타내는 경우는「AからBまで」를 사용할 때가 많다. 例「来月の3日から15日まで出張でヨーロッパに行きます」

【188】 正解 1
A「あら、中村さん、お久しぶりですね。」B「ほんとうに。お変わりありませんか。」
A "Oh, Mr. Nakamura, long time no see." B "Yes, indeed. How have you been?" A "嘿, 中村, 好久不见啊。" B "真的, 有什么变化吗？" A 어머, 나까무라씨, 오래간만이네요. B 정말이네요. 별고 없으세요?

ポイント <(お)久しぶり>

形 [久しぶり／お久しぶり です]

意味「しばらく／長い間 会いませんでしたが、会えてうれしいです」(しばらく／長い間 会わなかった 後で会ったときのあいさつの ことば greeting used when one sees someone whom he/she hasn't seen for a long time 久违／很久没见面时的寒暄语。 당분간／오랫동안 만나지 않은 후에 만났을 때의 인삿말)

使い方 卒業した学生「先生、こんにちは。お久しぶりです」先生「あ、大田さん。久しぶりですね。元気そう。今何をしているの」 former student "Hello, Teacher. It's been a long time." teacher "Oh, Ms. Ohta, nice to see you again. You look well. What do you do now?" 毕业了的学生 "老师, 您好。久违了。" 老师 "啊, 大田, 好久没见了。看上去很好。现在在干什么？" 졸업한 학생 [선생님, 안녕하세요. 오래간만입니다.] 선생님 [어, 다이따군. 오랜만이야. 건강해보이네. 지금 뭐하며 지내지？

【189】 正解 3
われわれのチームのほうが相手チームより力が上だから、明日の試合は勝てそうだ。
I think we will be able to win tomorrow's game because our team is stronger than our opponent. 我们队比对手的队有实力，明天的比赛会赢的。 우리 팀이 상대방 팀보다 실력이 좋으니, 내일 시합은 이길 수 있을 것 같다.

ポイント <そう>

形 [Aそうだ。] A＝動詞・ます形

意味 (問題文中の意味)(A＝動詞)「見た／聞いた／感じた様子からAが予想される」 one can expect A from what one saw/heard/felt 从看见／听到／感觉到状况预想 A 본 상황／들은 상황／느낀 상황에서 A 가 예상된다

使い方「天気図を見ると、天気はこれから悪くなりそうだ」 Seeing the weather map, I think the weather is going to get bad. 从气象图上看，今后天气会变坏。 일기도를 보면, 날씨는 앞으로 나빠질 것 같다.
「今日は熱が下がったから、明日は仕事に行けそうです」 As my fever went down today, I think I can go to work tomorrow. 今天热度下降了，明天可能可以去工作了。 오늘은 열이 내렸으니, 내일은 일하러 갈 수 있을 것 같습니다.
「忘れそうだから、忘れないようにメモしておこう」 I may forget, so I'm going to write it down so I won't forget. 因为容易忘记，为了避免遗忘记下来吧。 잊어버릴 것 같으니, 잊어버리지 않도록 메모해 두자.

⚠ ◇[形容詞＋そう]は「Aという様子」という意味を表す。参照【19】【82】【158】
◇参照【19】◇②

【190】 正解 2
最終電車に乗り遅れてしまった。お金がないので歩いて帰るしかない。
I missed the last train. I have no choice but to walk home because I don't have money. 错过了末班电车。又因为没有钱，步行回家。 마지막 전차를 놓치고 말았다. 돈이 없으니 걸어서 돌아갈 수밖에 없다.

ポイント <しかない>

形 [A(する)しかない] A＝動詞・辞書形

意味「方法はAだけだ／しかたがないからAする」

使い方「台風が来ているので、花火大会は中止するしかない」 Because a typhoon is coming, we have no choice but to cancel the fireworks display. 因为台风来了，只能中止焰火大会。 태풍이 오고 있어서, 불꽃대회는 중지할 수밖에 없다.
「今日中にやらなければならない仕事が残っているので、残業するしかない」 There's still some work we need to finish today, so we have no choice than to work overtime. 因为必须在今天完成的工作还没有做完，只有加班了。 오늘중으로 하지 않으면 안되는 일이 남아 있어서, 잔업할 수밖에 없다.

⚠ Aが名詞の文もある。例「財布の中を見たら、お金が300円しかない」「彼女はベジタリアンだから野菜しか食べない」

【191】 正解 4
A「こちらの商品を来週までに100個いただきたいんですが。」B「はい、承知いたしました。どうもありがとうございます。」
A "I'd like order 100 pieces of this product by next week." B "Certainly, sir. Thank you very much." A "在下个星期以前我要100个这种商品。" B "好的，知道了。谢谢。" A 이 상품을 다음주까지 100개 주셨으면 합니다만. B 네, 알겠습니다. 정말 감사합니다.

ポイント <承知いたしました>

形 [承知いたしました](「承知しました」の丁寧な言い方)

意味「わかりました／いいです」(相手の申し出や依頼を了解して、同意することを丁寧に言う accept politely the other

person's offer or request 了解对方的提议或委托,礼貌地表示同意时说 상대방의 신청이나 의뢰를 납득하고, 동의한다는 것을 정중하게 말하다)
使い方 a 「すみませんが、T社まで行っていただけませんか」
b 「はい。**承知いたしました**。行ってまいります」

【192】 正解 4
うちの息子は、貯金をしないで、もらった給料を全部つかってしまう。
Our son spends all his salary he receives without saving any money. 我家的儿子不存钱,拿到的工资全部用掉。 우리 아들은 저금을 하지 않고, 받은 급료를 전부 사용해 버린다.

ポイント <ないで>
形 [AないでB]   A＝動詞・ない形 [〜ない]
意味 「Aしない。そして、Bする」「A(し)ない状態でBする」 do B without doing A 不做A的状态下做B。 A 하지 않는 상태에서 B 하다
使い方 「野菜を食べないで肉ばかり食べていると、栄養がかたよってしまう」 If you only eat meat without eating vegetables, the nutrition will be unbalanced. 不吃蔬菜只吃肉类的话, 营养偏食平衡。 야채를 먹지 않고 고기만 먹으면, 영양이 균형을 잃어 버린다.
「節約のために、なるべく電車に乗らないで自転車を使うようにしています」 To save money, I try not to ride the train much and use the bicycle. 为了节约, 尽量不坐电车, 骑自行车。 절약을 위해 가능하면 전차를 타지 않고 자전거를 사용하려고 하고 있습니다.
⚠ 「A(し)なくて、B」は、原因や理由とその結果を表す。参照【202】

【193】 正解 4
A「このシャツ、すてきだけど、サイズがちょっと小さいな。」
B「大きいのがあるかどうか、店の人に聞いてみれば？」
A "This shirt is nice, but a little too small for me." B "Why not ask the clerk if they have a larger size?" A "这件衬衫, 很漂亮, 但是尺寸有点小。" B "有没有大的, 问一下店里的人怎么样。" A 이 셔츠, 멋지지만, 사이즈 좀 작네. B 큰 사이즈가 있는지 가게 점원에게 물어 봐봐.

ポイント <ば／ばいい>
形 [Aば？／Aばいい]   A＝動詞・ば形
意味 「A(するの)がいいと思う／A(すること)を勧める」 suggest you (do) A/recommend (doing) A 觉得A好／提议做A A (하는 것) 이 좋다고 생각하다／(하는 것) 을 권하다
使い方 「生活が苦しいの？それじゃ、アルバイトをすれば？」 You got a financial problem? Why not get a part time job then? 生活很难？那么打临时工如何？ 생활이 힘드니？그럼, 아르바이트를 해보는
a 「ほしい本がどこの書店にもないんだ」b 「じゃあ、インターネットでさがせばいい」a "I cannot find the book I want at any bookstore." b "Why not look for it on the Internet?" A "想要的书哪个书店都没有。" B "那么, 在网上找找怎么样？" A 갖고 싶은 책이 어느 서점에도 없어. B 그럼, 인터넷으로 찾아봐.
⚠ 「〜たら？」「〜たらいい」も同じように使う。例 「書店にない本は、インターネットでさがしたら？」

【194】 正解 1
A「お宅の息子さん、大きくなられたでしょうね。」B「ええ、おかげさまで来年中学生になります。」
A "Your son must have grown big." B "Yes, he will be a junior high school student next year." A "你家的儿子, 长大了吧。" B "是啊, 托您的福, 明年要上中学了。" A 댁 아드님, 많이 컸겠어요. B 네, 덕분에 내년에 중학생이 됩니다.

ポイント <おかげさまで>
形 [おかげさまで]
意味 「あなたやみなさんが助けてくださったので」相手や他の人たちに助けてもらったり、親切にしてもらったりして、よい結果になったことを感謝する気持ちを表す。自分についてのいい知らせ(合格、昇進など)を伝えるときにも使う。 express appreciation for a good result that was brought about through the help and kindness of others. Also used when telling others about one's good news (such as passing an examination or promotion etc). 受到对方或其他人的帮助, 恩惠, 而得到好的结果时表示感谢。向对方传达关于自己的好消息时使用。 상대방이나 다른 사람으로부터 도움을 받거나, 친절하게 해줘서, 좋은 결과가 있었던 사실에 대해 감사하는 마음을 나타낸다.
使い方 a 「試験、どうだった」 b 「おかげさまで合格しました」
a 「お久しぶりですね。お元気ですか」 b 「はい、おかげさまで」
⚠ ◇実際に助けてもらった場合でなくても、相手が「どうですか」と様子を聞いてくれることに感謝する気持ちを表すことも多い。 Even when one did not actually receive help, one expresses thanks for asking how things are going. 大多并不是事实上受到对方的帮助, 而是表达对对方询问自己的情况表示感谢的心情。 실제로 도움 받은 경우가 아니라도, 상대방이 「どうですか (어떠세요)」 라고 상황을 물어봐 주는 것에 대해 감사하는 마음을 나타내는 경우도 많다. 例:a 「ご家族のみなさんはお元気ですか」 b 「はい。おかげさまで元気です」

【195】 正解 1
この店の店員は、若くてハンサムな男性ばかりだ。
All the workers of this store are young and handsome men. 这个店的店员, 都是又年轻又英俊的男性。 이 가게의 점원은 젊고 멋진 남성뿐이다.

ポイント <ばかり>
形 [Aばかり]   A＝名詞
意味 「Aだけ／Aが多い」
使い方 「アニメ映画を見に行ったら、映画館の中は子どもばかりだった」 When I went to see an anime movie, the theater was filled with children. 去看动画片, 电影院里都是孩子。 애니메이션 영화를 보러 갔더니, 영화관 안은 아이들뿐이었다.
「あの人はいつも文句ばかり言っている」 He grumbles about something all the time. 那个人总是发牢骚。 저 사람은 항상 불평만 늘어 놓는다.

⚠️ ◇Aが動詞・て形の場合は「いつも／よく Aしている」という意味になる。例「うちの息子は勉強をしないで、ゲームをしてばかりいる」
◇Aが動詞・た形の場合は「Aしてからまだ時間がたっていない」という意味になる。参照【6】

第 16 回
【196】 正解 3
私の家から 5 分ほど歩いたところに、大きな公園がある。
There's a large park which is about five-minute walk from my house.　在离我家步行 5 分钟的地方，有很大的公园。　저희 집에서 5 분정도 걸어간 곳에 큰 공원이 있다．

ポイント <ほど>
形 [Aほど]　A＝数や量を表すことば
意味「およそ／約／だいたい A」about/approximately/roughly A　大约／约／大约 A　대략 / 약 / 대체로 A
使い方「公園の広場に毎朝 10 人ほどの人が集まって体操をしている」「風邪は 3 日ほどで治るでしょう」
⚠️ ◇ [時間＋くらい／ぐらい／ほど]、時間のだいたいの長さを表す。"時間＋くらい／ぐらい／ほど" shows approximate length of time. "時間＋くらい／ぐらい／ほど", 是表示大约时间的长短。 [시간＋くらい／ぐらい／ほど (정도)] 는, 시간의 대략적인 길이를 나타낸다．　例「ゆうべは 6 時間くらい／ほど寝た」
一方、[時刻＋くらいに]は、だいたいの時刻を表す。しかし、[時刻＋ほど] という使い方はない。"a certain time (like 5:00 o'clock) + くらい" means "about what time." But you cannot say "a certain time + ほど." 而"时刻＋くらいに", 是表示大概的时刻。但是没有"时刻＋ほど"的用法。　한편, [시각＋くらいに (정도에)] 는, 대략적인 시각을 나타낸다. 그러나, [시각＋ほど (정도)] 와 같은 사용방법은 없다．　例：×「今朝 7 時ほどに起きた」 ○「今朝 7 時ぐらい／ごろに起きた」
◇Aが文の場合、「ほど」は「程度」を表す。参照【266】

【197】 正解 4
この携帯電話は色もきれいだし、デザインもいいから、若者に人気があります。
Because this cellphone is pretty in color and is a good design, it is popular among young people.　这手机颜色很漂亮, 设计得也好, 在年轻人中很有人气。　이 휴대폰은 색깔도 예쁘고, 디자인도 좋으니, 젊은이들에게 인기가 있습니다．

ポイント <し>
形 [A 1 し、A 2 から／ので、B] [A 1 し、A 2 し、B]
A＝動詞／形容詞／名詞・普通形
意味「Aて(で)、B」「A から／ので、B」(2 つ以上の理由を並べて言う　list more than one reason　并列陈述两个以上的理由　2 가지 이상의 이유를 나열하여 말하다)
使い方「おなかが痛いし、熱もあるから、今日は仕事を休もう」「この辞書は例文がたくさんあるし、説明が丁寧だし、とても役に立つ」

⚠️「～から、～から」「～ので、～ので」のように「から／ので」を 2 つ以上続けて使うことはできない。「から／ので」は最後に使う。"から" and "ので" cannot be used twice or more in a sentence and both are used at the end of a sentence. 「から／ので」不能像「～から、～から」「～ので、～ので」那样连续两个以上并列使用。「から／ので」在最后使用。　「から / ので」와 같이「から / ので」를 2 번 이상 연속하여 사용할 수 없다.「から / ので」는 마지막에 사용한다．
例「雨がひどかった。風が強かった。雷も鳴った。だから運動会は中止になった」⇒「雨がひどかったし、風が強かったし、雷も鳴ったから、運動会は中止になった」
(× 「雨がひどかったから、風も強かったから、雷が鳴ったから、運動会は中止になった」)

【198】 正解 2
A「はじめまして。山田一郎の母でございます。いつも息子がお世話になっております。」B「こちらこそ。」
A "Nice to meet you, sir. I'm Ichiro Yamada's mother. Thank you for all the kindnesses for my son." B "Nice to meet you too, ma'am."　A "初次见面。我是山田一郎的母亲。儿子一直受到你的关照。" B "我也是受到了关照。"　A 처음 뵙겠습니다. 야마다 이치로의 엄마입니다. 늘 아들이 신세 많습니다. B 저야말로 신세많습니다．

ポイント <お世話になっております>
形 [(いつも) お世話になっております]
意味「いろいろ親切にしてくださって、ありがとうございます」Thank you for your kindnesses.　您在各方面诚恳地照顾我们, 谢谢了。　여러가지로 친절하게 해주셔서, 고맙습니다．
使い方「あ、山田さん、こんにちは。いつもお世話になっております」
A「もしもし、A社の田中と申します」B「あ、いつもお世話になっております」
⚠️ [お世話になります] は「これから世話になる」という意味と、「いつも世話になっている」という意味がある。例「今日からこちらで働くことになった山田です。みなさん、お世話になりますが、よろしくお願いします」I am Yamada and am going to start working here today. Thank you very much for your kind assistance.　我是从今天起在这里工作的山田, 将要受到大家的帮助, 请多关照。　오늘부터 이곳에서 일하게 된 야마다입니다. 여러분, 폐끼치게 될지도 모르겠습니다만, 잘 부탁드립니다．
「いつもお世話になります。ありがとうございます」We appreciate your business/kindness. Thank you very much.　总是得到帮助。谢谢了。　언제나 신세 많습니다. 감사드립니다．

【199】 正解 4
教師の教えることがすべて正しいとは言いきれない。
What teachers teach are not always correct.　不能说老师教的东西就完全是正确的。　교사가 가르치는 것이 전부 맞다고는 말할 수 없다．

ポイント <きれない>
形 [Aきれない]　A＝動詞・ます形
意味「完全に／全部／絶対に A (する)ことはできない／

47

Aできない場合もある」"cannot do A completely/totally/absolutely" "cannot do A sometimes" 完全 / 全部 做 A 是不可能的 / 也有不能做 A 的时候 완전히 / 전부 / 절대로 A 할 수 없다 / A 할 수 없는 경우도 있다

使い方「こんなにたくさんの料理、一人では食べきれないよ」「彼女は読みきれないぐらいたくさんの本を持って旅行に出かけた」

⚠️ 肯定形［Aきる］は「完全に／全部 Aする」という意味で使う。The affirmative form "A きる" means "do A completely." 肯定式"Aきる"是"完全/全部做A"的意思。 긍정형［Aきる］는 [완전히 / 전부 A 하다] 라는 의미로 사용한다.

例「今夜は、ここにあるビールを全部飲みきってしまおう」Let's drink all the beer in here tonight. 今晚把这儿的啤酒全部喝完吧。 오늘밤은 여기 있는 맥주를 전부 마셔버리자.

「子どもは親の言うことを信じきっている」Children simply trust what their parents say. 孩子完全相信父母说的话。 아이는 부모가 하는 말을 전부 믿는다.

「彼らは全力を出しきって優勝した」They did their very best and won the championship. 他竭尽全力得了冠军。 그들은 전력을 다하여 우승했다.

【200】正解 2
この美術館の休館日は月曜日です。ただし、月曜日が祝日の場合は、休館日は火曜日になります。

This museum is closed on Mondays. If Monday falls on a holiday, it is closed on Tuesday. 这个美术馆的闭馆日是星期天。但是，如果星期一是节日的话，闭馆日将是星期二。 이 미술관의 휴관일은 월요일입니다. 단, 월요일이 경축일일 경우는, 휴관일은 화요일이 됩니다.

ポイント ＜ただし＞

形［A。ただし、B］

意味「A。しかし、（～場合は）B」「A。しかし、（条件もあって）、B」（BはAに加える条件や例外 B refers to additional conditions or exceptions added to A. B是A的附加条件或例外。 B 는 A 에 더해지는 조건이나 예외）

使い方「10月10日に社内運動会を行います。ただし、雨の場合は中止します」「部屋に入ってもいいですよ。ただし、中では静かにしているように」

【201】正解 3
A「課長、あのう、私、少し体調が悪いんです。明日、病院へ行きたいので、休ませていただけませんか。」B「そうですか。いいですよ。お大事に。」

A "Section Manager, uh..I don't feel very well so I want to go to a hospital tomorrow. Could I have a day off?" B "Sure. Take care." A "科长，我有点不舒服。明天想去医院，能让我请假吗？" B "是吗？可以啊。保重。" A 과장님, 저기, 제가 좀 몸상태가 안좋습니다. 내일 병원에 가고 싶은데, 쉬어도 되겠습니까? B 그래요? 그러세요. 몸 조리 잘하세요.

ポイント ＜（さ）せていただけませんか＞

形［A（さ）せていただけませんか］
A=動詞・ない形 A（さ）せて=動詞・使役形のて形

意味「（私が）AしてもいいですかAしたいのですが、よろしいでしょうか」（自分がすることを相手の人に許可してほしいと丁寧に言う謙譲表現 humble expression used when asking for permission politely 自己想做的事想得到对方允许时所用的有礼貌而谦让的表现 자기가 하는 것을 상대방에게 허가받고 싶어서 정중하게 말하는 겸양표현）

使い方「今週の金曜日は、子どもの学校へ行かなければならないので、仕事を休ませていただけませんか」「きれいなお庭ですね。写真をとらせていただけませんか」

⚠️ ◇［Aさせて］は動詞・使役形のて形。使役形について：参照【3】【144】【174】

◇「～させてください」よりいっそう遠慮した丁寧な表現。more humble and polite than "～させてください" 比「～させてください」更客气而有礼貌的表现。 「～させてください」보다 한층 조심스럽게 말하는 정중한 표현

【202】正解 3
卒業が近いのに仕事が見つからなくて困っている学生が多いらしい。

I hear that a lot of students are having a difficult time finding a job when they are going to graduate soon. 临近毕业却因找不到工作而犯愁的学生好像很多。 졸업이 다가오는데 일을 찾지 못해 곤란해 하는 학생들이 많다고 한다.

ポイント ＜なくて＞

形［AなくてB］ A=動詞・ない形、い形容詞［～く］、な形容詞／名詞［～では／～じゃ］

意味「A（し）ないので／から、B」（Aは原因や理由、Bは結果 A is a cause/reason and B is a result. A是原因，理由，B是结果。 A 는 원인이나 이유, B 는 결과）

使い方「本田さんの連絡先がわからなくて、困っています。ご存じでしたら、教えていただけませんか」「この本はあまり難しくなくて、読みやすい」

⚠️ ◇Bは、形容詞文や「～（し）ている」など、状態を表す文が多い。B is often an adjective-based phrase, or expresses a state. B大多是如形容词文「～（し）ている」等表示状态的句子。 B는 형용사문이나「～ 하고 있다」 등, 상태를 나타내는 문장이 많다.

◇［AないでB］は、意味が違う。参照【192】

【203】正解 3
このパソコンは、説明書に書いてあるとおりに操作すれば、だれでもすぐに使える。

Anyone can use this computer easily if he/she operates it following the instructions. 这台电脑只要按说明书中所写的来操作，谁都马上就会使用。 이 컴퓨터는 설명서에 적혀 있는대로 조작하면, 누구든 바로 사용할 수 있다.

ポイント ＜とおり／とおりに＞

形［Aとおり（に）］ A=動詞・辞書形／た形

意味「Aの指示にしたがって／Aと同じに」following A's directions/in the same way as A　遵照A的指示／与A相同　A의 지시에 따라서／A와 같이

使い方「あなたが見た**とおり**話してください」「友だちに教えてもらった**とおり**に作ったら、おいしいケーキができた」

⚠️ ［Aのとおり／Aどおり］（A＝名詞）という使い方もある。参照【284】

【204】 正解 2
A「台風が日本に近づいているんだって。」B「うん。今日は早く帰ったほうがいいね。」

A "They say a typhoon is approaching Japan." B "Yeah. We had better go home early today."　A"说是台风接近日本了。"B"嗯，今天还是早点回去好。"　A 태풍이 일본에 근접해 오고 있다. B 응. 오늘은 빨리 집에 돌아가는 것이 좋겠어.

ポイント ＜って＞
形 ［Aって。］　A＝動詞／形容詞／名詞・普通形
［Aんだって。］　A＝動詞／い形容詞・普通形、な形容詞／名詞［～な］
意味 「Aそうだ」（聞いたこと、読んだことを人に伝える表現　tell others what one heard or read　把听到或读到的事告诉别人时的表现　들은 얘기, 읽은 얘기를 사람에게 전달하는 표현）
使い方「大雪で新幹線がストップしてる**って**。困ったなあ。どうしよう」I heard the bullet trains are not running due to the heavy snow. I'm in trouble. What am I going to do?　因大雪新干线停运。真为难。　폭우로 신칸센이 멈췄데. 난처하네. 어떡하지.
a「子どもが生まれたん**だって**？おめでとう」b「ありがとう」
⚠️ くだけた会話で使う。あらたまった会話では「そうです／らしいです／ということです」などを使う。Used in casual conversations. In formal conversations, "そうです／らしいです／ということです etc" are used instead.　在通俗对话中使用。在正式的会话中，用「そうです／らしいです／ということです」等表现方式。　스스럼 없는 회화에서 사용한다. 격식차린 회화에서는 「そうです／らしいです／ということです」등을 사용한다.

【205】 正解 3
ただ今満員ですので、恐れ入りますが、少しお待ちいただけますか。

We're full right now, so we're sorry but please wait for a while.　现在满员，对不起，能不能稍等一会儿？　지금 만원이므로, 죄송합니다만 조금 기다려 주시겠습니까.

ポイント ＜恐れ入ります＞
形 ［恐れ入ります／恐れ入りますが］
意味「すみません／すみませんが」（丁寧に頼むときの表現　polite request　礼貌地请求的表现　정중하게 부탁할 때의 표현）
使い方「**恐れ入ります**が、こちらにお名前とご住所をお書きください」
⚠️ 丁寧にお礼を言うときにも使う。例：a「お荷物、重そうですね。お持ちしましょう」b「あ、**恐れ入ります**」（＝ありがとうございます）

【206】 正解 4
A「今日のお昼ご飯は、どこで何を食べようか。」B「そうねえ…。あの、新しいカレーの店**なんかどう**。」

A "Where and what do you want to eat for lunch today?" B "Well, let's see…how about that new curry restaurant?"　A"今天的午餐，在哪儿吃什么呢？"B"是啊，去那个新开的咖喱店如何？"　A 오늘 점심은 어디서 뭘 먹을까? B 그러네…저기, 새로운 카레가게는 어때?

ポイント ＜なんかどう＞
形 ［Aなんか どう／どうですか／いかがですか］　A＝名詞
意味「たとえばAなどはどう（ですか）」（提案するときの表現。「いかがですか」は丁寧な言い方　making a suggestion. "いかがですか" is more polite.　提议时的表现。「いかがですか」是礼貌的表现。　제안할 때의 표현. 「いかがですか」는 정중한 표현）
使い方 a「この仕事、だれにやってもらおうか」b「そうですね…。秋山さん**なんかどう**ですか」
「このしまのシャツ**なんかいかがでしょう**。お客様には、こちらがよろしいかと思いますが」How would you like this striped shirt, sir? I would recommend this one for you.　这条纹布的衬衫如何？对你来讲，这很适合。　이 줄무늬 셔츠 어떠세요? 손님에게는 이쪽이 좋을 것 같습니다만.

【207】 正解 2
風邪が悪くなったみたいだ。頭痛**に加えて**、熱も出てきた。

I feel like my cold is getting worse. I'm having a fever as well as headaches.　感冒好像加重了。除了头痛外，还发烧了。　감기가 나빠진 것 같다. 두통에다가, 열까지 나기 시작했다.

ポイント ＜に加えて＞
形 ［Aに加えてBも］　A＝名詞
意味「Aと、それにBも／AにプラスしてBも」A and also B/B as well as A　A和，还有B／A加上B　A와, 거기에 B도／A에 플러스해서 B도
使い方「ゆうべからの雨**に加えて**強い風も吹き出した」
「商品の価格**に加えて**税金もかかるので、ずいぶん高くなる」Taxes are charged in addition to the price of the merchandise, so it is going to be pretty expensive.　商品的价格加上税，价钱变得太高了。　상품 가격에다가 세금도 부과되므로, 꽤 비싸진다.

【208】 正解 3
この仕事は、だれもやり**たがらなかった**。でも、川田さんがやってくれた。

Nobody wanted to do this job, but Ms. Kawada voluntarily did it for us.　这工作谁也不想做。但是川田先生做了。　이 일은 누구도 하고 싶어하질 않았다. 그렇지만, 가와다씨가 해줬다.

ポイント ＜たがる＞
形 ［A たがる／たがっている］（Aの動作の主語は三人称。「私／あなた」は主語にならない　The agent of the action A is the third person. "I/you" cannot be the agent/subject.

A的动作的主语是第三人称。"我/你"不能成为主语。 A의 동작의 주어는 3인칭.「私/あなた」는 주어가 될 수 없다）
意味「A（し）たいと思っている」
使い方「子どもはご飯を食べないで、お菓子を食べたがる」「祖母はお風呂が大好きで、温泉に行きたがっています」「うちの犬は散歩がきらいで、家の外へ出たがらない」
⚠ Aの動作の主語は、子ども、動物、目下の人。目上の人の場合は、「（目上の人は）A たいと言っている／と思っている／ようだ」などを使う。（「Aたがる」はAの動作の主語の気持ちを直接表す表現なので、目上の人を主語にして言うと、相手に失礼な印象を与えるおそれがある） The agent/subject of the action A is a child, an animal, or one's subordinate. For one's superiors, "A たいと言っている…etc." are used. ("A たがる" could sound rude if used for one's superiors because it expresses the agent's direct desire to do A.) A 的动作的主语是孩子, 动物, 部下, 后辈。对上司, 长辈时,「上司, 长辈说想做 A/ 想 / 好像」。「A たがる」（想做 A），因为是 A 的动作的主语的心情直接表示的表现, 把上司, 长辈当主语来说时, 可能会给对方留下不礼貌的印象。） A 의 동작의 주어는, 아이, 동물, 손아랫사람. 윗사람의 경우는,「（윗사람은）A 하고 싶다고 말하고 있다 / 하고 생각하고 있다 / 인것같다」등으로 사용한다. （「A 타가루」는 A 의 동작의 주어의 기분을 직접 나타내는 표현이므로, 윗사람을 주어로 하여 말하면, 상대방에게 실례된 인상을 줄 우려가 있다.）
例：× 「あなたのお父さんはあなたを医者にしたがっていますね」 ○「あなたのお父さんはあなたを医者にしたいと言っていますね／と思っていますね／ようですね」

第17回

【209】 正解 3
A「具合が悪そうですね。風邪、まだ治らないんですか。」
B「ええ。ずっと薬を飲んでいるんですが、なかなかよくならないんです。」
A "You don't look well. You haven't recovered from your cold yet?" B "No. I've been taking medicine for a while but am still feeling sick." A 「好像不太舒服啊。感冒, 还没好吗？」 B 「是啊, 一直在吃药, 怎么也不见好。」 A 몸상태가 안좋아보이네요. 감기 아직 안나으셨어요? B 네, 계속 약을 먹고 있습니다만, 좀처럼 낫지 않아요.
ポイント ＜なかなか～ない＞
形［なかなかA（ない）］ A＝動詞・ない形［～ない］
意味「時間がたっても Aが起こらない／Aにならない」 not get A after a while 过了些时间后, A 也没有发生。/ 没有变 A   시간이 지나도 A 가 일어나지 않는다 / A 가 되지 않는다
使い方「もう15分も待っているのに、バスがなかなか来ない。遅刻しそうだ」「練習してもなかなか上手にならないんですが、どうすればいいでしょうか」
⚠［なかなか＋形容詞・肯定形／副詞］という使い方もある。参照【299】

【210】 正解 3
A「来週お目にかかりたいと思いますが、ご都合はいかがでしょうか。」B「木曜日の午後でしたら会社におりますで、どうぞ。」
A "I would like to see you next week. Would you have time, sir?" B "I will be in the office on Thursday afternoon, so see you then." A 「下周想见面, 你有空吗？」 B 「如果是星期四的下午的话, 我在公司, 请来吧。」 A 다음주 찾아뵙고 싶습니다만, 스케줄은 어떠신가요? B 목요일 오후라면 회사에 있으니, 그렇게 하세요.
ポイント ＜お目にかかる＞
形［（私が／は 目上の人に）お目にかかります］
意味「会います」（謙譲語 humble 谦让语 겸양어）
使い方「昨日、田中先生の奥様にお目にかかりました」「久しぶりにお目にかかれてうれしいです」

【211】 正解 2
この本は、私には難しすぎる。終わりまで読むのはちょっと無理だ。
This book is too difficult for me. I cannot read though it. 这本书, 对我来说太难了。读到结束不太可能。 이 책은 나에게 너무 어렵다. 마지막까지 읽는 것은 좀 무리다.
ポイント ＜すぎる＞
形［Aすぎる／Aすぎだ］
A＝動詞・ます形／い形容詞［～い］／な形容詞［～］
意味「ある限界や程度以上に Aする／Aだ」 do A/be A over a certain limit or degree 在一定的界限或程度以上做 A/ 是 A   어느 계나 정도이상으로 A 하다 / A 다
使い方「食べすぎて、胃が痛くなった」「この家は5人で暮らすにはせますぎます」
⚠「すぎる」は動詞だが、「～すぎ」は名詞になる。"～すぎる" is used with a verb and "～すぎ" is used with a noun.「すぎる」虽然是动词,「～すぎ」却是名词。「すぎる」는 동사이지만,「～스기」는 명사가 된다
例「甘いものを食べすぎること」＝「甘いものの食べすぎ」「たばこの吸いすぎは体に悪いからやめなさい」

【212】 正解 2
国民を幸せにしてくれるのはあの人だけだ。あの人こそ新しい時代のリーダーだ。
He is the only person who can make the citizens happy. He is the very leader of the new era. 使国民幸福的只有那个人。那个人就是新时代的领导。 국민을 행복하게 해 줄 사람은 저 사람뿐이다. 저 사람이야말로 새로운 시대의 리더다.
ポイント ＜こそ＞
形［Aこそ］ A＝名詞
意味「A は／が／を」（Aを強調する emphasize A 强调 A   A 를 강조하다）
使い方「これこそ私がほしいと思っていた辞書だ」 This is the very dictionary I've wanted to have. 这就是我想要的词典。 이거야말로 내가 갖고 싶었던 사전이다.
「困ったときに助けてくれる人こそほんとうの友だちだ」A true friend is a person who helps you when you are in trouble. (A

friend in need is a friend indeed.)　在有困难的时候给与帮助的人才是真正的朋友。　곤란할 때 도와주는 사람이야말로 진정한 친구다．

⚠️ [助詞＋こそ] という使い方もある。

例「ほかの人ではない。あなたにこそ会いたかった」I wanted to meet YOU, not anyone else.　我想见的并不是其他人，就是你。　다른 사람은 아니다．당신이기에 만나고 싶었다．

「この大学でこそ、私のやりたい勉強ができます」「日本語教師になりたいからこそ日本に来たのです。だから絶対に日本語をマスターしたいと思います」

【213】 正解 1

家を出ようとしたとき、急に雨が降ってきたので、自転車で出かけるのをやめた。

When I was about to leave home, it started raining suddenly, so decided not to go by bike.　刚要出门，突然下起了雨。决定不骑自行车出门了。　집을 나올려고 하는데，갑자기 비가 내려서，자전거로의 외출을 그만뒀다．

ポイント ＜（よ）うとしたとき＞

形 [A（よ）うとしたとき、B]　A（よ）う＝動詞・意向形

意味「A（する）ちょっと前に、B（が起こる）」（AとBはほとんど同時　A and B happen almost simultaneously.　A 和 B 几乎发生在同时　A와 B는 거의 동시）

使い方「電車に乗ろうとしたとき、電話が鳴ったので、乗るのをやめた」My phone rang just when I was going to ride a train, so did not get on it.　刚要乘上电车，电话响了，没上车。　전차를 탈려고 했을 때，전화가 울려，타지 않았다．

「魚を食べようとしたとき、変なにおいがした。食べないで捨ててしまった」When I started to eat a fish, it smelled funny, so didn't eat and dumped it.　正要吃鱼的时候，觉得有怪的味道，没吃，扔了。　생선을 먹을려고 하는데，이상한 냄새가 났다．먹지 않고 버려 버렸다．

【214】 正解 3

洋子さんが会社を辞めるのは、結婚するからです。

Yoko is going to leave the company because she is getting married.　洋子小姐辞职的原因是结婚。　요오코씨가 회사를 그만두는 것은，결혼하기 때문입니다．

ポイント ＜のは～からだ＞

形 [Aのは、Bからだ]　A＝動詞／い形容詞・普通形、な形容詞／名詞・普通形（現在形［～な］）

意味「Aの理由はBだ」（理由（B）のほうを強く言う）The reason for A is B. (emphasizes the reason B)　"A 的理由是 B"（强调理由 B）　[A의 이유는 B다]（이유 (B) 를 더 강하게 말하다）

使い方「私が卵を食べないのは、アレルギーがあるからです」The reason why I don't eat eggs is because I am allergic to them.　我不吃蛋是因为过敏。　제가 달걀을 먹지 않는 것은 알레르기가 있기 때문입니다．

「私が日本に来たのは、日本の経営システムを勉強したいと思ったからだ」The purpose of my coming to Japan is to study the Japanese management system.　我来日本是因为想学习日本的经营机制。　내가 일본에 온 것은，일본의 경영시스템을 공부하고 싶다고 생각했기 때문이다．

⚠️ ◇「のは」を使う強調構文の例　Using "のは" is an example of "emphasis construction."　用「のは」来强调文章结构的例子。　「のは」를 사용한 강조구문의 예：

普通の文「私はT大学に入りたい」⇒強調構文「私が入りたいのは、T大学だ。（ほかの大学ではない）」

◇「A。というのはBからだ」という形もある。「なぜなら」と同じように使う。例「私は卵を食べません。というのはアレルギーがあるからです」

【215】 正解 1

こちらの商品に関するご質問は、電話かメールで受け付けております。

We are receiving questions regarding these products either by phone or email.　想询问这些商品的情况，请打电话或发电子邮件。　이 상품에 관한 문의는，전화나 메일로 받고 있습니다．

ポイント ＜に関する＞

形 [Aに関するB]　A、B＝名詞

意味「AのB」「Aに関係があるB」B relating to A　与 A 有关的 B　A 에 관계가 있는 B

使い方「個人に関する情報は外に出ないようにしなくてはならない」We need to try to keep private information from being released.　关于个人的情报请不要对外泄露。　개인에 관한 정보는 외부로 나가지 않게 해야 한다．

「大学で学生のアルバイトに関する調査が行われた」A survey on students' part time jobs was carried out at the college.　大学里正在举行学生打工的调查。　대학에서 학생의 아르바이트에 관한 조사가 실시됐다．

⚠️ Bが文の場合は「Aに関してB」の形になる。例「社長はその事件に関して何も知らないようだ」

【216】 正解 2

お客様にお知らせいたします。事故のため電車が遅れております。お急ぎのところ、申し訳ありませんが、しばらくお待ちください。

Dear passengers, we have an announcement for you. The trains are behind schedule due to an accident. We're sorry to inconvenience you but please wait for a while.　现在通知乘客们。由于事故发生，电车误点了。大家正忙着的时候，实在对不起。暂请等待。　손님께 안내말씀드립니다．사고로 인해 전차가 지연되고 있습니다．서두르시는데 죄송합니다만，잠시 기다려 주십시오．

ポイント ＜お急ぎのところ＞

形 [お急ぎのところ]

意味「急いでいらっしゃるときなのに（すみません）」(we apologize) when you're in a hurry　急着赶来的时候，却…（对不起）　서두르고 계시는데（죄송합니다）

使い方「お急ぎのところ、お待たせして申し訳ありません」

【217】 正解 4

A「送別会をやる店、まだ予約してないんだろう？」B「あ、そうだ。あの店、週末はこむから、早めに予約しとかなきゃ。」 A "You haven't made a reservation yet for a restaurant for the farewell party, have you?" B "You're right. I need to make one soon because that place gets crowded on weekends." A "开欢送会的店，还没预约好吧。" B "哦，是啊，那个店到了周末非常拥挤，不早点预约不行。" A 송별회할 가게, 아직 예약 안했지? B 어, 그렇네. 그 가게, 주말은 붐비니까 빨리 예약해 둬야하는데.

ポイント <しとかなきゃ>

形 [Aとく(縮約形)＝Aておく] A＝動詞・て形 [〜を]
[Bなきゃ(縮約形)＝Bなければならない] B＝動詞・ない形

縮約形＝短い形

意味「Aしておかなければならない」have to do A in advance 不预先做好A不行 A 해 두지 않으면 안된다

使い方「午後の会議の資料を早くつっとかなきゃ」I need to prepare the materials for this afternoon's meeting soon. 下午的会议的资料不早点准备好不行。 오후 회의 자료를 빨리 만들어 둬야지.

「出張のスケジュールが変わったことを連絡しとかなきゃ」I need to let them know that the schdule for the business trip has changed. 出差的日程改变的事不早点通知不行。 출장 스케줄이 바뀐 사실을 연락해 둬야지.

⚠️◇その他の縮約形 例「〜てる＝〜ている」「〜ちゃった＝〜てしまった」「〜なくちゃ＝〜なくてはいけない」
例「ああ、電車、行っちゃった。時間がないから、タクシーで行かなくちゃ」Shoot, I missed the train. Need to go by taxi 'cause I don't have time. 啊，电车开走了。没时间了，必须坐出租车去。 어머 전차 가버렸네. 시간 없으니, 택시로 가야지

◇縮約形はあらたまった場合には使わない。The contracted form is not used in a formal situation. 省略形在正式场合不使用。 축약형은 격식차린 경우에는 사용하지 않는다.

【218】 正解 2

天気予報によると、今年の夏はいつもより暑くなるということだ。 The weather forecast says it's going to be hotter than usual this summer. 根据天气预报，今年夏天比通常要炎热。 일기예보에 의하면 올 여름은 여느 때보다도 더워진다고 한다.

ポイント <ということだ>

形 [Aということだ] A＝動詞／形容詞／名詞・普通形

意味「Aそうだ」（Aは、聞いたり読んだりした内容） refers to what one heard or read. A是听到或读到的内容。 A는 듣거나 읽은 내용）

使い方「新聞によると、日本の景気はだんだんよくなっているということだ」According to the newspaper, Japan's economy is getting better. 根据报纸的报道，日本的景气在渐渐转好。 신문에 의하면 일본 경기는 점점 좋아지고 있다고 한다.

「山田さんの話によると、駅前に公園を作る計画があるということだ」According to Mr. Yamada, they are planning to build a park in front of the station. 根据山田的话，有在车站前建造公园的计划。 야마다씨의 얘기에 의하면 역앞에 공원을 만들 계획이 있다고 한다.

⚠️◇①「〜によると」をいっしょに使うことが多い。「新聞／テレビ／人の話によると」は「新聞／テレビ／人の話から知った」という意味。"〜によると" is often used with "ということだ。" On the newspaper/on TV/from somebody's talk means "I knew about something on the newspaper/on TV/from somebody's talk。 和「〜によると」一起使用的场合较多。"根据报纸/电视/人的话"是"知道报纸/电视/人的话"的意思。 「〜によると（〜에 의하면）」과 함께 사용하는 경우가 많다.「신문/텔레비전/사람의 얘기에 의하면」은「신문/텔레비전/사람의 얘기로 알았다」라는 의미.

◇②[AということはBということだ]（A、B＝文）という文もある。「AはBという意味だ／Aを説明するとBだ」という意味で使う。例「ペットを飼うということは、家族が増えるということです」To keep a pet means to have another family member. 饲养宠物，就意味着家庭成员增加了。 애완동물을 키운다는 것은, 가족이 는다는 것입니다.

「首相が変わるということは、政府が変わるということだ」That we have a new prime minister is that we have a new government. 更替首相，就是更替政府。 수상이 바뀐다는 것은, 정부가 바뀐다는 것이다.

【219】 正解 1

国際会議に出席するために、来週イギリスに行きます。 I'm going to England next week to attend an international conference. 为了出席国际会议，下周去英国。 국제회의에 출석하기 위해, 다음주 영국에 갑니다.

ポイント <ために>

形 [Aために] A＝動詞・辞書形、名詞 [〜の]
意味「A（する／の）目的で」in order to do A/for the purpose of A 做A的目的 A（하다／의）목적으로
使い方「夏に旅行するために、貯金をしています」「健康のために毎日運動をしなさい」

⚠️◇「ために」が「原因」を表す文もある。参照【52】
◇目的を表す[AためにB]の文では、Aする人とBする人は同じ人。例：○「結婚するために、貯金をしている」×「娘が結婚するために（父は）貯金をしている」 ○「（父は）娘を結婚させるために（父は）貯金をしている」

【220】 正解 4

残業している部下がいるのに、上司の私が先に帰るわけにはいかない。 I, as a boss, cannot go home early when my subordinates are working overtime. 还有在加班的部下，作为上司的我怎么可能先回家。 잔업하고 있는 부하가 있어서, 상사인 내가 먼저 귀가할 수는 없다.

ポイント <わけにはいかない>

形 [Aわけにはいかない] A＝動詞・辞書形
意味「（何か理由や事情があって）Aできない／Aが許されない」cannot do A/A is not allowed (for some reason or situation)

（由于某种理由，情况）不能做 A/ 不允许做 A　（무언가 이유나 사정이 있어서）A할 수 없다 / A가 허락될 수 없다

使い方「体調がよくないけれど、今日は重要な会議があるから会社を休むわけにはいかない」「今日は車で来たからお酒を飲むわけにはいかない」

⚠ ［Aわけではない］（A＝文）は別の表現。「Aではない」という意味で、前の文（A）全体を否定する。"Aわけではない"（A=sentence) has a different meaning. It means "not A" and negates all of the previous sentence (A). ［Aわけではない］(A=句子）是另外的表现。是"不是A"的意思，把前面的句子A完全否定。［Aわけではない A 하는 것은 아니다］（A＝문장）는 다른 표현．「A가 아니다 (A가 아니다)」라는 의미로，앞 문장 (A) 전체를 부정한다．

例：a「土曜日のお花見、行かないんですか。仕事が忙しいんですか」b「いいえ、毎日忙しいわけではないんです。でも、その日はちょっと都合が悪くて…」

【221】　正解 2
さあ、料理ができたわよ。お待ちどおさま。おなか、すいたでしょう？
OK, dinner's ready. Thanks for waiting. You must be hungry, aren't you?　来，饭菜好了。让你们久等了。肚子饿了吧。　자，요리가 완성됐어요．많이 기다리셨습니다．배 고프죠？

ポイント＜お待ちどおさま＞
形 ［お待ちどおさま／お待ちどおさまでした］
意味「待たせてごめんなさい／待ってもらってすみません」
使い方「今、出かける支度をしていますから、ちょっと待ってくださいね。……(5分後）お待ちどおさまでした。さあ、行きましょう」

第 18 回
【222】　正解 3
今、掃除をしているから、窓は開けたままにしておいてください。
I'm cleaning now, so please leave the windows open.　现在，我在大扫除，窗请就这样开着。　지금 청소하고 있으니까，창문을 연 상태로 놔두세요．

ポイント＜たままにしておく＞
形 ［Aたままにしておく］ A＝動詞・た形
意味「A（し）た後、そのままの状態を続ける」leave something as it is after doing A　做了A后，这样的状态延续着　A 한 후，그대로의 상태를 계속유지하다

使い方「そのファイルはこれから使いますから、しまわないでいいですよ。出したままにしておいてください」I will use the files later, so you don't need to put them away. Just leave them out there.　那文件我将要用，不要收起来。就这样放着。　그 파일은 지금부터 사용하니，치우지 않아도 되요．꺼내놓은 채로 두세요．

「今日は天気がいいから、外出するとき、洗濯ものを外にほしたままにしておいてもだいじょうぶですね」It's fine today, so I can leave the laundry hanging outside when I go out, right?　今天天气很好，外出时，洗的衣服就这样晾在外面没关系。　오늘은 날씨가 좋으니까，외출할때 세탁물을 밖에 널어 놓은 상태로 놔둬도 괜찮아요．

⚠ 「たまま」参照【133】【126】

【223】　正解 2
入社したばかりのころは満員電車で通勤するのがつらかったが、毎日乗っているうちに、すっかり慣れてしまった。
When I first started working for the company, it was painful for commute to work in packed trains, but as I repeat it every day, I've got used to it completely.　刚上班时坐拥挤的电车很累，每天坐着坐着，就完全习惯了。　입사하고 얼마 안됐을 때는 만원전차로 통근하는 것이 괴로웠지만，매일 타면서 완전히 익숙해져 버렸다．

ポイント＜うちに＞
形 ［Aうちに B］　A＝動詞・辞書形／［～ている］
意味「A間に B／Aが続く間に Bの変化がある」B while doing A/there occurs change B while A continues　A的时候 B/A 在继续的时候，B 有了变化。　A 동안에 B / A 가 계속되는 동안에 B 의 변화가 있다

使い方「テレビを見ているうちに眠くなった」
「母の手紙を読んでいるうちにホームシックになって、涙が出てきた」While reading my mother's letter, I got homesick and tears came flowing.　读着妈妈的信，变得怀想家，眼泪也出来了。　엄마의 편지를 읽고 있는 사이에 그리워져，눈물이 나왔다．

⚠ ◇［Aうちに B］は「（Aの後では遅いから）Aの間に Bする」という意味でも使う。"Aうちに B" also means "do B while … A (because it's too late to do it after A)."　［Aうちに B］也可用作"（在 A 后面很迟）A持续的时候做 B"的意思。［Aうちに B］는「（A 뒤에는 늦으니）A동안에 B한다」라는 의미로도 사용된다．

例「日本にいるうちに一度京都へ行きたい」「若いうちにしっかり勉強しなさい」「祖父が元気なうちに、いっしょに旅行をしたいと思っている」

◇［Aないうちに B］という文もある。参照【105】

【224】　正解 3
人に頼まないで、自分でやればいいじゃないですか。私たち、みんな忙しいんですよ。
Why can't you do it on your own instead of asking me. We're all busy.　不要叫别人做，不能自己做吗？我们大家都很忙啊。　남한테 부탁하지 말고，자기가 하면 되지 않습니까？우리들 모두 바쁩니다．

ポイント＜じゃないですか＞
形 ［Aじゃないですか］ A＝動詞／い形容詞・普通形、な形容詞／名詞・普通形（現在形［～］）
意味「Aですよ」（相手に強く言う。非難する気持ちもある） tell someone A bluntly; also said as criticism　语气强烈地向对方说。也有责备的意思。　상대방에게 강하게 말한다．비난하는 기분도 있다）

使い方医者「お酒を飲んではいけないと言ったじゃないですか」患者「すみません」
「わからなかったら、だれかに聞けばいいじゃないですか。どうして聞かなかったんですか」

【225】 正解 1

A「お金は、今払わなければなりませんか。」B「いいえ、この次ここに来るときでもかまいませんよ。」

A "Do I need to pay now?" B "No, you can pay when you come here next time." A"现在就必须付钱吗？" B"不,不,下次来这里的时候也可以。" A 돈은 지금 지불하지 않으면 안됩니까? B 아니요. 다음에 여기 왔을 때 지불해도 상관없어요.

ポイント ＜でもかまわない＞
形［Aでもかまわない］ A＝名詞
意味「Aで いい／問題ない／だいじょうぶだ」A is fine/no problem/all right A可以／没问题／没关系 A로 좋다／문제없다／괜찮다
使い方 a「連絡先の欄には、住所を書くんですか」b「あ、そこは電話番号でもかまいません」
「スープに味噌を入れます。味噌がなければ、しょう油でもかまいません」

⚠ Aが動詞、形容詞の場合、「A ても／でもかまわない」（Aて＝動詞／形容詞・て形）になる。参照【135】

【226】 正解 2

明日は午後から大雨になるおそれがあるので、朝、お出かけのとき、かさをお持ちください。

A heavy rain is expected tomorrow afternoon, so be sure to take an umbrella with you when you leave in the morning. 明天下午可能要下大雨，早晨出门的时候，请带好伞。 내일은 오후부터 폭우가 내릴 우려가 있으니, 아침 외출하실 때, 우산을 가져가시기 바랍니다.

ポイント ＜おそれがある＞
形［Aおそれがある］
A＝動詞、い形容詞・普通形、な形容詞・普通形（現在形［～な］）、名詞・普通形（現在形［～の］）
意味「Aが起こるかもしれない」（Aはよくないこと A is something bad A是不好的 A는 좋지 않은 일）
使い方「今、大きい地震がありました。津波が来るおそれがありますから、注意してください」There was a major earthquake just now. Tsunami may follow so be careful. 现在发生了大地震，可能会来海啸，请注意。 지금 큰 지진이 있었습니다. 쓰나미가 올 우려가 있으므로, 주의해 주십시오.
「たばこを吸いすぎると、ガンになるおそれがある」

⚠ 客観的な表現。「かもしれない」よりあらたまった言い方。a rather objective expression and is more formal than "かもしれない." 客观的表现。是比「かもしれない」更正式的说法。 객관적인 표현,「かもしれない(할지도 모른다)」보다 격식차린 말투.
例:(友だちに)「週末に台風が来るかもしれないね」
(天気予報で)「週末に台風が来るおそれがあります」

【227】 正解 2

A「明日の世界サッカー、どっちが勝つかな。」B「どっちも強いから何とも言えないね。」

A "Wonder which team will win in tomorrow's world soccer game?" B "You never can tell because both are strong." A"明天的世界足球，哪个队会赢？" B"哪个队都很强，很难说啊。" A 내일 있을 세계축구, 어디가 이길까? B 어디든 강하니 뭐라 말할 수 없네.

ポイント ＜何とも言えない＞
形［何とも言えない］
意味「わからない」
使い方 a「次の首相はだれがなるのだろう」b「それは、まだ何とも言えないよ」

⚠「それは何とも」も同じように使う。参照【71】

【228】 正解 4

人の物をだまって持ってきてはいけないことぐらい、子どもさえ知っています。

Even a child knows that you shouldn't bring somebody's belongings without permission. 不要把别人的东西拿来，这连孩子都懂。 남의 물건을 말없이 가져오면 안된다는 것정도는 어린이 조차도 알고 있습니다.

ポイント ＜さえ＞
形［A（で）さえ］ A＝名詞
意味「Aも／Aでも」（Aは、最も基本的なこと、レベルが一番低いこと A is something most basic and of the lowest level. A是最基本的事，是最低的标准 A는, 가장 기본적인 것, 레벨이 제일 아래인 것）
使い方「この子はまだひらがなさえちゃんと読めない。だから、漢字はぜんぜん読めないはずだ」This child cannot read even Hiragana yet, so shouldn't be able to read Kanji at all. 这孩子连平假名都还不会读。所以,汉字一定一点儿也不会读。 이 아이는 아직 히라가나마저도 제대로 읽지 못한다. 그러니 한자는 전혀 읽지 못할 것이다.
「英語のあいさつさえできないのに、一人でアメリカ旅行するなんて無理だ」「これは、小学生でさえすぐにできる簡単な計算ですよ」

⚠「さえ～ば」という文もある。参照【132】

【229】 正解 4

A「試験どうだった。難しかった？」B「それほど難しくなかったよ。」

A "How was the exam? Was it hard?" B "It wasn't that hard." A"考试怎么样？难吗？" B"并不那么难。" A 시험 어땠어? 어려웠어? B 그다지 어렵지는 않았어.

ポイント ＜それほど＞
形［それほどAない］［それほどでもない］
Aない＝動詞／形容詞・否定形
意味「あまり～ない」not so～ 并不太～ 별로 ～ 않다
使い方「はじめてわさびを食べた。わさびはとても辛いと聞いていたが、それほど辛くなかった」I had wasabi for the first time. I had heard wasabi was very hot, but actually it wasn't that hot. 第一次吃了芥末。听说芥末很辣,但并不那么辣。 처음으로 와사비를 먹었다. 와사비는 정말 맵다고 들었는데, 그다지 맵지 않았다.
「私は、酒は好きです。でも、それほど飲みません」「韓国人にとって日本語の勉強はそれほどたいへんではない」「去年の

夏はとても暑かったけれど、今年の夏はそれほどでもない」
⚠️「そんなに～ない」という言い方もある。例：a「昨日の試験どうだった？」b「そんなに難しくなかったよ」

【230】 正解 2
空が暗くなるにつれて、月が明るく見えるようになります。
The darker the sky grows, the brighter the moon shines. 天空变暗的时候，就能看见月亮了。 하늘이 어두워짐에 따라 달이 밝게 보이게 됩니다.

ポイント ＜につれて＞
形 ［AにつれてB］　A＝動詞・辞書形、名詞
意味 ｢Aが変わると、いっしょにBも変わる｣（A、Bは変化を表すことば　A & B are words/phrases that express a change.　A，B是表示变化的词语　A,B는 변화를 나타내는 단어）
使い方 ｢山を登るにつれて気温が下がる｣ ｢時代の変化につれてファッションも変化していく｣ As times change, fashions change. 随着时代的变化，流行也变化着。 시대가 변화함에 따라 패션도 변화해 간다.
⚠️［とともに］［にしたがって］も同じように使う。参照【176】【83】

【231】 正解 2
私は、ケーキやチョコレートといった甘い食べ物は苦手だ。
I don't care for sweets like cakes or chocolates. 我不太喜欢蛋糕、巧克力等甜食。 나는 케이크나 초콜릿과 같은 단 음식은 좋아하지 않는다.

ポイント ＜といった＞
形 ［A1、A2、(A3)といったB］　A、B＝名詞（BはAを総括することば　A's are examples that belong to the category B.　B是概括A的词语　B는 A를 총괄하는 단어）
意味 ｢A1、A2、(A3)などのB｣（Bの例をいくつかあげる　giving a few examples of B　举几个B的例子　B의 예를 여러 개 나열한다）
使い方 ｢テニス、バレーボール、野球といったスポーツは、ボールを使うので『球技』と呼ばれます｣ The sports such as tennis, volleyball, or baseball are called "ball games" because balls are used in each. 因为网球、排球、棒球这些运动是使用球的，所以叫球赛。 테니스, 배구, 야구와 같은 스포츠는 볼을 사용하므로 「구기」라고 합니다.
｢タイ、インドといった東南アジアの国の料理は辛い｣ The foods of South-East Asia such as Thailand or India are spicy. 泰国、印度等东南亚的料理很辣。 태국, 인도와 같은 동남아시아의 요리는 맵다.

【232】 正解 4
顔がよく似ているから、あの2人は兄弟らしい。
Looking so much alike, those two seem like brothers. 因为脸很相像，两个人好像是兄弟。 얼굴이 많이 닮아 있으니, 저 둘은 형제일 것 같다.

ポイント ＜らしい＞
形 ［Aらしい］　A＝動詞／い形容詞・普通形／な形容詞／名詞・普通形（現在形［～］）
意味 ｢たぶんA／A(の)ようだ｣（推測の表現　conjecture　推测的表现　추측의 표현）

使い方 ｢新しい部長は厳しいらしい｣｢確かではないけれど、近いうちに社長が引退するらしい｣ It is not certain but the president may retire soon. 这也许是不太确切的消息，社长好像最近要退休了。 확실하진 않지만, 조만간 사장이 은퇴한다고 한다.
⚠️◇｢特有の性質｣を表す使い方もある。参照【150】
◇｢よう｣にも推測の使い方があるが、接続の形が違う。 "よう" is also used for "conjecture" but the structure is different. 「よう」也有推测的用法，但接续的形式不同。 「よう」에도 추측의 사용법이 있지만, 접속의 형태가 다르다. 例｢あの2人は兄弟のようだ（＝たぶん兄弟だろう）｣（×「兄弟ようだ」）
◇｢そう｣にも様子から推測をするときの使い方がある（例｢外は寒そうだ｣）。しかし、「そう」が名詞の後に直接続くことはない。 but "そう" cannot be used directly after a noun. 但是，「そう」不能直接跟在名词后面。 그렇지만, 「そう」가 명사 뒤에 직접 이어지지 않는다.
例：×「あの2人は兄弟そうだ」（○「あの2人は兄弟だそうだ」は、推測ではなく伝聞の表現になる）

【233】 正解 1
この町にはA社をはじめ多くの外国企業の工場がある。
In this town there are a number of factories operated by foreign companies including A Company. 这个城镇里，有A和诸多外国企业的工厂。 이 마을에는 A사를 비롯해 많은 외국기업의 공장이 있다.

ポイント ＜をはじめ＞
形 ［AをはじめB］　A、B＝名詞
意味 ｢AなどのB｣（AはBの中の代表的なもの　A is most notable among B　A是B中的代表性的东西　A는 B중에 대표적인 것）
使い方 ｢日本には、すしをはじめ、さしみや天ぷらなど魚をつかった料理が多い｣｢私のクラスには韓国をはじめ中国、台湾などアジアの国から来た学生が大勢いる｣

【234】 正解 3
A「Bさん、ちょっとこの資料拝見しますよ。」B「あ、どうぞご覧ください。」
A "Mr. B, let me see this material a little bit."　B "Sure, go ahead." A "B, 我稍微看一下这资料。" B "请看吧。" A B씨, 잠간 이 자료 보겠습니다. B 아, 사양마시고 보세요.

ポイント ＜拝見する＞
形 ［(私が～を)拝見する］
意味 ｢見る｣（謙譲語　humble　谦让语　겸양어）
使い方 ｢お手紙、拝見しました｣｢それ、お子さんの写真ですか。ちょっと拝見してもよろしいですか｣

第19回
【235】 正解 2
彼はいつも友だちに物を借りるくせに、自分の物はだれにも貸そうとしない。
Though he always borrows things from his friends, he never lends his own to anyone. 他总是向朋友借东西，但自己的东西却谁也不借。 그는

항상 친구 물건을 빌리면서, 자신의 물건을 누구에게 빌려주려하지 않는다.

ポイント　＜くせに＞
形　［Ａくせに］　Ａ＝動詞／い形容詞・普通形、な形容詞・普通形（現在形［～な］、名詞・普通形（現在形［～の］）
意味　「Ａのに」（強く非難する気持ちがある　strong criticism, blame　有很强的责备语气。　강하게 비난하는 마음이 있다）
使い方　「知っているくせに教えてくれないなんて、ひどい人だなあ」 You know it and yet you won't tell me. What a nasty person you are!　明明知道却不告诉我，真是可恶的人。　알고 있으면서 가르쳐 주지 않다니, 무정한 사람이네.
「子どものくせに生意気なことを言うんじゃない」 You're only a kid, so don't talk like a know-it-all.　还是个孩子，怎么能这样狂妄地说话。　아이인 주제에 건방진 소리 하는게 아니야.

【236】　正解 2
私が金持ちだったら、あの家を買うんだけどなあ。
If I were rich, I would buy that house.　我如果是有钱人, 一定会买下那房子.　내가 부자였다면, 저 집을 샀을 텐데.
ポイント　＜たら＞
形　［Ａた＋ら、Ｂ］　Ａ＝動詞・た形
意味　「Ａ(すれ)ば／もしＡの場合は／Ａと仮定すると」（Ａは条件や仮定　Ａ refers to conditions or supposition.　Ａ是条件或假定　Ａ는 조건이나 가정）
使い方　「一人でするのがたいへんだったら、だれかに手伝ってもらってもいいよ」「これから一生懸命に努力したら、成功できるかもしれない」 If you try very hard from now on, you may be able to succeed.　如果现在开始拼命努力的话, 说不定能成功.　지금부터 열심히 노력하면, 성공할지도 모른다.
⚠️◇「たら」が＜～した後で＞という意味を表す文もある。参照【107】【146】
◇＜～した後でわかったこと＞を表す文もある。参照【288】

【237】　正解 2
Ａ「今年の春、娘が結婚しまして…。」Ｂ「そうですか。存じませんで、失礼しました。おめでとうございます。」
A "My daughter got married this spring…" B "Is that right? Sorry I didn't know."　A "今年春天, 女儿结婚了…" B "是吗? 不知道, 失礼了. 祝贺你啊."　A 올봄에 딸이 결혼을 해서… B 그러세요? 몰랐습니다. 실례했어요. 축하드립니다.
ポイント　＜存じません＞
形　［(私は)存じません／存じませんで］
意味　「知りません／知らなくて(すみません)」
使い方 a「家内が入院していまして」b「え？そうですか。それは、存じませんで。…お具合はいかがですか」a "My wife is in the hospital." b "Oh, really? I didn't know that. And how is she doing?"　A "我妻子住院了." B "啊? 是这样啊. 我不知道. 情况怎么样?"　A 아내가 입원해 있어서. B 네, 그러세요, 그거 몰랐네요, 상태는 어떠세요?
⚠️「存じる」には「思う」の意味もある。例「ご成功をと

てもうれしく存じます」 I am very happy about your success.　你的成功让我觉得很高兴。　성공을 매우 기쁘게 생각합니다

【238】　正解 4
「ノンアルコール」というのはアルコールが入っていない酒のことだ。
"Non-alcohol" means alcohol-free drinks.　"不含酒精"是指没有酒精的酒类。　[논알코올]이라는 것은 알코올이 들어있지 않은 술을 말한다.
ポイント　＜というのは～のことだ＞
形　［ＡというのはＢのことだ］　Ａ、Ｂ＝名詞
意味　「Ａの意味はＢだ／Ａを説明するとＢだ」Ａ means B/B explains A　A 的意思是 B/ 说明 A 就是 B。　A 의 의미는 B 다 / A 를 설명하면 B 다
使い方　「『原発』というのは原子力発電所のことだ」 "原発" means "nuclear power plant".　『原発』是指原子能发电所。　『原発』라는 것은 원자력발전소를 말한다.
「『週刊誌』というのは1週間に1回出る雑誌のことです」 "週刊誌" refers to magazines published once a week.　『週刊誌』是指每周一次出版的杂志。　『주간지』란 1주일에 한번 나오는 잡지를 말한다.
⚠️◇Ａ、Ｂが文の場合は、［Ａということは、Ｂということだ］の形になる。参照【218】◇②
◇「Ａとは、Ｂのことだ」も同じように使う。例『イケメン』とは、ハンサムな若い男性のことです" "イケメン" means "handsome young man."　『イケメン』是指年轻而英俊的男士。『イケメン（이께멘）』이란, 멋진 젊은 남성을 말한다.

【239】　正解 1
この学校では、3か月ごとに実力テストが行われる。
A proficiency test is given every three months at this school.　这个学校3个月实行一次实力测试考试。　이 학교에서는 3개월마다 실력테스트가 실시된다.
ポイント　＜ごとに＞
形　［Ａごとに］
意味　「Ａに一度」Ａは数や量を表すことば　A is a number or quantity.　A 是表示数, 量的词语。　Ａ는 수나 양을 나타내는 단어
使い方　「この国の大統領選挙は4年ごとに行われる」 A presidential election takes place every four years in this country.　这个国家的总统选举每4年举行一次。　이 나라의 대통령선거는 4년마다 실시된다.
「この薬を6時間ごとに、1日4回飲んでください」 Take this medicine every six hours, four times a day.　这药每6个小时一次, 一天喝4次。　이 약을 6시간마다, 1일 4회 먹어 주세요.
⚠️「ごとに」と「おきに」は本来の意味は同じではないが、実際には同じように使われることもある。参照【74】⚠️

【240】　正解 1
一郎くん、もう元気になったかな。どうだろう。電話してみよう。
Wonder if Ichiro is feeling better now. Well, I'll call him and

check. 一郎, 是否已经康复了。怎么样, 打电话问一下吧。 이찌로군, 이제 건강해졌을까? 어떨까? 전화해 보자.

ポイント ＜かな／かしら＞

形 ［A(の／なの)かな。／かしら。］ A＝動詞／い形容詞・普通形、な形容詞／名詞(現在形［〜］)、疑問詞(何、だれ、いつ、どこ、どう、なぜ)

意味 ［Aか／Aだろうか］ (確かでないことを自分自身や相手に質問するときの表現 asking oneself/someone something he/she is not sure about 向自己或对方不确切的事情时的表现。확실하지 않은 일을 자기자신이나 상대방에게 질문할때의 표현)

使い方 「バスがなかなか来ない。事故があったのかな」 The bus is not here yet. Wonder if there was an accident. 巴士一直没来。碰上事故了吗？ 버스가 좀처럼 오지 않는다. 사고라도 난걸까？
「山下さん、まだ来ないね。どうしたのかな。来るかな」
「まり子の結婚式の日、私、何を着て行こうかしら」 I wonder what I should wear on the day of Mariko's wedding ceremony. 真理子结婚宴会, 我穿什么去呢？ 마리꼬 결혼식날, 나는 무엇을 입고 갈까？

⚠ ◇あらたまった会話では使わない。 not used in formal conversations 在正式的会话中不使用 격식을 차려야 하는 회화에서는 사용하지 않는다
◇「かしら」のほうが柔らかいので、女性が使うことが多い。 "かしら" sounds softer and is usually used by women. 「かしら」比较柔和, 女性用的比较多。「かしら」는 부드러운 표현이므로, 여성이 사용하는 경우가 많다.

【241】 正解 4
小さいころからいっしょに育ってきた彼は、私にとって兄のような人だ。
Being raised together with me since childhood, he is like my older brother. 从小就一起成长的他, 对我来说就像哥哥一样。 어렸을 적부터 같이 자라 온 그는, 나에게 있어서 오빠와 같은 사람이다.

ポイント ＜にとって＞

形 ［AにとってB］ A＝名詞

意味 ［(〜は)Aには／Aから見て／Aのために／Aの場合は Bだ］ to A/for the benefit of A/for A/in case of A, B… "(〜是), A是／从A来看／为了A／A的场合　是B。" (〜는) A에게는／A가 봐서／A를 위해／A의 경우는 B다

使い方 「漢字の勉強がたいへんだと言う人が多いですが、私にとって難しいのは漢字よりも文法です」「家庭の環境は子どもの成長にとって非常に大切だ」 The environment of a child's home is very important for his/her growth. 家庭环境对孩子的成长来说是非常重要的。 가정 환경은 아이의 성장에 있어서 매우 중요하다.

【242】 正解 2
これはこの地方の名物料理です。召し上がったことがありますか。
This dish is famous in this region. Have you ever had it? 这是这个地方有名的料理。请品尝。 이것은 이 지방의 명물 요리입니다. 드셔본 적 있습니까？

ポイント ＜召し上がる＞

形 ［(目上の人が 食べ物／飲み物 を)召し上がる］

意味 「食べる／飲む」(尊敬語 honorific 尊敬语 존경어)

使い方 a「先生は、お酒はどんなものを召し上がりますか」 b「いや、私は、酒がぜんぜん飲めないんですよ」 a「あ、そうですか。召し上がらないんですか」

【243】 正解 2
A「どうしたら、先輩みたいにうまくできるようになりますか。」 B「うん、もっともっと練習することだ。」
A "How can I play as well as you, sir?" B "Well, you just need to practice a lot more." A "怎样才能像前辈一样做得好？" B "嗯, 更多更多地练习吧。" A 어떻게 하면, 선배처럼 잘 할 수 있게 될까요？ B 음, 더욱 더 연습하면 된다.

ポイント ＜ことだ＞

形 ［Aことだ］ A＝動詞・辞書形／ない形［〜ない］

意味 「A(し)なさい／てはいけない／たほうがいい／ないほうがいい」(アドバイスや指示をする表現 giving advice or a direction 提出建议, 指示时的表现 조언이나 지시하는 표현)

使い方 「風邪を早く治したかったら、ゆっくり休むことです」「英語が上手になりたいなら、できるだけ英語で話すことだ」

⚠ ［Aこと。］は、事務的な注意や指示をするときに使う。 "A こと。" is used when one gives a businesslike warning or direction. ［A こと。］是在提出事务性的注意, 指示时使用。 ［A こと。］는 사무적인 주의나 지시를 할 때 사용한다. 例「試験のときの注意を言います。携帯電話を切っておくこと。辞書を見ないこと」 Here're some rules for you during the exam. Turn off your cellphone. Do not use a dictionary. 说一下考试时候的注意事项。请关掉手机。不要看词典。 시험 때의 주의사항을 말씀드리겠습니다. 휴대폰을 꺼둘 것. 사전을 보지 않을 것.

【244】 正解 4
田川課長は、英語はもちろん、ロシア語もアラビア語もできる語学の天才だ。
Section Manager Mr. Tagawa is very talented in foreign languages, having a good command of Russian and Arabic as well as English. 田川科长, 英语是理所当然的, 连俄语, 阿拉伯语也会说, 是语学天才。 다가와과장님은 영어는 물론, 러시아어도 아랍어도 가능한 어학의 천재다.

ポイント ＜はもちろん＞

形 ［AはもちろんBも］ A＝名詞

意味 ［Aは当然だが、Bさえ］(Aは一般的なこと、Bは特別なこと) even B as well as A (A is something ordinary, B is something special) A是当然的, 连B也(A是一般的事。B是特别的事。) A는 당연하지만, B조차(A는 일반적인 일, B는 특별한 일)

使い方 「この絵本は、子どもはもちろん、大人にも読まれている」「この動物園にはトラやライオンはもちろん、パンダもいる」

【245】 正解 4

A「ようこそいらっしゃいました。どうぞお入りください。お茶でもいれましょう。」B「あ、すぐに失礼しますので、おかまいなく。」

A "Welcome here. Please come in. Let me fix you some tea or something." B "Oh, please don't bother. I'm leaving soon."　A"欢迎光临。请进来。我来泡茶。"B"马上就要走的，不要张罗。"　A 잘 오셨습니다. 어서 들어오세요. 차 끓여 올릴게요　B 아, 금방 실례하겠으니, 개의치 마세요.

ポイント ＜おかまいなく＞

形 [(どうぞ) おかまいなく]

意味 「どうぞ気をつかわないでください」「どうぞ何もしないでください」（訪問先などで自分にお茶などをもてなしてくれることに対して遠慮する気持ちを表す　When offered tea or something at someone's place you're visiting, you hold back and ask not to bother.　在访问的目的地，对亲自泡茶等招待表示客气的心情。　방문처 등에서 자신한테 차 등을 접대하려 할때, 사양하는 마음을 나타낸다.)

使い方 a「外は暑かったでしょう。なにか冷たい飲み物でもいかがですか」b「だいじょうぶです。どうぞおかまいなく」

【246】 正解 4

あの二人は仲がよさそうだったから、まさか離婚するとは思わなかった。

I little dreamed that they would get a divorce because the two looked friendly to each other.　那两个人好像关系很好，真是没想到竟然会离婚。　저 둘은 사이가 좋아 보여서, 설마 이혼하리라곤 생각도 못했다.

ポイント ＜まさか＞

形 [まさか～ない]

意味 「ほんとうだとは考えられない」 cannot believe it's true　没想到是真的　사실이라고 생각하기 어렵다

使い方 「まさかうちの娘が警察につかまるなんて思いませんでした」 We little imagined that our daughter would be arrested by the police.　没想到我的女儿会让警察抓住。　설마 우리 딸이 경찰에 붙잡히다니 생각지도 못했습니다.

「ぼくみたいに頭の悪い学生がまさかT大学に合格するとは、だれも考えなかっただろう」Nobody must have expected that such a dumb student like me would ever be able to get into T University.　像我这样脑子不好的学生竟然会考入T大学，谁也没有想到。　나처럼 머리 나쁜 학생이 설마 T 대학에 합격하다니, 아무도 생각지 못했겠지.

【247】 正解 3

東京本社での会議に出るついでに、東京の営業所にもあいさつに行ってこよう。

When I go to Tokyo to attend the meeting at the main office, I will stop by at the sales office at the same time.　出席东京总公司的会议, 顺便也去东京营业所打一下招呼。　동경본사로 회의 간 김에, 동경 영업소에도 인사드리러 갔다오자.

ポイント ＜ついでに＞

形 [AついでにB]　A＝動詞・辞書形／た形、名詞 [～の]

意味 「AするときにBもする」（Aは第一の目的）　do B also when doing A (A is the main purpose)　做 A 时也做 B(A 是第一目的。)　A 할 때 B도 하다 (A는 제일의 목적)

使い方 「スーパーへ買い物に行くついでに郵便局に寄って手紙を出そう」When I go shopping at the supermarket, I'm going to stop at the post office and mail a letter at the same time.　去超市买东西时，顺便去邮局寄一下信。　슈퍼에 시장보러 간 김에, 우체국에 들러 편지를 보내자.

「出張のついでに大学の先生に会いに行った」When I went on a business trip, I went to see my college professor at the same time.　去出差时候顺便去拜访了大学的老师。　출장 간 김에 대학 선생님을 만나고 왔다.

⚠ [AながらB] (A＝動詞・ます形) は、AとBの動作を同時に行う状況を表す。"AながらB"(A=verb ます form) means "doing A and B simultaneously."　[一边做 A 一边做 B] (A=动词・ます形) 是表示 A 和 B 的动作在同时进行的状况。　[AながらB] (A＝동사・ます형)는, A와 B의 동작을 동시에 행하는 상황을 나타낸다. 例「アルバイトをしながら大学で勉強する学生は多い」

第20回

【248】 正解 2

新しい家に引っ越しました。ぜひ遊びに来てください。

I have moved to a new house, so please come visit me.　搬到了新家。请一定来玩。　새로운 집으로 이사했습니다. 꼭 놀러와 주세요.

ポイント ＜ぜひ～てください＞

形 [ぜひAてください]　A＝動詞・て形

意味 「必ず／絶対に ～てください／～てほしいです」（依頼を強める言い方　emphasize one's request/invitation　加强委托的说法　의뢰를 강조하는 말투 (표현))

使い方 「新入社員のみなさんは、5月に行われる経営セミナーに、ぜひ参加してください」We do want all the new employees to participate in the management seminar held in May.　刚进公司的职员们，5月举行的经营研讨班，请一定参加。　신입사원 여러분은, 5월에 있을 경영세미나에 꼭 참석해 주세요.

「ぜひがんばって、希望する大学に入ってください」I do hope you will work hard and get into the university of your preference.　请一定努力, 考上希望的大学。　부디 분발하여, 희망하는 대학에 들어가 주세요.

⚠ 「ぜひ」を「～(し)たい／ませんか／ましょう」などといっしょに使う文もある。参照【122】

【249】 正解 2

もう一度彼女に会えないかなあ。会えるといいなあ。

How I wish I could see her again!　I would be happy if I could.　能再次见到她吗? 能见到该多好啊。　한번 더 그녀를 만날 수 없을까? 만날 수 있음 좋겠다.

ポイント ＜ないかなあ＞

形 [Aないかなあ]　A＝動詞・ない形

意味 「A (し)てほしい／Aを待っている」（Aは自分では

コントロールできないこと　A refers to something one cannot control on his/her own.　A是自己不能控制的事情　A는 스스로는 조절할 수 없는 것)

使い方「また今日も雨だ。早く雨が止まないかなあ」(＝早く雨が止んでほしい)「夏休みが早く来ないかなあ」(＝夏休みが早く来てほしい)

⚠ ［Aかな(あ)］(A＝動詞／い形容詞・普通形、な形容詞／名詞・普通形(現在形〔～〕))＝「Aかどうかわからない」　例：a「このケーキ、おいしいかなあ」b「さあ、どうかな。食べてみよう」

【250】　正解 3
疲れているときは、ミスをしてしまいがちだ。
You can easily make mistakes when you're tired.　在疲劳的时候, 容易出错。　피곤할때는, 실수해버리는 경향이 있다.

ポイント＜がち＞

形［Aがちだ］　A＝動詞・ます形、名詞

意味「Aになることがよくある／Aになりやすい」(Aはよくないこと)　result in A often/become A easily (A is something negative/bad)　变成A的情况"有很多变成A的情况/很容易变成A"(A是不太好的事)　A하게 되는 경우가 자주 있다 / A되기 쉽다 (A는 좋지 않은 내용)

使い方「私は寒さに弱い。冬になると風邪を引きがちだ」I am vulnerable to cold. I easily catch a cold in winter.　我很怕冷。到了冬天很容易感冒。　나는 추위에 약하다. 겨울이 되면 감기에 걸리기 쉽다.
「祖父は最近いろいろなことを忘れがちになっている」My grandfather is getting forgetful about different things recently.　祖父最近对很多事很健忘。　할아버지는 요즘 여러가지를 곧잘 잊어 버리신다.
「田中さんは病気がちで、学校を休むことが多い」

⚠ 「A気味」は「少しAの感じがする」(Aはよくないこと)という意味で使う。**参照【17】**

【251】　正解 4
結婚のお祝いをもらいっぱなしでいるのは失礼だから、お返しの品物を送ったほうがいい。
It is not polite just to receive a wedding gift and do nothing, so we should send something for reciprocation.　只是收结婚的礼品很不礼貌, 应该回送一些东西。　결혼 축하선물을 받고만 있으면 실례되니, 답례품을 보내는 것이 좋다.

ポイント＜っぱなし＞

形［Aっぱなし］　A＝動詞・ます形

意味「A(し)た後、そのままで、するべきことをしない」「A(し)た後、何もしない」do nothing one should do after doing A　做了A以后, 就这样, 没做应该做的事。　[A 한 후, 그대로 두고 해야할 것을 하지 않는다][A 한 후, 아무것도 하지 않다]

使い方「ドアを開けっぱなしにしないで、ちゃんと閉めてください」Don't leave the door open. Close it, please.　不要让门这样开着, 情关上。　문을 열어둔 채 두지 말고, 제대로 닫아 주세요.
「クーラーをつけっぱなしで寝ると、風邪を引きますよ」

You'll catch a cold if you sleep with the AC on.　如果开着空调睡觉, 会感冒的。　냉방기를 켜둔 채 자면, 감기에 걸립니다.

【252】　正解 2
明日はサービスデーになりますので、ご来店のお客様には300円分の買い物券をさしあげます。
Tomorrow is a discount day, so we will give all the customers coming to our store a shopping coupon worth 300 yen.　明天是招待日。对光顾的客人赠送 300 日元的礼券。　내일은 서비스데이이므로, 내점해 주신 손님께는 300 엔분의 쇼핑권을 드립니다.

ポイント＜さしあげます＞

形［(私は 目上の人に ～を)さしあげます］

意味「あげます」(謙譲語　humble　谦让语　겸양어)

使い方「山田部長が退職されるので、みんなで何かさしあげませんか」As Department Head Mr. Yamada is going to retire, why don't we give him something?　山田部长要退休了。大家要不要送点东西。　야마다 과장님이 퇴직하시니, 모두 함께 뭔가 드립시다 (드리지 않겠어요?)
「くじが当たった方には、すてきな賞品をさしあげます」If you have the winning lottery, we will give you a nice prize.　对中彩票的人, 将赠送精美奖品。　당첨되신 분께는 멋진 상품을 드립니다.

【253】　正解 4
A「部長、明日の会議ですが、社長がご病気なので中止するということでよろしいでしょうか。」B「うん。社長がいらっしゃらないと話が進まないから、しかたがないね。」
A "Department Head, regarding tomorrow's meeting, would it be all right to cancel it because the president is sick?"　B "Yeah. If the president doesn't come, we can't move forward, so we have to."　A "部长, 明天的会议, 因为社长生病了就中止了好吗？" B "嗯, 社长不在的话, 议题不会有进展。没办法啊。"　A 과장님, 내일 회의입니다만, 사장님이 병환중이시니 중지하는 것으로 해도 괜찮겠습니까? B 그래, 사장님이 안계시면 진행이 안되니, 어쩔 수 없네.

ポイント＜ということで＞

形［Aということで よろしいでしょうか／いかがでしょうか］　A＝文

意味「Aの内容で いいですか／どうですか」(丁寧な言い方　polite　礼貌的说法　정중한 표현)

使い方「来年のクラス会は5月で、場所と日時は3月中にお知らせするということでよろしいでしょうか」We will have next year's class reunion in May and the date and place will be announced by March. No objection?　明年的班会在5月, 时间和地点在3月份的时候, 通知你们怎么样？　내년 학급회는 5월로 정하고, 장소와 일시는 3월중에 안내하는 것으로 해도 괜찮을까요?
店の人「商品が入りましたら、お電話でご連絡するということでいかがでしょうか」客「はい。じゃ、よろしくお願いします」

N3 解答

【254】 正解 3
ふだん元気な人でも、体調のよくない日がある。
Even a usually healthy person can be in a bad physical condition sometimes. 即使平时健康的人，也有不舒服的时候。 평상시 건강한 사람도 몸상태가 안좋은 날이 있다.

ポイント <でも>
形 ［AでもB］　A＝名詞
意味 「Aの場合にもB」（Bは、Aから普通考えられることと反対のこと、違うこと　B is something contradictory/different from what is normally expected from A. B是与从A来考虑的普通的结果相反的事，不同的事　B는 A로부터 일반적으로 생각할 수 있는 내용과 반대되는 일, 다른 일）
使い方 「日本人でも日本語を間違える」「運動会は雨でも行います」

【255】 正解 3
大学院の教授にメールを送ったところ、すぐに返事が来た。
After I sent an Email to a college professor, I received his reply quickly. 给大学院的教授发了电子邮件，马上来了回信。 대학원 교수께 메일을 보내드렸더니, 금방 답변이 왔다.

ポイント <たところ>
形 ［Aたところ、B］　A＝動詞・た形
意味 「A（し）たら／A（し）てみたら、B」（BはAした後に起こったことや結果　B is the result or what happened after doing A　B是做了A后发生的事或者结果　B는 A한 후에 일어난 일이나 결과）
使い方 「食事会の日時についてみんなの都合を聞いたところ、来週の金曜日がいいということだった」When I asked everyone when would be good for the dinner, next Friday turned out to be good. 问了大家聚餐什么时候好，说下星期五好。 만찬회 일시에 대해 여러분의 상황을 들어보니, 다음주 금요일이 좋다는 결과였다.
「ベトナム語を教えてほしいとナムさんに頼んだところ、毎週火曜日に教えてもらえることになった」

【256】 正解 4
A「お久しぶりです。3年ぶりにアメリカから帰ってまいりました。」B「おお、しばらくぶりだね。元気そうでよかった。」
A "It's been a long time, sir. I just came back from America first time in three years." B "Oh, welcome back. I'm glad you're doing great." A "好久不见。去美国3年后回来了。" B "哦，好久不见。看上去很精神，太好了。" A 오랫만입니다. 3년만에 미국에서 돌아왔습니다. B 그래, 오래간만이네, 건강해 보여 다행이다.

ポイント <しばらくぶり>
形 ［しばらくぶりですね／しばらくぶりだったね］
意味 「久しぶりですね」（最近会っていなかった人に会ったときに言うあいさつの表現　greeting said to someone one has not seen for a long time recently　和最近没有见面的人见面时的招呼语　최근에 만나지 않았던 사람을 만났을 때 말하는 인사표현）
使い方 a「うわあ、しばらくぶりね。就職したんだって？」b「うん、すごく忙しくてね。みんなにごぶさたしちゃってます」 a "Oh, my goodness! It's been a long time. I've heard you got a job." b "Yeah, I've been very busy, and haven't talked to anyone for a long time." A "啊，好久不见。上班了吗？" B "是啊，实在太忙了，和大家久违了。" A 와, 오래간만이야. 취직했다면? B 응, 정말 바빠서, 여러분에게 연락못드렸어요.

⚠️ 「久しぶり」と同じように使う。「久しぶり」は「お久しぶり」とも言うが、「おしばらくぶり」とは言わない。**参照【188】**

【257】 正解 2
海外に転勤になるなんて、まったく考えていなかった。
I little dreamed I would be transferred abroad. 工作调动到国外，我想都没想过。 해외로 전근하게 되다니, 전혀 생각지도 못했다.

ポイント <なんて>
形 ［AなんてB］　A＝動詞／形容詞・普通形、名詞・普通形（現在形［～］［～だ］）
意味 「AはB」（Aを強く言う。Bは「意外だ」「驚きだ」「すごい」など、または「無理だ」「信じられない」など否定的な意味のことば　emphasize A. B: "unexpected" "surprising" "wonderful" etc. Also such negative words as "impossible" or "unbelievable" etc. 强烈地说A。B是"意外""吃惊""惊人"等意思的词，或者"不可能""无法相信"等否定的意思的词语。 A를 강하게 말한다. B는 [의외다][놀랍다][굉장하다] 등, 또는 [무리다][믿을 수 없다]와 같이 부정적인 의미의 단어）
使い方 「このチームが優勝できるなんて、思ってもいませんでした」I never even dreamed that this team could win the championship. 这个队能得冠军，真没想到。 이 팀이 우승할 수 있었다니 생각지도 못했습니다.
「こんなにたくさんの仕事を1日でやってしまったなんて、すごいなあ」How surprising you've finished this much work in just one day! 这么多的工作一天能做完，了不得啊。 이렇게 많은 일을 하루만에 끝내 버렸다니, 굉장하네.
「結婚したばかりだから、出張なんて行きたくない」I don't want to go on a business trip because I just got married. 刚结婚，不想去出差。 결혼한지 얼마 안됐으니, 출장따위 가고 싶지 않다.

⚠️ ◇Aにつく助詞が省略されることが多い。例「出張に行きたくない」⇒「出張なんて行きたくない」「勉強 が／は きらいだ」⇒「勉強なんてきらいだ」
◇Aが名詞の場合、「なんか」も同じように使う。**参照【136】**

【258】 正解 4
A「あ、きれいな鳥がこっちに飛んでくるのが見える。」B「え？どこ、どこ。」
A "Oh, I see a pretty bird flying down toward us." B "What? Where?" A "啊，看到一只美丽的鸟向这里飞来了。" B "啊，哪里？哪里？" A 어! 예쁜 새가 이쪽으로 날아 오는 것이 보여. B 뭐？어디, 어디?

ポイント <のが> 参照【162】【214】
形 ［AのがB］　A＝動詞・辞書形、た形　B＝動詞（見え

る／聞こえる／感じられる など）、形容詞（好きだ／きらいだ／上手だ／下手だ など）
意味 「AがB」
使い方 「うちの子はお風呂に入る**のが**大好きだ」「朝晩の風が涼しくなりました。秋がもうそこまで来た**のが**感じられます」The wind feels cool in the morning and evening. We know autumn is almost here. 今晚的风很凉, 秋天已经近了。 아침저녁 바람이 시원해졌습니다. 가을이 이제 곧 다가오는 것이 느껴집니다.

⚠ 助詞が、名詞ではなく文につくときは、「文＋の／こと＋助詞」になる。When the particle is attached to a sentence instead of a noun, "sentence + の／こと + particle" is used. 助词不跟在名词后面, 而跟在句子后面时变成「句子＋の／事情＋助词」的形式。조사가 명사가 아닌 문장뒤에 붙을 때는 [문장＋の／こと＋조사] 가 된다. 例「お風呂が好きだ・お風呂に入る**のが**／お風呂に入る**ことが**好きだ」「妹が絵が上手だ・妹は絵をかく**のが**／絵をかく**ことが**上手だ」
ただし、文末に「見る／見える」「聞く／聞こえる」「感じる／感じられる」などの動詞がある文では「こと」は使わないで「の」を使う。But when you use a verb such as "see" "hear" or "feel" at the end of a sentence, you use "の" instead of "こと." 但是, 在句尾像「看／看见」「听／听见」「感觉／感到」等动词的文中, 不用「こと」, 用「の」。단, [見る／見える] [聞く／聞こえる] [感じる／感じられる] 등의 동사가 있는 문장에서는 [こと] 는 사용하지 않고 [の] 를 사용한다. 例：×「妹が庭で絵をかいている**ことが**見える」　○「妹が庭で絵をかいている**のが**見える」

【259】 正解 4
財布を落とされたんですか？それはお困りでしょう。少しならお貸ししますよ。
You lost your wallet? I'm so sorry. I wouldn't mind lending you some. 钱包丢了吗？一定很为难吧。要不要借点钱给你？ 지갑을 떨어뜨리셨나요? 그거 참 곤란하시겠어요. 조금이라면 빌려드릴 수 있어요.

ポイント ＜お困りでしょう＞
形 ［（それは）お困りでしょう］
意味 「困っていらっしゃることがよくわかります／たいへんですね」
使い方 a「となりの部屋の人がうるさくて、毎晩寝られないんです」b「それは**お困りでしょう**」
a「うちの南側に高いビルができて、家の中が暗くなってしまって…」b「そうですか。それは**お困りでしょう**」a "A tall building has been built in the south side of our house, and it's made our house dark inside…" b "Is that right? I'm sorry to hear that." A"我家的南面建起了高楼,家里变得很暗了……" B"是吗？真是太糟糕了." a 우리 집 남쪽에 높은 빌딩이 생겨, 집안이 어두워져서… b 그러세요? 그거 참 곤란하시겠어요.

【260】 正解 4
毎日甘いものばかり食べていたら、太るにきまっている。
If you eat only sweet things every day, you'll surely gain weight. 每天吃那么多甜食, 还会不胖吗？ 매일 단 것만 먹으면, 살이 찌기 마련이다.

ポイント ＜にきまっている＞
形 ［Aにきまっている］　A＝動詞／い形容詞・普通形、な形容詞／名詞（現在形［～］）
意味 「Aに違いない」「絶対に／間違いなく Aだ」（自分の考えを強く言う） A will surely happen, absolutely A/unmistakeably A (insisting one's idea strongly) "没错就是A" "绝对／一定是A"（强烈说出自己的想法）［A 임에 틀림없다］［절대로／틀림없이 A 이다］（자신의 생각을 강하게 말하다）
使い方 「あの人が言ったことは、ほんとうとは思えない。うそ**にきまっている**」「彼女はまたダイエットを始めたそうだが、今度も続かない**にきまっている**」I hear she started going on a diet again, but I'm sure she will give up again this time. 她好像又开始减肥了。这次一定也坚持不了多久。 그녀는 또 다이어트를 시작했다고 하는데, 이번에도 틀림없이 오래가지 못할 것이다.

⚠ 話し言葉で多く使われる。話し言葉では「にきまってる」と短い形で言う。Used often in conversations. The short form "にきまってる" is used colloquially. 多用在在讲话中。在会话中用省略式「にきまってる」。 구어에서 많이 사용된다. 구어에서는 [にきまってる] 와 같이 짧은 형태로 말한다 例「この計画は失敗する**にきまってる**よ。だって準備不足だもん」I'm sure this project will fail, because they haven't done enough preparation. 这个计划一定会失败的。因为准备不足。 이 계획은 틀림없이 실패할꺼야. 왜냐면 준비부족이니까.

第21回

【261】 正解 4
彼は正直な人で、けっしてうそをつかない。
He is an honest person and never tells a lie. 他是正直的人, 决不会说谎。 그는 솔직한 사람으로, 결코 거짓말을 하지 않는다.

ポイント ＜けっして＞
形 ［けっしてAない］　A＝動詞・ない形［～ない］
意味 「絶対にA（し）ない」never do A 绝对不做A 절대로 A 하지 않다
使い方 「勝つまでは、**けっして**あきらめないでがんばろう」Let's never give up and do our best till we win. 直到胜利为止, 决不气馁。 이길 때까지는 절대로 포기하지 말고 분발하자.
「私たちがはじめて会ったときのことは、**けっして**忘れないでしょう」I will never forget the time when we met for the first time. 我们第一次见面时的事, 决不会忘记。 우리가 처음 만났을 때 일은, 결코 잊지 못하겠지.

【262】 正解 3
こんなところに食べかけのお弁当がある。だれのかな。
Here's somebody's unfinished lunch box. Wonder whose it is. 在这样的地方有吃到一半的盒饭。是谁的呢？ 이런 곳에 먹다 만 도시락이 있다. 누구꺼지?

ポイント ＜かけ＞
形 ［Aかけだ／AかけのB］　A＝動詞・ます形　B＝名詞
意味 「Aがまだ終わっていない／まだAしている途中だ」A

has not been finished yet/one is still working on A　A还没有结束/还在做着A　A가 아직 끝나지 않았다 / 아직 A 하고 있는 도중이다

使い方「宿題をやりかけで遊びに行った。帰ってから母にしかられた」I went out to play before finishing all my homework and was scolded by Mother when I came home. 作业做到一半去玩了。回家后母亲责备了。 숙제를 하다 말고 놀러 나갔다. 돌아 와서 엄마에게 혼났다.

「書きかけのメールをうっかり送信してしまった」I mistakenly sent an unfinished email. 写到一半的邮件，一不留神发了出去。 쓰다 만 메일을 그만 무심코 송신해 버렸다.

⚠ 「かけ」は「かける」の名詞の形。[A（し）かける]は「Aしている途中だ／Aし始めたところだ」という意味で使う。"かけ" is the noun form of "かける." "A（し）かける" means "start to do A (but actually didn't)/have just started doing A."「かけ」是「かける」的名詞形式。[A（し）かける]是表示「正在做A／刚开始做A」的意思。 「かけ」는「かける」의 명사형이다.[A（し）かける-A 하다말다]는「A している途中だ（A 하고 있는 도중이다）／A し始めたところだ（A 하기 시작한 참이다）」라는 의미로 사용된다.

例「ビールを一口飲みかけたとき、電話がかかってきた。冷たかったビールがぬるくなってしまった」When I started to have a drink of beer, the phone rang. The beer that was cold has got warm. 刚喝了第一口啤酒，电话来了。冰镇的啤酒变得不冷了。 맥주를 한목음 마시는 도중에, 전화가 걸려왔다. 차가웠던 맥주가 미지근해져 버렸다.

【263】 正解 2
イギリスに留学していたといっても 3 か月間だけなので、英語では日常会話ぐらいしかできません。

It was only for three months that I studied abroad in England, so I can speak just daily-conversation English. 说是去英国留学，但也只是三个星期。英语只是会一点日常会话。 영국에서 유학했다 하더라도 3 개월뿐이어서, 영어로는 일상회화정도밖에 못합니다.

ポイント ＜といっても＞

形 [AといってもB]　A＝動詞／い形容詞・普通形、な形容詞／名詞・普通形（現在形［～］）

意味「Aから予想されるのとは違ってB」different from what is expected from A, actually B　和从A预想的不同，是B　A로 예상 할 수 있는 것과 다르게 B

使い方「車を買ったといっても中古車なんです」It's only a second-hand car that I bought. 说是买了车，但也只是中古车。 차를 샀다 하더라도 중고차예요.

「社長といっても、社員2人の小さな会社の社長だ」He is the president of a company, but of the one of only two employees. 虽说是公司，是只有两个职员的小公司。 사장이라 해도, 사원 2 명있는 작은 회사 사장이다.

⚠ [A。といっても、B]という形もある。例「ケーキを作りました。といっても、卵と粉を混ぜて電子レンジで5分焼くだけでできる簡単なケーキです」＝「ケーキを作ったといっても、……簡単なケーキです」

【264】 正解 3
明日の朝は早く家を出るから、寝坊しないようにしよう。

I need to be careful not to oversleep because I'm leaving home early tomorrow morning. 明天早晨很早就出门，不要睡过头阿。 내일 아침은 일찍 집을 나갈거니, 늦잠 자지 않도록 하자.

ポイント ＜ようにする＞

形 [Aようにする]　A＝動詞・辞書形／ない形［～ない］

意味「A（する）ために 努力する／気をつける」make efforts/try to do A　为了做A而 努力／当心　A하기 위해 노력하다 / 신경쓰다

使い方「肉は焼きすぎるとかたくなりますから、焼きすぎないようにしましょう」「出かけるときは、火をちゃんと消したかどうかを確認するようにしてください」Remember to check if you put out the fire before you leave. 外出时，请一定要确认有没有关火。 외출할 때는, 불을 제대로 껐는지를 확인하도록 해주세요.

⚠ 「Aようにしている」＝「Aを決めて、いつもそうしている」例「私は太りやすいので、甘いものを食べすぎないようにしています」I easily gain weight, so try not to eat too much sweet stuff. 我很容易发胖，不多吃甜的东西。 나는 살찌기 쉬우므로, 단 음식을 과식하지 않도록 하고 있습니다.

【265】 正解 1
A「この猫の写真、かわいいね。」B「うん。あ、そういえば、となりの家の猫、最近見ないね。どうしたんだろう。」

A "The cat in this picture is so cute, isn't it?"　B "Yeah. Oh, that reminds me, I haven't seen the next-door neighbor's cat recently. Wonder why." A "这张猫的照片,真可爱啊。" B "嗯，这样说来，隔壁的猫，最近没看见，不知怎么样了。" A 이 고양이 사진, 귀엽네 B 응, 참 그러고 보니 옆집 고양이, 요즘 안보이지? 어떻게 된 걸까?

ポイント ＜そういえば＞

形 [そういえばA]　A＝文

意味「それを聞いてAを思い出した」hearing that reminded one of A　听了那个以后想起了A　그것을 듣고 A 가 생각났다

使い方 a「よし子と正は別れちゃったらしいよ」b「そういえば、きのう会ったとき、よし子、元気がなかった」a "I hear Yoshiko and Tadashi have split up." b "Now that you say it, she didn't look well when I saw her yesterday." A "良子和正 (人名) 好像分手了。" B "这样说来，昨天见面的时候，良子好像不太有精神。" A 요시꼬랑 타다시는 헤어졌데. B 그러고 보니, 어제 만났을 때, 요시꼬, 기운 없었어.

【266】 正解 4
山道を2時間歩き続けたら、もう一歩も歩けないほど疲れてしまった。

After walking on the mountain roads for two hours, I got so tired I felt like I could not walk a step longer. 在山路上走了 2 个小时后, 觉得一步也不能再走了。 산길을 2 시간 계속 걸었더니, 한발작도 더 걸을 수 없을 정도로 피곤해져 버렸다.

ポイント ＜ほど＞

形 [AほどB]　A＝動詞／い形容詞・普通形、な形容詞・普通形（現在形［～な］）、名詞・普通形（現在形［～］）

意味 「AくらいB」（Aは、Bの程度を例で表す　A is an example of the degree of B　A是表示B的程度的例子　A는 B의 정도를 예로 나타낸다）

使い方 「就職が決まって、泣きたいほどうれしかった」 I was so happy I could have cried when I finally got a job.　就职决定了，高兴得想哭。　취직이 결정되어 울 정도로 기뻤다.

「死ぬほどがんばったのに、失敗した」 Although I tried extremely hard, I failed.　拼死地努力了，但是失败了。　죽을 정도로 노력했는데, 실패했다.

「それほど帰りたいんですか？それでは帰ってもいいですよ」 Do you want to leave so bad? OK, you can if you do.　那么想回去吗？那么你可以回去。　그 정도로 돌아가고 싶습니까? 그렇다면 돌아가도 좋습니다.

⚠ ◇「Bて／で、Aほどだ」という文もある。「とてもBから、たとえばAだ」という意味で、例（A）によってBの程度を表す。Means "so…B that… A for example" and describes the degree of B using an example (A)　"很B，像A一样"的意思，用（A）来表示B的程度。　[너무나도 B하기 때문에, 예를 들어 A이다]라는 의미로, 예（A）에 의해 B의 정도를 나타낸다.

例 「うれしくて泣きたいほどだ」 I'm so happy I could cry.　太高兴了，高兴得要哭。　기뻐서 울고 싶을 정도다.

「笑いすぎておなかが痛くなるほどだった」 I nearly split my sides laughing.　笑得太厉害了，笑得肚子都疼了。　너무 웃어서 배가 아플 정도였다.

◇Aが数量を表す名詞の場合、「ほど」は「約」という意味になる。If A is a noun (a number or quantity), 「ほど」 means "approximately."　当A是表示数量的名词时，「ほど」是"约"的意思。　A가 수량을 나타내는 명사인 경우, [ほど]는 [약(約)]이라는 의미가 된다. 参照【196】

【267】正解 2
地球の環境の変化によって、美しい自然が減りつつある。
Due to the changes in global environments, the beauty of nature is lessening.　由于地球环境的变化，美丽的自然越来越少了。　지구 환경의 변화에 의해, 아름다운 자연이 줄어들고 있다.

ポイント ＜つつある＞

形 [Aつつある]　A＝動詞・ます形

意味 「A（し）ている／Aの変化が進んでいる」 doing A/a change (=A) is progressing　A在进行着/A的变化在推进着　A 하고 있다 / A 의 변화가 진행되고 있다

使い方 「この町の人口は減りつつあります。特に子どもの数が減っています」「この国の景気は、少しずつよくなりつつある」 The economy of this nation is improving gradually.　这个国家的景气，一点一点地变好了。　이 나라의 경기는 조금씩 좋아지고 있다.

⚠「つつある」は「今、動作をしている」という意味では使わない。"つつある" shows a change of state and is not used to mean "doing something right now."　[つつある]是表示变化，并不是用于"现在，正在做这个动作"的意思。　[つつある]는 변화를 나타내고 있으며, [지금, 동작을 하고 있다]라는 의미로는 사용되지 않는다.

例：×「彼は今電話をしつつある」　○「彼は今電話をしている」

【268】正解 4
母「たかし、テレビの音を小さくしなさい。お父さんが電話してるんだから。」子「わかったよ。」
Mother "Takashi, turn down the TV a little. Father is talking on the phone." Child "OK."　母亲"把电视机的声音开小一点。爸爸在打电话呢。"孩子"知道了。"　엄마 [다카시, 텔레비전 소리 작게 해라. 아버지가 전화하고 계서.] 아이 [알았어요.]

ポイント ＜なさい＞

形 [Aなさい]　A＝動詞・ます形

意味 「A（し）ないとだめだ」（相手に指示や命令をする表現　giving a direction or command　向对方提出指示或命令的表现　상대방에게 지시나 명령하는 표현）

使い方 「もう8時だよ。起きなさい。遅刻しちゃうよ」「野菜、残したの？だめ。全部食べなさい」

【269】正解 1
A「すみません、このパンフレット、ひとついただいてもよろしいですか。」B「どうぞ、お持ちください。」
A "Excuse me, may I have one of these pamphlets?" B "Sure, help yourself."　A "对不起，这个小册子，能拿一份吗？" B "请拿吧。"　A 실례합니다. 이 팜플렛 하나 가져가도 되겠습니까? B 그러세요, 가져가세요.

ポイント ＜てもよろしいですか＞

形 [A1ても よろしいですか／よろしいでしょうか] [A2なくても よろしいですか／よろしいでしょうか]
A1＝動詞・て形　A2＝動詞・ない形

意味 「A（し）てもいいですか／A（し）なくてもいいですか」（丁寧な言い方　polite　礼貌的说法　정중한 표현）

使い方 a「すみません。このはさみ、ちょっと使ってもよろしいですか」b「あ、どうぞお使いください」

a「こちらにご住所をお書きください」b「住所ですね。電話番号は書かなくてもよろしいですか」

⚠「〜てもよろしいでしょうか」は、さらに丁寧な言い方。

【270】正解 2
最近では女性に限らず男性も化粧をするそうだ。
I hear not only women but men also put on a makeup recently.　最近，不只是女性，男性也开始化妆了。　최근에는 여성뿐만 아니라 남성도 화장을 한다고 한다.

ポイント ＜に限らず＞

形 [Aに限らずBも]　A＝名詞

意味 「AだけでなくBも」

使い方 「あそこの美術館は、週末に限らず平日もこんでいる」That museum is crowded not only on weekends but also on weekdays.　那儿的美术馆，不只是周末，平时也很拥挤。　저 미술관은 주말뿐만 아니라 평일도 붐빈다.

「このおもちゃは子どもに限らず大人にも人気がある」

【271】 正解 2

わからないことがあると、辞書とかインターネットとかで調べます。

When I have a question, I look it up in a dictionary, or check it on the Internet, and so on. 有不知道的事,在词典或网上查找。 모르는 점이 있으면, 사전이라든가 인터넷으로 알아봅니다.

ポイント <とか>

形 ［A 1 とか、A 2 とか、（A 3 とか…）］
A＝名詞、動詞・辞書形

意味 「A 1 や、A 2 や、（A 3 や…）など」

使い方 「秋は、ブドウとか梨とかの果物がおいしい」「遅くなる場合は、電話をするとか、メールを送るとかして、必ず連絡してください」

⚠ Aが形容詞の文もある。例「頭がいいとか、顔がきれいだとかは、あまり問題になりません。大切なのは心ですから」 Being smart or having a pretty face doesn't matter much. What matters is the heart. 脑子聪明、脸蛋漂亮都不是问题,重要的是心。 머리가 좋다든가, 얼굴이 이쁘다라는 점은 그다지 문제가 되지 않습니다. 중요한 것은 마음이니까요.

【272】 正解 3

A「課長、あのう、風邪を引いて具合が悪いので、今日休ませていただけませんか。」B「わかりました。どうぞお大事に。」

A "Section Manager, uh, I don't feel well because I've caught a cold. May I take a sick day today?" B "All right. Hope you feel better soon." A "科长,感冒了,不舒服,今天能休息吗?" B "知道了。请保重。" A 과장님, 저기, 감기에 걸려 상태가 안좋으니, 오늘 쉬어도 되겠습니까? B 알겠습니다. 아무쪼록 몸조리 잘하세요.

ポイント <お大事に>

形 ［お大事に／お大事になさってください］

意味 「無理をしないで、体を大切にしてください」（病気の人や体調のよくない人にやさしく言う、決まった表現）
Don't strain yourself and take good care of your health. (a set phrase said to a sick person warmheartedly) 不要勉强,保身体。 (对生病或不舒服的人说的常规的安慰话。) 무리하지 말고, 몸을 소중히 하세요 (병에 걸린 사람이나 몸상태가 좋지 않은 사람에게 친절하게 말하는, 정해진 표현)

使い方 医者「退院してからも無理をしないでください。お大事に」 患者「ありがとうございます」

【273】 正解 2

電気を節約しようと思っているが、暑い日はエアコンをつけないではいられない。

I do try to save electricity, but cannot help turning on the AC on a hot day. 虽说是要节约用电,但大热天不开空调不行。 전기를 절약하자는 생각은 하고 있지만, 더운 날은 에어컨을 켜지 않을 수 없다.

ポイント <ないではいられない>

形 ［Aないではいられない］ A＝動詞・ない形

意味 「A（し）たい気持ちが強い」「がまんできなくてA（す

る）」 cannot help doing A 不能忍受,做A 참을 수 없어서 A(하다)

使い方 「うれしくて、試験に合格したことをだれかに言わないではいられなかった」 I was so happy I couldn't help telling someone that I passed the exam. 太高兴了,考试合格的事禁不住想对人说。 기뻐서, 시험에 합격한 사실을 누군가에게 얘기하지 않을 수 없었다.

「きれいな花を見ると、写真をとらないではいられません。だから、私はいつもカメラを持ち歩いているんです」 Whenever I see pretty flowers, I cannot help taking pictures of them, so I always carry a camera with me. 看到美丽的花,禁不住想拍照。所以,我总是拿着相机走路。 예쁜 꽃을 보면, 사진을 찍지 않을 수 없습니다. 그래서 저는 언제나 카메라를 들고 다닌답니다.

第 22 回

【274】 正解 3

うちの息子は勉強の成績はともかく、やさしくて、性格がいい。

Setting his academic grades aside, our son is tender-hearted and has a nice personality. 我家的儿子,学习成绩就不用说了,心地善良,性格也好。 우리 아들은 공부 성적은 어떻든 간에, 착하고 성격이 좋다.

ポイント <はともかく>

形 ［AはともかくB］ A＝名詞

意味 「Aは別にしてB／Aは問題にしないでB」（Bのほうを言いたい） aside from A…B/regardless of A…B (the focus is on B) 不用说A, B/不说A的问题, B A는 제쳐두고 B／A는 문제삼지 않고 B (B 쪽을 얘기하고 싶다)

使い方 「この果物は、甘味はともかく、香りがとてもいい」 This fruit smells very good, though it's not so sweet. 这水果的甜度就不用说,味道很香啊。 이 과일은 단맛은 어떻든 간에, 향기가 너무 좋다.

「あの店の料理は、味はともかく値段が安くていい」 The prices at that restaurant are so reasonable, though the foods are mediocre. 那个饭店,味道就不用说了,价钱很便宜。 저 가게 요리는 맛은 어쨌든 간에 가격이 저렴해서 좋다.

⚠ ［ともかくA］という使い方もある。「（いろいろなことがあるが）まずA」／「いちばんのことはA」という意味で使う。 means "(putting aside other things) A in the first place" "(有各种各样的事),首先是A" "第一重要的是A",表现以上两个意思时使用。 [(여러가지가 있지만) 우선 A／제일 먼저는 A] 라는 의미로 사용된다

例「このお菓子は、おいしいと言う人もいるし、おいしくないと言う人もいるけど、ともかく食べてみよう」 Some people say this confectionery is good and some say it isn't. Anyhow why don't we give it a try? 这点心,说好吃的人也有,说不好吃的人也有。不管怎样,先吃吃看吧。 이 과자는 맛있다는 사람도 있고, 맛없다는 사람도 있지만, 좌우간에 먹어보자.

「あぶないこともあったが、ともかくけがをしないでよかった」 Though we went through something dangerous, I'm glad we didn't get injured after all. 也有过危险,但不管怎样,没受伤就好。 위험한 부분도 있었지만, 어쨌든 다치지 않아서 다행이다.

【275】 正解 2

私には友だちがたくさんいるが、ときどき、一人でいたいと思うことがある。

I have a number of friends, but sometimes I want to be by myself. 我虽然有很多朋友,但有时也想一个人呆着。 내게는 친구가 많이 있지만, 가끔 혼자서 있고 싶다고 생각할 때가 있다.

ポイント <ことがある>

形 [A ことがある／こともある]　A＝動詞・辞書形／ない形 [〜ない]、い形容詞 [〜い]、な形容詞 [〜な]

意味 「ときどき／たまに A場合がある」 sometimes/occasionally A　有时／偶然也有A的情况　때때로／가끔 A 하는 경우가 있다

使い方 「今日はだいたい晴れますが、午後は一時もくることがあるでしょう」「山下先生の説明はわかりやすいが、たまに難しくてわからないこともある」「この番組はたいていつまらないけれど、ときどきおもしろいこともある」

【276】　正解 1

この国での留学生活は私にとって忘れがたい思い出になるだろう。

My life as a foreign student in this country will be an unforgettable memory for me. 在这个国家的留学生活对我来说会变成难忘的回忆吧。 이 나라에서의 유학생활은 내게 있어서 잊을 수 없는 추억이 되겠지.

ポイント <がたい>

形 [Aがたい]　A＝動詞・ます形（Aは「信じる」「考える」「理解する」「言う」「忘れる」「想像する」などの動詞が多い）

意味 「Aできない／難しい」

使い方 「あんなにまじめな人が犯人だなんて、信じがたいことだ」 It is unbelievable that such a good person as he is the criminal. 那么老实的人会是犯人,真不敢相信。 저렇게 착실한 사람이 범인이었다니, 믿을 수 없는 일이다.

「このデータを見ると、日本人の生活が豊かだとは言いがたい」 From these data, it's hard to say that the life of Japanese is rich. 看了这个数据,很难说日本人的生活很富裕。 이 데이터를 보면, 일본인의 생활이 풍족하다고는 말할 수 없다.

⚠ 「食べる」「読む」など、体を動かす動作には使わない。 not used with action verbs like "eat" or "read" 像"吃""读"等身体动作不能用。 「먹다」「읽다」와 같이, 몸을 움직이는 동작에는 사용하지 않는다.

例：× 「このくつは大きいので歩きがたい」 〇 「このくつは大きいので歩きにくい」

【277】　正解 3

A 「この子が絵にかいたのは楽しい想像の世界ですね。」
B 「ええ、この絵には子どもらしさがあふれていますね。」

A "The picture that this child drew is of a fun imaginary world, isn't it?" B "Yes, and it's filled with childlikeness." A "这孩子画的画真是快乐的想象世界啊。" B "是啊。这画充满了孩童趣味啊。" A 이 아이가 그림에 그린 것은 즐거운 상상의 세계네요. B 네, 이 그림에는 아이다운 면이 넘쳐나네요.

ポイント <らしさ>

形 [Aらしさ]　A＝名詞

意味 「Aに特有の性質」 nature characteristic of A　A特有的性质　A 에 특유의 성질　（Aは「人」）が多い）

使い方 「以前は、『女には女らしさが、男には男らしさが必要だ』と言うことが多かったが、最近はあまり言わなくなった」 Before we often said "Women need to be womanlike and men need to be manlike," but we do not mention it much nowadays. 以前,会常说"女孩儿应象女孩儿,男孩儿应该像男孩儿。",最近不太说了。 이전에는『여자에게는 여자다움이, 남자에게는 남자다움이 필요하다』라고 얘기를 많이 했는데, 최근에는 그다지 얘기하지 않게 되었다.

⚠ 「らしさ」は「らしい」の名詞の形。参照【150】

【278】　正解 1

これで全部ですか。少ないですね。

Is this all? It's very little. 这是全部吗? 很少啊。 이것으로 전부입니까? 적네요.

ポイント <これで>

形 [これで全部だ／これで終わりだ]

意味 「ここまでで（終わりだ）」 this is all/the end　到这儿为止（结束了。）　여기까지로（끝이다）

使い方 「仕事が終わりましたので、私はこれで帰ります」「これで準備完了だ。さあ行こう」 Now we're all set. Let's go. 现在准备结束了。来,出发吧。 이것으로 준비완료다. 자 가자.

「これでチームの全員がそろいました。練習が始められます」

【279】　正解 1

A 「ほら、野菜が残っているじゃないの。どうして食べないの。」 B 「だって、これ、きらいなんだもん。」

A "Hey, you haven't eaten the vegetables. Why don't you eat them?" B "I don't like them." A "看,蔬菜都留着呢。为什么不吃呢？" B "但是,我讨厌这些。" A 이것봐, 야채가 남아있잖아. 왜 안먹는거니. B 왜냐면, 이거 싫어한단말야.

ポイント <だって〜もの>

形 [だって、A もの／もん／んだもん]　A＝動詞／い形容詞・普通形、な形容詞／名詞・普通形 [〜だもの／もん] [〜なんだもん]

意味 「なぜならAからだ」（親しい人に理由を言ったり、言い訳をしたりする） the reason is A (explaining the reason or making an excuse to someone close/friendly)　为什么是因为A。（对亲近的人说原因,说原委。） 왜냐하면 A 이기 때문이다 (친한 사람에게 이유를 말하거나, 변명을 할때 사용)

使い方 母「あれ、もう遊びに行くの？」子「だって、勉強、終わったもん」

⚠ ◇「もの／もん」は「ものだから／ものですから」の短い言い方。

◇あらたまった場合は、「ものですから」を使う。"ものですから" is used instead in a formal situation　在正式场合,用「ものですから」。 격식차려야 할 경우는「ものですから」를 사용한다

例 「遅くなって申し訳ございません。電車の事故があったものですから」 I'm so sorry to be late. There was a train accident actually. 迟到了，对不起。因为电车遇到了事故。 늦어서 죄송합니다． 전차 사고가 있어서요．

【280】 正解 2
これからの社会を作っていくのは、今の子どもたちです。
It is the children that will create the future society. 未来创建公司的，是现在的孩子们。 앞으로의 사회를 만들어 갈 사람은 지금의 어린이들입니다．

ポイント ＜ていく＞

形 ［Aていく］ A＝動詞・て形（「なる」など変化を表す動詞） verbs that contain the meaning "change" such as "なる" 是「なる」等表示变化的动词 [되다]와 같은 변화를 나타내는 동사）

意味 （問題文中の意味）「Aの動きが進む」（Aは変化を表す動作） "as A progresses" (A is a "changeable" verb) "A的动向（变化）在发展" A是表示变化的动作 [A의 움직임이 진행되다]（A는 변화를 나타내는 동사）

使い方①「4月に入って、雪が消えた。これからは少しずつ暖かくなっていくだろう」 ②「円が上がっていくとともに、ドルが下がっていく」 As the yen rises, the dollar lowers. 随着日元升值，美元贬值。 엔이 올라감과 동시에, 달라가 내려 간다． ③「子どもはどんどん成長していく」

◇「〜ていく」は「今から進む変化」（例①）、「一般的な変化」（例②③）を表すことが多い。一方、「〜てきた」は、前から今まで進んでいる変化を表すことが多い。"ていく" is usually used to mean "change that is going to take place from now on" (example ①), and it is "general change" (example ②③), whereas "てきた" is usually used to mean "change that has been taking place since before". 「〜ていく」是「现在开始发生的变化」（例1,）「一般的变化」表现（例2, 3）的比较处。而，「〜てきた」是表示从以前开始到现在的变化的发展的情况较多。「〜ていく」는「지금부터 진행되는 변화」（예1）,「일반적인 변화」（예2,3）을 나타내는 경우가 많다. 한편, 「〜てきた」는, 전부터 지금까지 진행되고 있는 변화를 나타내는 경우가 많다. 例「この 1, 2週間、ずいぶん寒くなってきた。これからますます寒くなっていくだろう」参照【165】

◇「持っていく」「着ていく」などは使い方が違う。
例「今日は雨が降りそうだから、かさを持っていこう」「寒いから、コートを着ていくほうがいい」

【281】 正解 3
部屋に大きなソファーを置きたいが、部屋を片付けないことにはスペースがない。
I want to place a large sofa in my room, but there's no space unless I straighten it out. 想在房间里放一个大沙发，但是不整理房间的话，就没有地方。 방에 큰 소파를 두고 싶은데, 방을 치우지 않고서는 공간이 없다．

ポイント ＜ないことには＞

形 ［Aないことには B（ない）］ A＝動詞・ない形、い形容詞［〜く］、な形容詞／名詞［〜で］

意味 「Aなければ Bできない」「Bするためには Aなければならない」 "cannot do B unless A" "need to do A in order to do B" 「没有A就不能做B」「为了做B, 没有A不行」 [A 하지 않으면 B 할 수 없다] [B 하기 위해서는 A 하지 않으면 안된다]

使い方「何を勉強するかを決めないことには、受験する大学が選べない」 You cannot pick your college you want to apply for unless you decide what you want to study. 如果不能决定学习什么，就不能选择要考的大学。 뭘 공부할지 정하지 않고서는, 수험 볼 대학을 선택할 수 없다．

「免許を取らないことには車の運転はできない」 You cannot drive a car unless you get the licence. 不取得驾照就不能开车。 면허를 취득하지 않고서는 자동차 운전은 할 수 없다．

【282】 正解 4
A「うちの社長が今度本を出しまして…。」B「ええ、それは、もちろん存じております。」
A "Our president has recently published a book." B "Yes, we know that of course." A "我们的社长这次出书了…。" B "是啊，当然知道啦。" A 저희 사장님이 이번에 책을 내서요． B 네, 그건 물론 알고 있습니다．

ポイント ＜存じております＞

形 ［（私は 〜を）存じております］

意味 「知っています」（謙譲語 humble 谦让语 겸양어）

使い方「（あなたの）お父様のお名前を、よく存じておりますよ。有名な方ですから」 I know your father's name well since he is a famous person. （你的）父亲的名字, 我当然知道, 因为是有名的。 （당신）아버님 성함은 잘 알고 있답니다．유명한 분이니까요．

【283】 正解 1
まじめな西川さんが仕事をさぼって遊びに行ったとは、ちょっと考えられません。
I just cannot believe that such an earnest person as Mr. Nishikawa skipped work and went out to play around. 那么老实的西川, 工作不做去玩儿, 很难想象啊。 착실한 니시가와씨가 일을 빼먹고 놀러 갔다니, 좀 생각할 수 없습니다．

ポイント ＜とは＞

形 ［Aとは、B］ A＝動詞／形容詞／名詞・普通形

意味 （問題文中の意味）「Aということは／Aについては、B」「Aなんて、B」（Bで驚きや意外を表す B shows one's surprise or unbelievable feeling 因为B, 感到震惊和意外 B로 놀라움이나 의외임을 나타낸다）

使い方「社長が急にやめるとは、驚きました」「おとなしい彼女がそんなに怒るとは、信じられない。何があったのだろう」 I cannot believe such a quiet person as she got so mad. Wonder what happened? 那么老实的她会那样发火, 真难相信。碰到什么事了吗？ 얌전한 그녀가 저렇게 화를 내다니, 믿을 수 없다. 무슨일이 있었을까？

⚠ ことばの説明や定義をする使い方もある。参照【10】

【284】 正解 2
時間どおりに会場に着けるように、電車の時間を調べておこう。
I'm going to check the train schedule in advance so we can get to the hall on time. 为了准时到会场, 来查看一下电车时间吧。 시간에 맞

취 회장에 도착할 수 있도록, 전차 시간을 알아봐 두자.

ポイント ＜とおり／どおり＞

形 ［Aのとおり(に)／Aどおり(に)］　A＝名詞

意味 「Aに合わせて／Aと同じに」 suiting A/in the same way as A　符合A/和A相同　A에 맞춰서／A와 같이

使い方「部長の指示のとおりにやらないと、怒られるよ」 You'll be scolded if you don't do as the Department Head told you to.　如果不照部长的指示去做，会发怒的。　과장님 지시대로 하지 않으면, 혼날꺼야.

「約束どおり9時に駅に行ったのに、だれも来ていなかった」 I got to the station at 9:00 as was so agreed, but nobody was there.　约好的时间9点到了车站，但谁也没有来。　약속대로 9시에 역에 갔는데, 아무도 오지 않았다.

⚠ ◇「Aどおり」「Aのとおり」と言い方が変わるので注意。
◇［Aとおりに］（A＝動詞・辞書形／た形）という使い方もある。参照【203】

【285】　正解2
社員「次の打ち合わせですが、部長のご都合がよろしければ、金曜日の午後はいかがでしょうか。」部長「ええ、いいですよ。」

Company employee "Regarding our next meeting, how about Friday afternoon if it's convenient for you, Department Head?" Department Head "Sure, that's fine with me."　职员："下次碰头，如果部长有时间的话，星期五午后怎么样？"部长："好的。"　사원［다음 회의입니다만, 부장님 스케줄이 괜찮으시다면, 금요일 오후는 어떠십니까？］부장［네, 좋습니다］

ポイント ＜ご都合がよろしければ＞

形 ［ご都合がよろしければ］

意味 「(日時や場所が)よかったら／あなたの予定と合うなら」 if (date and time are) convenient for you　（时间或地点）可以／如果符合你的预定　（일시나 장소가）괜찮으면／당신의 예정과 맞다면

使い方 不動産屋「ご都合がよろしければ、今からお部屋にご案内することもできますが」客「あ、今日はこれから予定があって…明日はどうですか」

【286】　正解1
空は晴れているのに、雨が降っている。変な天気だ。

It's raining though the sky is clear. It's weird weather.　天空很晴朗，但是却下着雨。奇怪的天气。　하늘은 맑은데, 비가 내리고 있다. 이상한 날씨다.

ポイント ＜のに＞

形 ［AのにB］　A＝動詞／い形容詞・普通形／な形容詞／名詞・普通形（現在形［～な］）

意味 「A、しかしB」（Bは、普通Aから考えられることと合わないこと　B is contradictory to what is normally expected from A　B是与一般从A考虑的事所不相符的事　B는 보통 A로 생각해보면 맞지 않는 내용）

使い方「うちの娘は、頭がいいのに勉強しないから成績がよくないんです」「日本人なのに日本語を間違える人が増えている」

第23回

【287】　正解2
あんな人に手伝ってもらうくらいなら、たいへんでも一人でがんばるほうがいい。

I would rather do it on my own even if it's hard than having that guy help me.　如果是让那样的人帮忙，即使很辛苦，一个人干更好。　저런 사람한테 도움받느니, 힘들어도 혼자서 버티는 편이 낫다.

ポイント ＜くらいなら／ぐらいなら＞

形 ［Aくらいなら／ぐらいなら、B(の)ほうがいい］
A＝動詞・辞書形

意味 「AするよりBするほうがいい」（AもBもよくないが、比べてみてBを選ぶ　Both A and B are not good, but decide to choose B after scrutiny.　A和B都不太好，但是比较下来还是选择B　A도 B도 좋지 않지만, 견주어 B를 선택하다）

使い方「結婚してあれこれ苦労するくらいなら、一生独身でいるほうがいいと思う」 I would rather remain single all my life than getting married and going through various difficulties.　如果结婚要受各种艰难困苦，还是一辈子单身的好。　결혼해서 이것저것 고생하느니, 평생 독신으로 사는 편이 낫다고 생각한다.

「あなたと別れるぐらいなら死んだほうがいい」 I would rather die than breaking up with you.　如果要和你分手还不如死了好。　너랑 헤어지느니 죽는 편이 낫다.

【288】　正解2
今日もまた部長に「残業してくれ」と言われると思ったら、何も言われなかった。

I thought the Department Head would tell me to work overtime again today, but he didn't.　今天也觉得部长会说"留下来加班吧。"，但什么也没说。　오늘도 또 부장한테「잔업해줘」란 얘기 들을 줄 알았는데, 아무말도 없었다.

ポイント ＜たら＞

形 ［Aた＋ら、B］　A＝動詞・た形

意味 (問題文中の意味)「Aした後、Bがわかった」（Bは、新しく知ったこと、したこと、意外なことなど　B is something new/surprising one found out/discovered etc.　B是新知道的东西，发现的东西，意外的事。　B는 새롭게 안 일, 발견한 일, 의외의 일 등）

使い方「彼、独身だと思っていたら、子どもが3人もいるんだって」 I thought he was single, but found out he has as many as three children.　以为他是独身呢，却有3个孩子。　그는 독신이라 생각했는데, 아이가 3명이나 있대.

「朝起きて、窓のカーテンを開けたら、外は雪で真っ白だった」 When I got up in the morning and opened the curtains at the window, it was all white outside with snow.　早上起来, 打开窗帘, 外面是银白的雪的世界。　아침에 일어나 창문 커텐을 열었더니, 밖은 눈으로 새하얬다.

⚠ ◇「たら」が＜もし／～場合＞という意味を表す文もある。参照【236】

◇＜～た後で／～てから＞という意味を表す文もある。参照【107】【146】

【289】 正解 3

A「まりちゃん、ずいぶんピアノが上手になりましたね。」
B「いえいえ、それほどでもありません。まだまだです。」
A "Mari, you play piano much better now." B "No, no, not that good yet." A "真理,钢琴弹得好多了。" B "不,并不那么好。还差得很远呢。" A 마리야, 피아노가 꽤 많이 늘었네. B 아니오, 그정도는 아닙니다. 아직 부족해요.

ポイント ＜それほどでもありません＞

形 ［それほどでもありません／それほどでもない］

意味「いいえ、それほど高いレベルではありません／大したことはありません」（能力が高いとか、上手だとほめられたときなどに謙遜して返すことば　replying humbly when complimented on his/her ability or good skill　当被表扬能力很强，或很行时,回应的谦逊的话　능력이 높다거나, 잘한다라고 칭찬받았을 때 겸손하게 답하는 말）

使い方 a「君は植物や花の名前をよく知っているね」b「いや、それほどでもないよ」a "You know a lot of names of plants and flowers." b "No, not that many." A "你知道不少植物和花的名字啊。" B "不,并不那么多。" A 너는 식물이나 꽃 이름을 잘 아는구나. B 아니, 그정도는 아니야.

【290】 正解 4

A「君はみんなとカラオケに行かないの？」B「うん。明日テストだから、帰って勉強しないと。」
A "You're not going to a karaoke with everyone?" B "Nope. I need to go home and study 'cause I'm having a test tomorrow." A "你不大家一起去唱卡拉 OK 吗？" B "不,明天有考试,不能不回家学习。" A 너는 모두와 가라오케 안가니? B응. 내일 테스트니까, 가서 공부해야해.

ポイント ＜ないと＞

形 ［Aないと。］　A＝動詞・ない形

意味 A（し）なければならない／ないといけない／ないとだめだ」

使い方「あ、事故だ。警察と救急車を呼ばないと」Oh, it's an accident! We need to call the police and an ambulance.　啊,有事故。快叫警察和救护车。　어, 사고다. 경찰하고 응급차를 불러야.

「成績が上がらないね。あんまり勉強してないんじゃないの？もっとがんばらないと」Your grades haven't improved. You're not studying much, are you? You do need to work harder. 成绩上不去啊。没怎么学习吧？一定要更好学习啊。　성적이 안오르네. 그다지 공부 안하는거 아니니? 더 노력해야지.

⚠️◇話しことばで使うことが多い。
◇ A＝い形容詞［～くない］、な形容詞／名詞［～じゃない］の文もある。「Aじゃないのはだめだ／Aがいい」という意味。例「このかばん、買いたいけど、もっと安くないと、ちょっと…」「この仕事はやはり田中さんじゃないと」This job has to be taken care of by Mr. Tanaka after all.　这个工作不是田中的话不行。　이 일은 역시 다나까씨이어야해.

【291】 正解 2

子どもが生まれると、夫婦は子どもを中心にして生活するようになる。
After a baby is born, a married couple start living a life centering on the child. 孩子出生后,夫妇是以孩子为中心生活的。　아이가 태어나면, 부부는 아이를 중심으로 하여 생활하게 된다.

ポイント ＜を中心に＞

形 ［Aを中心に（して）B／Aを中心にしたC］
A＝名詞　B＝動詞　C＝名詞

意味「Aが中心にある 時／場所／状態で」at a time/in a place/in a state centering on A　A是中心 时间／场所／状态　A가 중심에 있는 시간／장소／상태로

使い方「今日は昼ごろを中心に雨が降るでしょう」It will rain mostly around noon today.　今天中午前后会下雨　오늘은 점심때를 중심으로 비가 예상됩니다.

「城下町とは、城を中心にしてできた町である」"Castle town" is a town built around a castle. 城下街是以城为中心而形成的街道　죠카마치란, 성을 중심으로 하여 만들어진 마을이다.

「彼女の生活は仕事を中心にして動いている」Work is in the center of her life. 她的生活是以工作为中心而转着的。　그녀의 생활은 일을 중심으로 하여 움직이고 있다.

「日本チームは、キャプテンを中心にしたチームワークを大切にしている」The Japan team values team work putting the captain in the center. 日本队很重视以队长为中心的队员之间的配合。　일본팀은 캡틴을 중심으로 한 팀웍을 중요하게 여기고 있다.

【292】 正解 2

A「足のけが、いかがですか。もうだいじょうぶですか。」B「ええ、もう何ともないんです。ご心配をおかけしました。」
A "How's your injured foot? Is it healed now?" B "Yes, it is. Thank you for your concern." A "脚的受伤,怎么样了？已经好了吗？" B "是的,已经没问题了。让您担心了。" A 다리의 상처, 어떠세요? 이제 괜찮으세요? B네, 이제 멀쩡해요. 걱정끼쳐드려 죄송합니다.

ポイント ＜何ともない＞

形 ［何ともない／何ともありません］

意味「悪いところがぜんぜんない／まったくだいじょうぶだ」

使い方「自転車に乗っていて、木にぶつかってしまったけれど、自転車も私も何ともなかった。よかった」I hit a tree while I was riding on a bike, but both the bike and myself were safe. Thank God. 骑着自行车撞上了树,还好,我和自行车都没事。　자전거를 타고 가다, 나무에 부딪혀 버렸지만, 자전거도 나도 멀쩡했다. 다행이었다.

【293】 正解 2

雨が降り続いている。このまま雨が続けば川があふれるのではないかと心配だ。
It has been raining continuously. I'm worried the river might overflow its banks if it continues raining at this rate.　连续下着雨,担心雨这样继续下去的话,河水会不会泛滥。　비가 계속 내리고 있다. 이대로 비가 계속 내리면 강이 넘쳐나지 않을까 걱정된다.

ポイント ＜のではないか＞

形 ［Aのではないか］ A＝動詞／い形容詞・普通形、な形容詞／名詞・普通形（現在形［〜な］）

意味 「Aかもしれない／A(の)可能性があると思う」 maybe A/think there is possibility of A 可能是A/有A的可能性 A일지도 모른다／A의 가능성이 있다고 생각한다

使い方「難しい仕事ですが、みんなの力を合わせれば、うまくいくのではないでしょうか」It is a difficult job, but don't you think it may work out if we work hard together? 虽然是很难的工作，但大家齐心合力的话，一定会做好的。 어려운 일입니다만, 모두의 힘을 모으면, 잘 되지 않겠습니까．

「あの二人はそっくりだから、双子なのではないか」Isn't it possible that the two might be twins since they look so much alike? 那两个人很像，是不是双胞胎。 저 두사람은 너무 닮았으니 쌍둥이가 아닐까．

【294】 正解 2
夫は医者に注意されたにもかかわらずたばこをやめようとしない。

My husband won't stop smoking though he was told to by his doctor. 丈夫虽然受到了医生的警告，但还是不想戒烟。 남편은 의사한테 주의를 받았음에도 불구하고 담배를 그만두려 하지 않는다．

ポイント ＜にもかかわらず＞

形 ［AにもかかわらずB］
A＝動詞／い形容詞・普通形、な形容詞・普通形（現在形［〜である］）、名詞・普通形（現在形［〜］［〜である］）

意味 「Aけれど／Aのに」

使い方「雨にもかかわらず父は畑で働いている」「娘は風邪を引いているにもかかわらずプールへ泳ぎに行った」

「未成年であるにもかかわらずたばこを吸う学生がいる」Some students, though they are under age, smoke cigarettes. 有虽然未成年，却已吸烟的学生。 미성년자임에도 불구하고 담배를 피우는 학생이 있다．

⚠「にかかわらず」は別の表現で、意味が違う。参照【114】

【295】 正解 4
ここの景色は、絵みたいにきれいだ。

This scenery is as pretty as a picture. 这儿的景色，像画一样美丽。 이곳 풍경은 그림과 같이 아름답다．

ポイント ＜みたい＞

形 ［Aみたいだ／みたいなB／みたいにC］
A＝動詞／い形容詞・普通形、な形容詞・普通形［〜な］、名詞［〜］ B＝名詞 C＝動詞／形容詞／副詞

意味 「Aよう／Aに似ている」

使い方「うれしくて、うれしくて、夢みたいです」I'm so happy it's like a dream. 太高兴，太高兴了，像做梦一样。 너무나도 기뻐서, 꿈만 같습니다．

「今日は、ひどい雨と風で、台風みたいな天気だ」「今日は台風が来たみたいな天気だ」「魚が泳ぐみたいに泳げたらいなあ」

【296】 正解 2
この仕事は、危険がある反面、給料がいい。

This job is dangerous on the one hand, but on the other it pays good. 这工作，有危险的反面，工资高。 이 일은 위험한 반면, 급료가 좋다．

ポイント ＜反面／半面＞

形 ［(〜は) A 反面／半面、B］
A＝動詞／い形容詞・普通形、な形容詞（現在形［〜な］［〜である］）、名詞・普通形（現在形［〜である］）

意味 「〜は Aだが、反対にBでもある」（1つのことに2つの面＜AとB＞があることを表す） means there are two sides (A and B) in one thing 表示一件事有(A和B)两个面 한가지 일에 두가지 면 (A과 B) 이 있다는 것을 나타낸다

使い方「インターネットは便利な反面、害もある」Internet is convenient on the one hand, but on the other it can be harmful. 因特网在便利的反面也有害。 인터넷은 편리한 반면, 해가 있다．

「この辺は森や林がいっぱい残っている反面、自然を守るのに税金がたくさんつかわれている」There are many woods and forests still remaining around here on the one hand, but on the other a lot of taxes are being spent for protecting the nature. 这一带有很多森林和树丛被保留下来的反面，为了保护自然用了大量的税金。 이 부근은 산림이 많이 남아 있는 반면, 자연을 지키기 위해 세금이 많이 사용되고 있다．

【297】 正解 1
目上の人に向かって、そんな失礼なことを言うべきではない。

You should not say such rude things to your superior. 对上司和前辈，不能说这样不礼貌的话。 윗사람에게, 그런 실례된 말을 해서는 안된다．

ポイント ＜べき＞

形 ［A べきだ／べきではない］ A＝動詞・辞書形

意味 「A(し)なければならない／(し)てはいけない」（話し手の強い主張を表す硬い表現 formal expression of the speaker's strong insistence 表现说话者的强烈主张的生硬表现 화자의 강한 주장을 나타내는 딱딱한 표현）

使い方「約束の時間に遅れるときは、早めに連絡するべきだ」When you are late for an appointment, you should call them soon. 约定的时间迟到时，应该尽早联络。 약속시간에 늦을 때는, 일찍감치 연락해야 한다．

「ちゃんと世話をしないのなら、ペットを飼うべきではない」 You shouldn't keep a pet if you don't take care of it properly. 如果不能好好照顾的话，不应该饲养宠物。 제대로 돌보지 않으면, 애완동물을 기르지 말아야 한다．

【298】 正解 1
A「今日はお招きいただきまして、ありがとうございます。」B「よくいらっしゃいました。どうぞゆっくりなさってください。」

A "Thank you very much for inviting me here today." B "Welcome. Make yourself at home and I hope you can stay long."

A"今天邀请我们来，真是谢谢了。" B"来得好。请悠闲轻松地度过时光。"
A 오늘은 초대해 주셔서, 감사합니다. B 잘 오셨습니다. 아무쪼록 편한 시간 되세요.

ポイント ＜ごゆっくり＞
形 ［ごゆっくり(なさってください)／どうぞごゆっくり］
意味「楽な気持ちでいてください／急がないでゆっくり来てください」(丁寧な表現) Make yourself comfortable./Take your time and relax. (polite) 请轻松愉快地呆着。/不要急，请慢慢过来。(礼貌的表现) 편한 기분으로 있어 주세요 / 서두르지 말고 천천히 오세요 (정중한 표현)
使い方 a「お待たせしてすみません。食事が終わったら、すぐそちらに行きます」 b「だいじょうぶですよ。どうぞごゆっくり」

【299】 正解 2
今まではアニメにあまり興味がなかったのだが、このアニメ映画はなかなかおもしろい。

I wasn't much interested in anime before, but this anime movie is pretty good. 到现在为止对动画片没什么兴趣。但是这个动画电影很有趣。 지금까진 애니메이션에 별로 흥미가 없었지만, 이 애니메이션영화는 상당히 재미있다.

ポイント ＜なかなか＞
形 ［(〜は)なかなかA］ A＝形容詞／副詞
意味(問題文中の意味)「(それほど期待していなかったが、)〜は、思ったより／かなり A」 more …A than one thought it would (though one did not expect it) (并没有那么期待)〜比想象的要/很 A (그다지 기대하지 않았는데) 〜는 생각보다 / 꽤 A
使い方「よし子さんは、自分は家事が苦手だと言っていたけれど、作ってくれた料理はなかなかおいしかった」 Though Yoshiko said she didn't like doing housework, the dish she fixed for us was pretty good. 良子自己说不喜欢家务，但煮的菜很好吃。 요시꼬씨는, 자신은 집안일을 잘 못한다고 얘기 했었는데, 만들어 준 요리는 상당히 맛있었다.
「この子はまだ小さいのに、何でもなかなかよくわかる」
⚠ ［なかなか＋動詞・否定形］という文もある。参照【209】

文の文法 2

第1回

【1】 正解 4
部長が出席できないので、部長 の ★かわりに 私 が出席します。

The director cannot attend it, so I will stand in for him. 因为部长不能出席，我代替部长出席。 부장님이 출석하실 수 없으므로, 부장님 대신에 제가 출석합니다.

ポイント ＜かわりに＞ 参照 文の文法1【29】
①「が出席します」の前に名詞が来るが、「部長は出席できない」と言っているので、「部長」は来ない→「私」が来る
⇒ ＿＿＿ ＿＿＿ ★ ＿＿ 私 が出席します。
②「かわりに」の前に「〜の」が来る⇒「の かわりに」
③「の」の前に名詞が来る⇒「部長 の ★かわりに」
⚠ ［AかわりにB］＝「Aではなく、B」

【2】 正解 4
私は山田さんの、仕事 に対する ★考え方と 態度を 尊敬して います。

I respect Mr. Yamada's ideology and behavior regarding work. 山田对工作的想法和态度，我很尊敬。 저는 야마다씨의 일에 대한 사고방식과 태도를 존경합니다.

ポイント ＜に対する＞ 参照 文の文法1【43】
①「仕事」の後に助詞が来る⇒「仕事 に対する」
⇒私は山田さんの、仕事 に対する ★ ＿＿＿ ＿＿ います。
②「います」の前は［動詞・て形］、または［名詞＋が］が来る→「尊敬して」が来る
⇒私は山田さんの、仕事 に対する ★ ＿＿ 尊敬して います。
③「考え方と」の後に名詞が来る
⇒「考え方と 態度を」
　私は山田さんの、仕事 に対する ★考え方と 態度を 尊敬して います。
⚠ 「Aに対するB」＝「Aに向かうB」 B to move toward A 对A的B A에 대한B

【3】 正解 3
私のような貧乏人に あんな すごい車が ★買える はずがない じゃありませんか。

It is not possible a poor person like me can afford such an expensive car. 像我这样的穷人，不可能买得起那样厉害的车。 나같은 가난한 사람이 저런 굉장한 차를 살 수 있을리 없지 않습니까.

ポイント ＜はずがない＞
①「はずがない」の前に、動詞／い形容詞・普通形、な形容詞［〜な］／名詞［〜の］が来る→「買える」が来る
⇒「買える はずがない」
②「買える」(「買う」の可能形)の前に「(人)に(物)が」が来る
⇒「貧乏人に すごい車が 買える」
　「貧乏人に すごい車が 買える はずがない」
③「あんな」の後に「すごい車」が合う
⇒「あんな すごい車」
　「私のような貧乏人に あんな すごい車が ★買える はずがない」
⚠ 「Aはずがない」＝［当然A(し／では)ない］［A(し／では)ないのはあたりまえだ］ "not (do) A as a matter of course" "it is only natural that it is not A" "当然不(做/是)A", "不(做/是)A是当然的" [당연히 A(하지/아지) 않다] [A(하지/이지) 않는 것은 당연하다]

【4】 正解 3

明日は　休日　　★なのに　　会社へ　　行かなきゃ
いけないんだ。いやだなあ。

Tomorrow is my day off but I have to go to work. What a pain!
明天是休息天，却必须去公司。讨厌。　　내일은 휴일인데 회사에 가지 않으면 안된다. 정말 싫다.

ポイント ＜なきゃ＞

① 「行かなきゃ」は「行かなければ」の短い形。「行かなきゃいけない」＝「行かなければいけない」
⇒明日は　　　　　★　　　　　　　　行かなきゃ　いけないんだ。

② 「行かなきゃ」（行く）の前は「～(場所)へ／に」が来る
→「会社へ」が来る
⇒明日は　　　　　★　　　会社へ　　行かなきゃ　いけないんだ。

③ 「のに」の前に名詞が来ると、「名詞［～な］＋のに」になる→「休日　なのに」

④ ★に「なのに」が入る。

⚠ 短い形（縮約形）について：参照 文の文法1 【217】

【5】 正解 1

ここの市役所はいつもこんでいる。書類を1枚　もらう
　★のに　　　1時間も　　　待たされる　　 こともある。

This city office is always crowded. You sometimes have to wait for as long as an hour just to get a single sheet of document.　这儿的市政府总是很拥挤。为了拿一张文件，有时候要等一个小时。　이 시청은 언제나 붐빈다. 서류를 한장 받는데 한시간이나 기다리게 하는 경우도 있다.

ポイント ＜される・(さ)せられる＞ ＜のに＞

① 「書類を1枚」の後に動詞が来る。「もらう」が合う。
⇒書類を1枚　もらう　　★　　　　　　　　こともある。

② 「こともある」（＝ことがある）の前に、動詞・辞書形／ない形［～ない］／使役形／受身形、い形容詞［～い］、な形容詞［～な］、名詞［～の］が来る→「待たされる」が来る
⇒書類を1枚　もらう　　★　　　　　　待たされる　こともある。

③ 「待たされる」の前は「1時間も」が合う
⇒「1時間も　待たされる」
　　書類を1枚　もらう　　★　　1時間も　　待たされる　こともある。

④ ★に「のに」が入る。

⚠ ◇「待たされる」（＝待たせられる）は「待つ」の使役受身形。参照 文の文法1 【54】
◇「Aのに」＝「A(する)ために」

第 2 回

【6】 正解 1

この大学に入るときは、　入学金と　　授業料を
　★合わせて　　多額の金が　要る。

You need a large sum of money for entrance fee plus tuition to enter this college.　进这所大学的时候，入学费、讲课费，加起来要交很多钱。　이 대학에 들어갈 때는 입학금과 수업료를 합쳐 많은 돈이 필요하다.

ポイント ＜を合わせて＞

① 「要る」の前に「～が」が来る→「多額の金が　要る」
⇒　　　　　★　　　多額の金が　要る。

② 「合わせて」（合わせる）は「2つ以上のものをいっしょにする」という意味で「AとB（とC）を合わせて」という形になる
⇒「入学金と　授業料を　合わせて」

③ ★に「合わせて」が入る。

【7】 正解 2

勉強だけに集中したいが、　生活費が　　足りない
　★ので　　アルバイトする　ほかない。

I wish I could concentrate on studying alone, but I cannot help but work part time because I don't have enough money for living.
想只专注于学习，但是生活费不够，只能临时工。　공부에만 집중하고 싶지만, 생활비가 부족하기 때문에 아르바이트를 할 수 밖에 없다.

ポイント ＜ほかない＞　参照 文の文法1 【90】

① 「ほかない」の前に、動詞・辞書形が来る
⇒　　　　　　　★　　　アルバイトする　ほかない。

② 「足りない」の前は「～が」が来る→「生活費が　足りない」

③ 「ので」が入るところを考えると、次のどちらかになる
　A「勉強だけに集中したい×が、ので　生活費が　足りない　アルバイトする　ほかない」
　B「勉強だけに集中したいが、生活費が　足りない　★ので　アルバイトする　ほかない」
Bが正しい。

⚠ 「Aほかない」＝「(しかたがないので)Aする」

【8】 正解 1

今日は、　ねぼうして　　★遅く　　なった　　せい
で、朝ご飯を食べなかった。

Today I didn't eat breakfast because I overslept and was late.
今天睡过头了，因为晚了，没吃早饭。　오늘은 늦잠을 자서 늦은 탓에 아침밥을 먹지 못했다.

ポイント ＜せいで＞　参照 文の文法1 【125】

① 「なった」（なる）の前に「～に」または「～く」が来る→1が来る→「遅く　なった」

② 「せいで」の前に、動詞／形容詞／名詞・普通形が来る→「なった」が来る→「なった　せいで」→「遅く　なった　せいで」

③ 「ねぼうして」が入るところは「遅く　なった」の前が合う
⇒　ねぼうして　　★遅く　　なった　　せいで

⚠ 「AせいでB」＝「Aが原因でBの結果になる」 result in B due to A　因为A的原因，变成了B的结果　A가 원인으로 B의 결과가 되다

【9】 正解 2

「外来語」 というのは　★外国から　来た　ことばの　ことです。

"Gairaigo" means words that came from foreign countries.　"外国语"是指从国外来的语言。　[외래어]란 외국에서 온 말을 말한다.

ポイント ＜というのは～のことだ＞ 参照 文の文法1【238】

① 「外国から」の後は「来た」が合う→「外国から　来た」
② 「外来語」(名詞)の後に直接名詞が続くことはない
→× 『外来語』ことばの」、× 『外来語』外国から」
→『外来語』というのは」が正しい
⇒「外来語」 というのは　★＿＿＿＿＿＿　こと です。
③ 「ことばの」の後に名詞が来る⇒次のどちらかになる
　A 「×ことばの　外国から　来た　ことです」
　B 「★外国から　来た　ことばの　ことです」
Bが正しい。

⚠ 「AというのはBのことだ」＝「Aの意味はBだ」

【10】 正解 1

うちの子は、試験の成績は　★ともかく　数学が 好きだ から、将来を楽しみにしている。

Our son likes math although his grades aren't that good, so we look forward to seeing how he'll turn out in the future.　我家的孩子，且不谈考试成绩如何，因为很喜欢数学，将来有期望啊。　우리 아이는, 시험 성적은 어쨌든간에 수학을 좋아하니까, 장래를 기대하고 있다.

ポイント ＜はともかく＞ 参照 文の文法1【274】

① 「から」の前に、動詞／形容詞／名詞・普通形が来る→「好きだ」が来る
⇒＿＿＿　★＿＿＿＿＿　好きだ から、
② 「ともかく」は「AはともかくB」の形で使う（A、B＝名詞）
⇒「試験の成績は　ともかく　数学が」
　試験の成績は　★ともかく　数学が　好きだ から、
③ ★に「ともかく」が入る

⚠ 「AはともかくB」＝「Aは別にしてB／Aは問題にしないでB」 setting aside A, …B/disregarding A, …B　且不说A, B/不以A为议题　A는 별도로 하고 B / A는 문제삼지 않고 B

第3回

【11】 正解 2

沖縄の海はとてもきれいですから、ぜひ 行って ★みたら どう ですか。

I would recommend you definitely go to Okinawa with its beautiful ocean.　冲绳的海美极了。一定要去看一下啊。　오끼나와의 바다는 정말 아름다우니, 꼭 보는게 어떠세요?

ポイント ＜たらどう＞ 参照 文の文法1【23】

① 「ですか」の前は「どう」が合う
⇒＿＿＿　＿＿＿　★＿＿＿　どう ですか。

② 「みたら」（みる）の前に［動詞・て形］が来ると、「てみる」の表現になる
⇒「行って　みたら」
③ 「たら」の後に「どう」がくると「たらどう」（アドバイスの表現）になる
⇒「行って　みたら　どう」
　＿＿＿　行って　★みたら　どう ですか。
⇒ ぜひ　行って　★みたら　どう ですか。

⚠ 「～たらどう」は、アドバイスをするとき、勧めるときの表現　"～たらどう" is used when giving advice or a suggestion　「～たらどう」是提出建议和提案时候的表现　「～たらどう (～하는게 어때)」는 조언할 때, 추천할 때의 표현

【12】 正解 3

私は、ときどき頭が　痛くなる　★ことが ある　ので、いつもかばんに薬を入れている。

I always keep some medicine in my bag because I sometimes have headaches.　我有时候会头疼，总是在包里放着药。　나는 가끔 머리가 아플 때가 있어서, 언제나 가방에 약을 넣어 둔다.

ポイント ＜ことがある＞ 参照 文の文法1【275】

① 「頭が」の後は「痛くなる」が合う
⇒「頭が　痛くなる」
② 「ある」の前に「～が」が来る
⇒「ことが　ある」
③ 次のどちらかになる
　A 「ときどき　頭が　痛くなる　★ことが　ある　ので」
　B 「×ときどき　ことが　ある　頭が　痛くなる　ので」
Aが正しい。★に「ことが」が入る

⚠ 「Aことがある」＝「ときどき／たまに A（する）場合がある」 sometimes/occasionally A happens　有时／偶尔 会做A　때때로／간혹 A(하는) 경우가 있다

【13】 正解 1

試合は、雨が　降る　★降らないに　かかわらず 予定どおり　行います。

The game will be played as scheduled, rain or shine.　比赛不管下不下雨都将按预定举行。　시합은 비가 오든 안오든 상관없이 예정대로 진행됩니다.

ポイント ＜にかかわらず＞ 参照 文の文法1【114】

① 「行います」の前は「予定どおり」が合う
⇒試合は、雨が＿＿＿　★＿＿＿　予定どおり 行います。
② 「かかわらず」の前に「～に」が来る
⇒「降らないに　かかわらず」
③ 「降る」が入るところを考えると、文は次のどちらかになる
　A 「雨が　降る　★降らないに　かかわらず　予定どおり 行います」
　B 「雨が　降らないに　かかわらず　×降る　予定どおり 行います」

Aが正しい

⚠️「Aにかかわらず」=「Aに関係なく／Aがどうでも」
A or not A/no matter if…A　和A没有关系／无论A如何　A에 관계없이／A가 어떻든간에

【14】　正解4
あの人とは、友人の結婚式で　★会って　以来　会う　機会がなかった。

I had not had a chance to see him since I met him at our friend's wedding.　那个人,自从在朋友的婚宴上遇到后就没机会遇到过。　저 사람과는 친구 결혼식에서 만난 이래로 만날 기회가 없었다.

ポイント ＜て以来＞　参照 文の文法1【70】

①「機会」の前に、動詞・辞書形、名詞［～の］が来る→「会う」が来る
⇒＿＿＿　★＿＿＿　会う　機会がなかった。
②「以来」の前に、動詞・て形、名詞［～］が来る→「会って」が来る
⇒「会って　以来」
③「友人の結婚式で」が入るところを考えると、正しい文は、次のどちらかになる
　A「あの人とは、友人の結婚式で　★会って　以来　会う　機会がなかった」
　B「あの人とは、×会って　以来　友人の結婚式で　会う　機会がなかった」
Bは意味が通らない。Aが正しい。

⚠️「A（て）以来」=「A（し）てから今までずっと」 have (not) done…since doing A　做了A后到现在一直　A하고 난후 지금까지 계속

【15】　正解4
甘いものは歯に悪いということで、子どもに　チョコレートを　食べさせない　★ように　している　親もいるそうだ。

I hear some parents try not to let their children eat chocolate thinking sweets are bad for the teeth.　因为甜食对牙齿不好。有不给小孩吃巧克力的父母。　단음식은 이빨에 좋지 않으므로, 아이에게 초콜렛을 먹이지 않으려고 하는 부모가 있다고 한다.

ポイント ＜ようにしている＞＜せる・させる＞

①「チョコレートを」の後に動詞が来る。「食べさせない」（食べる）が合う
⇒「チョコレートを　食べさせない」
②「食べさせる」（使役形）の前は「～（人）に～（物）を」が来る
⇒「子どもに　チョコレートを　食べさせない」
　子どもに　チョコレートを　食べさせない　★＿＿＿　親もいるそうだ。
③「食べさせない」の後に「している」は来ない→「ように」が来る
⇒「ように　している」

④★に「ように」が入る。

⚠️◇「Aようにしている」=「Aを決めて、なるべくいつもそうしている」 decide to do A and always do so　決定A,总是这样做。　A를 정해, 언제나 그렇게 하고 있다　参照 文の文法1【264】
◇「食べさせる」は使役形。参照 文の文法1【144】

第4回

【16】　正解4
課長、今日の　会議の　★資料に　目を　通されましたか。

Section Chief, have you looked through the material for today's meeting?　科长,你看了今天会议的资料吗？　과장님, 오늘 회의 자료를 훑어 보셨습니까.

ポイント ＜目を通す＞＜受身形の尊敬語＞

①「ました」の前に動詞が来る→「通され」（「通す」の尊敬語の形）が来る
⇒今日の＿＿＿　★＿＿＿　通され　ましたか。
②「目を」の後に動詞が来る
⇒今日の＿＿＿　★＿＿＿　目を　通され　ましたか。
③「資料」の前は「会議の」が合う
⇒「会議の　資料に」
④★に「資料に」が入る。

⚠️◇「目を通す」=「ざっと早く読む」
◇「（課長が会議の資料に）目を通される」=「（課長が会議の資料に）目をお通しになる」　参照 文の文法1【46】

【17】　正解1
動物園で写真をとるときは、動物を　驚かせる　★ことが　ないように　してください。

When you take a picture at the zoo, please try not to startle the animals.　在动物园拍照的时候,请不要惊吓动物。　동물원에서 사진을 찍을 때는 동물을 놀라게 하지 않도록 해 주십시오.

ポイント ＜せる・させる＞＜ようにする＞

①「動物を」の後に動詞が来る
⇒「動物を　驚かせる」
②「こと」の前に、動詞／形容詞・普通形、名詞［～の］が来る→「驚かせる」が来る
⇒「驚かせる　ことが」
　「動物を　驚かせる　ことが」
③「ない」の前は「～が」が来る
⇒「ことが　ないように」
　「動物を　驚かせる　★ことが　ないように」

⚠️◇「驚かせる」は、結果を言う使役形。参照 文の文法1【174】
◇「Aようにする」=「A（する）ために　努力する／気をつける」参照 文の文法1【264】

【18】　正解1
今年は去年に　比べて　★冬の間の　気温が　高めなので、生活がしやすい。

The temperature of this winter is higher than last year, so life is more comfortable.　今年和去年比，冬天气温较高，很容易生活。　올해는 작년에 비해 겨우내 온도가 높아서 생활하기 쉽다.

ポイント　＜に比べて＞　参照 文の文法１【142】
① 「比べて」の前に「～に」が来る
⇒ 「去年に　比べて」
　　今年は去年に＿比べて＿　＿★＿　＿＿＿　＿＿＿、生活がしやすい。
② 「高めなので」の前は「気温が」が合う
⇒ 「気温が　高めなので」
③ 「冬の間の」の後に名詞が来る
⇒ 「冬の間の　気温が」
　　「冬の間の　気温が　高めなので」
⇒今年は去年に＿比べて＿　＿★冬の間の＿　＿気温が＿　＿高めなので＿、生活がしやすい。
⚠ 「Aに比べて」＝「Aより」

【19】　正解 1
この数日はあたたかくて、＿春＿　＿★らしい＿　＿天気が＿　＿続いていた＿が、今日はとても寒い一日だった。
It has been warm with spring-like weather for the past few days, but it was cold today.　这几天天气连续很暖和，像春天一样。但是今天很冷。　요 며칠은 따뜻해서, 봄다운 날씨가 이어졌지만, 오늘은 정말 추운 하루였다.

ポイント　＜らしい＞　参照 文の文法１【150】
① 「続いていた」（続く）の前に「～が」が来る
⇒ 「天気が　続いていた」
② 「らしい」の前には、動詞／形容詞／名詞・普通形、名詞〔～〕が来る
⇒ 「春　らしい」
③ 次のどちらかの文になる
　　A 「春　★らしい　天気が　続いていた　が、」
　　B 「天気が　×続いていた　春　らしい　が、」
Aが正しい
⚠ 「Aらしい」＝「Aに特有の性質をもっている」 have characteristics peculiar to A　A持有特殊性质　A 특유의 성질을 갖고 있다

【20】　正解 4
私が社長から＿そのことを＿　＿★うかがった＿　＿のは＿　＿先週＿でした。
It was last week that I heard about it from the president.　我问社长那件事的时候是在上个星期。　제가 사장님으로 부터 그 일에 관해 들은 것은 지난주였습니다.

ポイント　＜のは～（だ）＞　参照 文の文法１【88】
① 「でした」の前に、名詞または形容詞が来る。「先週」が来る
⇒私が社長から＿＿＿　＿★＿　＿＿＿　＿先週＿でした。
② 「のは」の前に、動詞／形容詞・普通形、名詞〔～な〕が来る→「うかがった」が来る
⇒ 「うかがった　のは」
③ 「うかがった」（＝聞いた）の前に「～を」が来る
⇒ 「そのことを　うかがった　のは」
④ ★に「うかがった」が入る
⚠ 「私は先週社長からそのことをうかがいました」この文の「先週」を強く言いたいとき、文の形を変える→問題文のような形になる。If you want to stress the words "last week" in "I heard about it from the president last week," you change the structure of the sentence → like the one in the question.　我上星期向社长问了那件事。想强调此文中的"上星期"时，可变换句子的形式，→变成问句。「저는 지난주에 사장님으로 부터 그에 관해 들었습니다」이 문장의「지난주」를 강조하여 얘기하고 싶을 때, 문장의 형태를 바꾸면 문제의 문장과 같은 형태가 된다.
［AのはB（だ）］＝「AはB（だ）」

第5回

【21】　正解 4
甘いものが＿きらいな＿　＿★わけではない＿　＿けれど＿　＿ほとんど＿　食べない。
It is not that I dislike sweets, but I rarely eat them.　并不是不喜欢甜食，但几乎都不怎么吃。　단 음식이 싫은것은 아니지만, 거의 먹지 않는다.

ポイント　＜わけではない＞
① 「わけではない」の前に、動詞／い形容詞・普通形、な形容詞／名詞〔～な〕が来る→「きらいな」が来る
⇒ 「きらいな　わけではない」
② 「ほとんど」（副詞）の後は動詞が合う
⇒ 「ほとんど　食べない」
　　甘いものが＿＿＿　＿★＿　＿＿＿　ほとんど　食べない。
③ 「けれど」が入るところを考えると、次のどちらかになる。
　　A 「甘いものが　きらいな　★わけではない　けれど　ほとんど　食べない」
　　B 「×甘いものが　けれど　きらいな　×わけではない　ほとんど　食べない」
Aが正しい
⚠ 「Aわけではない」は、Aの文の全体を否定する。
✏ a 「私の説明がわかりませんか」b 「いいえ、わからないわけではないんですが、もう少し説明してください」（「わからない」を否定する） a "You don't understand my explanation?" b "It is not that I don't understand, but would you explain a little more?"（negate "don't understand"）A "不明白我的说明吗？" B "不，并不是不懂。但是请再说明一下。"（否定 "不明白"）A 제 설명 잘 모르겠습니까？B 아니요. 모르는 것은 아닙니다만, 조금 더 설명해 주세요
「人間は働くために生きるわけではない」＝「［人間は働くために生きる］のではない。ほかの目的や意味がある」"Humans do not live to work." = "It is not that humans live to work. We have other purposes and meanings."　"人并不是为了工作而生活。" = 人不是为了工作而生活，还有别的生活意义。 인간은 일하기 위해 태어난 것은 아니다 = 인간은 일하기 위해서 태어난 것은 아니다. 다

른 목적이나 의미가 있다

【22】 正解 4
今年の冬は新型の　インフルエンザが　　　全国的に　★流行する　おそれがある　ので、注意してください。

This winter it is feared that a new type of influenza will be rampant nationwide, so be careful.　今年冬天，流行性感冒可能在全国流行，请注意。　올 겨울은 신형 독감이 전국적으로 유행할 우려가 있으니, 주의해 주세요.

ポイント ＜おそれがある＞　参照 文の文法1 【226】

① 「新型の」の後に名詞が来る。しかし、「全国的に」は合わない。「インフルエンザが」が合う
⇒今年の冬は新型の　インフルエンザが　　　★　　　ので
② 「おそれがある」の前に、動詞／形容詞・普通形、名詞［～の］が来る→「流行する」が来る
⇒「流行する　おそれがある」
③ 「全国的に」が入るところを考えると「流行する」の前が合う
⇒「全国的に　流行する　おそれがある」
　新型の　インフルエンザが　　　全国的に　　★流行する　　おそれがある　ので、注意してください。

⚠ 「Aおそれがある」＝「Aかもしれない」

【23】 正解 4
夏は　気温が　★上がる　とともに　電気の使用量が増える。

In summer the higher the temperature grows, the more the use of electricity increases.　夏天随着气温升高，用电量也会增加。　여름은 기온이 올라감과 동시에 전기 사용량이 증가한다.

ポイント ＜とともに＞　参照 文の文法1 【176】

① 「電気の」の後に名詞が来る。「電気の　気温」は意味が通らない
⇒「電気の　使用量」
　夏は　　　★　　　電気の　使用量が増える。
② 「AとともにB」のA、Bは「いっしょに変化すること／いっしょに進むこと」。この文では、Bは「電気の使用量が増える」だから、Aは、それといっしょに変化すること→Aは「気温が上がる」
③ ★に「上がる」が入る

⚠ 「AとともにB」＝「Aが変わると、いっしょにBも変わる」

【24】 正解 2
本日は　お忙しい　★ところ　おいで　くださって　ありがとうございました。

Thank you very much for taking the time to come here today.　今天你在百忙之中光临，真是太感谢了。　오늘은 바쁘신데 와 주셔서 감사드립니다.

ポイント ＜ところ＞＜おいでくださる＞

① 「ありがとうございました」の前には、動詞・て形、［名詞＋を］が来る→「くださって」が来る
⇒本日は　　　★　　　　くださって　ありがとうございました。
② 「くださって」の前は「おいで」が合う（「おいでくださって」は「来てくれて」の丁寧な言い方）
⇒本日は　　　★　　おいで　くださって　ありがとうございました。
③ 「お忙しい」の後に名詞が来る
⇒ 「お忙しい　ところ」
④ ★に「ところ」が入る

⚠ 「お忙しいところ」＝「（あなたが）忙しいときに」の丁寧な言い方

【25】 正解 4
昨日からの　大雨　による　★被害は　西区だけでなく、東区にも広がっています。

The damage from the heavy rain since yesterday is spreading to not only West Ward but also to East Ward.　昨天起由于大雨，不仅西区受灾，东区也受灾了。　어제부터 내린 폭우로 인한 피해는 서구뿐만 아니라, 동구로도 확대되고 있습니다.

ポイント ＜による＞

① 「だけでなく、東区にも」の前は「西区」が合う
⇒昨日からの　　　　　　★　　西区　だけでなく、東区にも広がっています。
② 「による」の前は、原因を表す名詞が来る
⇒ 「大雨　による」
③ 「被害」の前は、原因を表す「～による」が合う
⇒ 「大雨　による　被害は」
④ ★に「被害は」が入る

⚠ 「AによるB」＝「Aが原因のB」 B caused by A　A是原因，所以B　A가 원인인 B

✏ 「冬になると、風邪による欠席者が増える」In winter, more people are absent from catching a cold.　冬天的时候，因为感冒而缺席的人会增多。　겨울이 되면, 감기로 인한 결석자가 증가한다

第6回

【26】 正解 4
昨日は、雨が降る　だろう　という　★予報に反して　天気がよかった。

Yesterday the weather was good contrary to the forecast that it would rain.　昨天天气预报说要下雨，但却是好天气。　어제는 비가 내릴 것이라는 예보와는 반대로 날씨가 좋았다.

ポイント ＜に反して＞＜という＞

① 「だろう」の前に、動詞／形容詞・普通形、名詞が来る→「だろう」の前は「降る」になる
⇒雨が降る　だろう　　　★　　　天気がよかった。

② 「に反して」の前に名詞が来る
⇒ 「予報　に反して」
③ 「雨が降るだろう」は「予報」の内容を表している。「予報」の前には内容を表すときに使う「という」が合う
⇒ 「雨が降る　だろう　という　予報」
　雨が降る　だろう　という　★予報　に反して　天気がよかった。

⚠ ◇ 「Aに反して」=「Aとは反対に／Aとは違って」参照 文の文法1【151】
◇ 「AというB」：AはBの内容を表す。

【27】　正解 4
弟は　体が　小さい　★わりには　力が　ある。
Although my younger brother is small, he has power. 弟弟虽然身体小，但是很有力气。 남동생은 몸이 작은 데 비해 힘이 있다.

ポイント <わりに／わりには> 参照 文の文法1【40】
① 「小さい」の前は「～が」が来る。しかし「力が　小さい」とは言わない（「力が弱い」と言う）
⇒ 「体が　小さい」
② 「ある」の前に「～が」が来る
⇒ 弟は＿＿　＿＿　★＿＿　力が　ある。
③ 「わりには」の前には、動詞／形容詞・普通形、名詞［～の］が来る →「小さい　わりには」
⇒ 「体が　小さい　わりには」
　弟は　体が　小さい　★わりには　力が　ある。

⚠ 「Aわりには」=「Aから予想するのと違って」contrary to what A is supposed to be　与从A预想的不同　A로 부터 예상하는 것과 달리

【28】　正解 3
A「事故があったんですって。」B「ええ、電車が動くまでは、かなり　時間が　かかり　★そうな　様子ですね。」
A "I've heard there was an accident." B "Right, it looks like it's going to take a while before the train starts running." A "说是发生了事故。" B "啊，还要等很长时间，电车才会开啊。" A 사고가 있었다면서요 B 네, 전차가 움직일 때까지 꽤 시간이 걸릴 모양이에요.

ポイント <そう> 参照 文の文法1【189】
① 「ですね」（です／だ）の前に、名詞または形容詞が来る → 「様子」が来る
⇒ かなり＿＿　＿＿　★＿＿　様子　ですね。
② 「時間が」の後は動詞が合う。「かかり」（かかる）が来る
⇒ 「時間が　かかり」
③ Bは様子から予想をして話している→様子を表す「そう」の前に、動詞なら、ます形が前に来る。この文では「かかり」（「かかる」のます形）が来る
⇒ 「時間が　かかり　そうな」
　「時間が　かかり　★そうな　様子」

⚠ 「そうな」は「そう」が名詞の前に来るときの形。［動詞+そう］は、「見たり聞いたりした様子から予想するときの表現」

【29】　正解 4
山田さんは、健康のために、毎朝　運動を　★する　ことに　している　そうです。
I've heard Mr. Yamada makes it a rule to exercise every morning for his health. 山田为了健康，好像每天早上都运动。 야마다씨는 건강을 위해 매일 아침 운동을 하기로 한 것 같습니다.

ポイント <ことにしている> 参照 文の文法1【14】
① 「そうです」の前に、動詞／形容詞／名詞・普通形が来る
⇒次の2つの文が考えられる
　A「運動を　する　そうです」
　B「運動を　している　そうです」
② 「ことに」が入るところを考えるとC「ことに　する」または、D「ことに　している」が考えられる
③ ア　A+C「運動を　している　ことに　する　そうです」
　イ　A+D「運動を　ことに　している　する　そうです」
　ウ　B+C「運動を　ことに　する　している　そうです」
　エ　B+D「運動を　する　ことに　している　そうです」
ア、イ、ウは意味が通らない→エが正しい
④ ★に「する」が入る。

⚠ 「Aことにしている」=「Aすると決めて、習慣のようにいつもAしている」decide to do A and always do A as a habit　决定做A后，养成了经常做A的习惯　A 하기로 정하고, 습관과 같이 언제나 A 하고 있다

【30】　正解 2
学生時代に　あなたの　★ような　友人に　出会えて、ほんとうによかった。
I am so happy I could meet a friend like you when I was a student. 在学生时代，遇到了像你一样的朋友，真是太好了。 학생시절에 당신과 같은 친구를 만나서 정말 다행이야.

ポイント <ような>
① 「友人に」の後は動詞が来る→「出会えて」（出会う）が合う
⇒ 「友人に　出会えて」
② 「友人に　出会えて」の後は「ほんとうによかった」が合う
⇒ 学生時代に＿＿　★＿＿　友人に　出会えて、ほんとうによかった。
③ 「ような」は、「～に」の後には来ないが、「～の」の後に来る
⇒ 「あなたの　ような」
④ ★に「ような」が入る

⚠ 「A（の）ような／ように」=「たとえばA」「Aと同じような／同じように」

✏ 「私、あなたのような人は、きらいよ」I don't like a person like you. 我不喜欢像你这样的人。 나는 당신과 같은 사람은 싫어요.

第7回

【31】 正解 2

あんなにおとなしい学生だった広子が 政治家に　　　★とは　　　まったく 想像できなかった。

Little could I imagine that such a quiet student like Hiroko would become a politician.　真没想到，那么老实的学生广子会成为政治家。
그렇게 얌전한 학생이던 히로꼬가 정치가가 되다니 전혀 상상할 수 없었다.

ポイント ＜とは＞

①「政治家に」の後は「なる」が合う
⇒「政治家に　なる」
②「政治家に　なる」の前は「（人）が」が合う
⇒「広子が　政治家に　なる」
　　あんなにおとなしい学生だった広子が　政治家に　　な
る　　★　　　　想像できなかった。
③「まったく」（副詞）の後に、動詞または形容詞が来る→
「想像できなかった」（想像する）が来る
⇒あんなにおとなしい学生だった広子が　政治家に　　な
る　　★　　まったく　想像できなかった。
④★に「とは」が入る

⚠「とは」の使い方：①驚きや意外の気持ちを表す。
express surprise or unexpectedness　表示吃惊和意外的心情　놀라움
이나 의외의 기분을 나타내다　**参照 文の文法1【283】**
②ことばの説明や定義をする。used to explain or define words
说明或定义词语　언어의 설명이나 정의를 하다　**参照 文の文法1【10】**

【32】 正解 4

あの人のスピーチは、テーマが 難し　　★すぎて　　わかり　　にくい　と思った。

I thought his speech was hard to understand with its difficult subject.　那个人的演讲，题目太难，觉得很不容易理解。　저 사람의 스피치는 주제가 너무 어려워 알기 어렵다고 생각했다.

ポイント ＜すぎる＞＜にくい＞

①「にくい」の前に［動詞・ます形］が来る
⇒「わかり　にくい」
②「すぎて」（すぎる）の前に、動詞・ます形、い形容詞
［〜い］、な形容詞［〜］が来る。「難し」が来る
⇒「難し　すぎて」
③「と思った」（と思う）の前に、動詞／形容詞／名詞・普
通形が来る→「にくい」（い形容詞）が来る
⇒テーマが　　　★　　わかり　　にくい　と思った。
⇒テーマが　難し　★すぎて　　わかり　　にくい
と思った。

⚠◇「Aすぎる」＝「必要以上にAだ」more A than necessary　必要以上A　필요이상으로 A다　**参照 文の文法1【211】**
◇「〜にくい」＝「A（する）のが簡単ではない」not easy to do A　做A并不容易　A（하는 것）이 간단하지 않다　**参照 文の文法1【57】【113】**

【33】 正解 2

たかし君、受験生が 勉強を　　しないで　　★遊んで　　ばかり　いて、いいの？

Takashi, isn't an examinee like you supposed to be studying instead of playing around?　高志君，作为考生不好好学习，只是玩，可以吗？　다까시군, 수험자가 공부하지 않고 놀고만 있어도, 괜찮니?

ポイント ＜てばかりいる＞　**参照 文の文法1【195】**

①「勉強を」の後に動詞が来る。「しないで」が合う
⇒「勉強を　しないで」
②「ばかり」の前に1、3は来ない。［動詞・て形］が合う
⇒「遊んで　ばかり」
③次のどちらかになる
　A「受験生が　勉強を　しないで　★遊んで　ばかり　い
て、いいの？」
　B「受験生が　×遊んで　ばかり　勉強を　しないで　い
て、いいの？」
Aが正しい。

⚠「Aてばかりいる」＝「いつもAをしていて、ほかのこ
とをしない」

【34】 正解 4

母に　電話を　　しよう　★と　　した　とき、母から電話がかかってきた。

When I was about to call my mother, she called me.　正想给母亲打电话时，母亲打来了电话。　엄마한테 전화하려고 했을 때, 엄마한테서 전화가 왔다.

ポイント ＜（よ）うとしたとき＞　**参照 文の文法1【213】**

①「とき」の前に、動詞／形容詞・普通形、な形容詞／名詞
［〜の］が来る→「した」が来る
⇒母に　　　　　　　　★　　　した　とき、
②「母に」の後を考えると、次のどちらかになる
　A「母に　電話を　した」
　B「母に　電話を　しよう」
「した」はもう入っているので、Bがいい
⇒母に　電話を　　しよう　　★　　した　とき、
③★に「と」が入る

⚠［A（よ）うとしたときB］（A＝動詞・意向形）＝「ちょうどAしようと思ったときに、B（が起こった）」

【35】 正解 2

もう何度もあやまったのだから、そんなに　　★しから
なくても　　いい　　のでは　ありませんか。

She has already apologized many times, so you don't need to scold her so much, do you?　已经道歉了好几次了，不用那样责备了吧。　벌써 몇번이고 사과했으니, 그렇게 혼내지 않아도 되지 않을까요.

ポイント ＜なくてもいい＞＜のではないか＞

①「ありません」の前は「では」が合う
⇒「のでは　ありませんか」
　　　　　★　　　　　　のでは　ありませんか。

② 「の」の前に、動詞／形容詞・普通形、な形容詞／名詞（現在形［～な］）が来る→「いい」が来る
⇒ ____ ★ ____ いい ____ のでは____ ありませんか。
③ 「～ても」の後に「いい」が来ると、「～てもいい」の表現になる→「しからなくても」の後に「いい」が合う
⇒ 「しからなくても いい」
____ そんなに ____ ★しからなくても ____ いい ____ のでは____ ありませんか。

⚠ 「Aのではないか」＝「Aかもしれない」参照 文の文法1【293】

第8回

【36】 正解 4
どんなに 練習を ____ しても ____ ★山田さん ____ みたいに 上手には 歌えない。
I cannot sing as well as Ms. Yamada however hard I may practice. 无论怎样练习，也不能像山田那样唱得好。 아무리 연습해도 야마다씨처럼 노래를 잘 하지 못한다.

ポイント ＜(どんなに)～ても／でも＞ 参照 文の文法1【186】
① 「練習を」の後に動詞が来る
⇒ 「練習を しても」
② 「どんなに」の後に「～ても／でも」が合う
⇒ 「練習を しても」
 どんなに____練習を____しても____★____上手には歌えない。
③ 「みたいに」の前に、文または名詞が来る→「山田さん」が来る
⇒ 「山田さん みたいに」
④ ★に「山田さん」が入る

⚠ 「どんなにAても」＝「とても／たくさん Aでも」

【37】 正解 3
私の家はとても古いので、大きい地震が ____ ★来たら ____ こわれる ____ のでは ____ ないかと思う。
My house is so old it might collapse when it is hit by a big earthquake, I think. 我的家很旧，如果来了大地震，说不定会毁坏。 저희 집은 너무 오래 되서, 큰 지진이 오면 무너지는 것은 아닐까 걱정이다.

ポイント ＜のではないか＞ 参照 文の文法1【293】
① 「大きい地震が」の後に、動詞または形容詞が来る。「来たら」（来る）が合う
⇒ 「大きい地震が 来たら」
② 「ないか」の前に来ることばを考えると、1、3は正しくない
⇒ 「のでは ないか」
 ____ ★ ____ のでは ____ ないかと思う。
③ 「のでは」の前に、動詞／形容詞・普通形、名詞［～な］が来る→「こわれる」が来る
⇒ ____ ★ ____ こわれる ____ のでは ____ ないかと思う。
④ 「こわれる」の前に「大きい地震が 来たら」が入る
⑤ ★に「来たら」が入る

⚠ 「Aのではないか」＝「Aかもしれない／A（する／の）可能性があると思う」 may be A/think that there's possibility of (doing/being) A 可能是A/觉得有做A的可能性 A일지도 모른다／A(할/의) 가능성이 있다고 생각한다

【38】 正解 1
年を とる ____ ★につれて ____ 好きな ____ 食べ物が 変わることもある。
Sometimes our taste for food changes as we grow older. 随着年龄的增长，喜欢的食物也会变化。 나이가 들수록 좋아하는 음식이 변하는 경우도 있다.

ポイント ＜につれて＞ 参照 文の文法1【230】
① 「年を」の後に動詞が来る。「とる」が合う
⇒ 年を____ とる ____★ ____ ____ 変わることもある。
② 「好きな」の後に名詞が来る
⇒ 「好きな 食べ物が」
③ 「食べ物が」の後に、動詞または形容詞が来る→「変わる」が来る
⇒ 「好きな 食べ物が 変わる」
 年を____ とる ____★ ____ 好きな ____ 食べ物が 変わることもある。
④ ★に「につれて」が入る（「につれて」の前に動詞が来る）

⚠ 「AにつれてB」＝「Aが変わると、Bも変わる／Aが進むのといっしょに、Bも進む」

【39】 正解 3
病気のときは、何でも ____ いいから ____ ★食べない ____ ことには、治らない。
When you're sick, you have to eat whatever you can, otherwise you won't get better. 在生病的时候，什么食物都可以（最好吃点儿），不吃一点的话可好不了。 아플 때는 뭐든 좋으니 먹지 않으면 낫지 않는다.

ポイント ＜ないことには＞ 参照 文の文法1【281】
① 「何でも」の後は「いい」が合う
⇒ 「何でも いいから」
② 「ことには」と「食べない」の順を考えると、次のどちらかになる
 A 「ことには 食べない」
 B 「食べない ことには」
「食べないことには」は「食べないと（だめだ）」という表現だから、「治らない」の前に来る
⇒ ____ ____ ★食べない ____ ことには、治らない。
⇒ ____ 何でも ____ いいから ____ ★食べない ____ ことには、治らない。

⚠ 「AないことにはB」＝「B（する）ためにはA（し）なければならない」 need to do A in order to do B 为了做B，必须做A B(하기) 위해서는 A 하지 않으면 안된다

【40】 正解 4

環境問題は、__日本に__ __限らず__ ★__世界中で__ __大きく__ なっている。

Not being limited to Japan, environmental issues have become more serious all over the world. 环境问题不只是日本，在世界上也是越来越大的问题。 환경문제는 일본뿐만 아니라 전세계적으로 커지고 있다.

ポイント <に限らず> 参照 文の文法1【270】

① 「限らず」（限る）の前に「～に」が来る
⇒ 「日本に　限らず」
② 「なっている」（なる）の前に、い形容詞［～く］、な形容詞／名詞［～に］が来る→「大きく」が来る
⇒ ＿＿＿　＿＿＿　★　大きく　なっている。
③ 「世界中で」が入るところを考えると、次のどれかになる
　A 「環境問題は、×世界中で　日本に　限らず　大きくなっている」
　B 「環境問題は、日本に　限らず　★世界中で　大きくなっている」
Bが正しい

⚠️ 「Aに限らずB」＝「AだけでなくBも」

第9回

【41】 正解 3

お皿の上の__料理を__　__食べて__　★__しまわない__　うちに　デザートを食べちゃだめよ。

You cannot eat the dessert before you finish the food on your plate. 还没吃完盘子里的菜时，不能吃餐后甜点。 접시에 있는 요리를 다 먹기 전에 디저트를 먹으면 안돼요.

ポイント <ないうちに> 参照 文の文法1【105】

① 「お皿の上の」の後に名詞が来る
⇒ 「お皿の上の　料理を」
　お皿の上の__料理を__　＿＿＿　★　＿＿＿　デザートを食べちゃだめよ。
② 「料理を」の後に動詞が来る
⇒ 「料理を　食べて」
③ ［動詞・て形］の後に「しまう」が来ると、「～てしまう」の表現になる→「食べて」の後は「しまわない」（しまう）が合う
⇒ 「食べて　しまわない」
　お皿の上の__料理を__　__食べて__　★__しまわない__　＿＿＿デザートを食べちゃだめよ。
④ 「うちに」が「～ない」の後に来ると「～ないうちに」という表現になる
⇒お皿の上の__料理を__　__食べて__　★__しまわない__　うちに　デザートを食べちゃだめよ。

⚠️ 「AないうちにB」＝「Aする前にBする」

【42】 正解 3

新入社員は、来週から__本社で__　__行われる__　★__研修に__　__参加する__　ことになった。

It has been scheduled that the new employees are going to participate in the training seminar held at the main office next week. 新职员将参加下周在本公司举行的研修。 신입사원은 다음주부터 본사에서 진행되는 연수에 참가하게 되었다.

ポイント <ことになる>

① 「研修に」の後は「参加する」が合う
⇒ 「研修に　参加する」
② 「本社で」の後は「行われる」が合う
⇒ 「本社で　行われる」
③ 次のどちらかになる
　A 「来週から　研修に　×参加する　本社で　行われることになった」
　B 「来週から　本社で　行われる　★研修に　参加することになった」
Bが正しい

⚠️ 「Aことになる」＝「A（する／しない）ことが決まる」

📝 「息子は秋に結婚することになった。これから準備で忙しくなる」 My son is going to get married in the fall. We're going to be busy with preparations. 儿子决定秋天结婚。现在开始会忙于准备。 아들은 가을에 결혼하게 되었다. 이제부터 준비로 바빠진다

【43】 正解 4

私の夫は料理が好きで、__簡単な料理__　__はもちろん__　★__ごちそうも__　__作って__　くれる。

My husband likes cooking, and fixes delicacies for us as well as simple dishes. 我丈夫喜欢做菜。简单的菜就不用说，还会给我们做盛宴。 내 남편은 요리를 좋아해서, 간단한 요리는 물론, 맛있는 음식도 만들어 준다.

ポイント <はもちろん> 参照 文の文法1【244】

① 「くれる」の前に［動詞・て形］が来ると、「～てくれる」の表現になる
⇒ 「作って　くれる」
　＿＿＿　＿＿＿　★　作って　くれる。
② 「はもちろん」の前と後に名詞が来る→「AはもちろんBも」のAには「当然のこと／一般的なもの／基本的なこと」が入る
⇒ 「簡単な料理　はもちろん」
③ ★に「ごちそうも」が入る

⚠️ 「AはもちろんBも」＝「Aは当然だが、Bさえ」even B as well as A　A是当然的, 连B也　A는 당연하지만, B조차

【44】 正解 2

A「部長、田中さんが病気で会議に出られなくなったそうです。」B「そうか。じゃ、彼の__かわりに__　★__石田さんを__　__出席させたら__　__どう__　だろう。」

A "Director, Mr. Tanaka is sick and can't attend the meeting, I've heard." B "Is that right? Then why not have Ms. Ishida attend it instead?" A "部长, 田中因为生病不能出席会议了。"B "是吗? 那么, 让石田来代替他出席, 怎么样？" A 과장님, 다나까씨가 병으로 회의에 참가하지 못하게 되었다고 합니다 B 그래? 그럼 그 대신에 이시다씨를 출석시

N3 解答

키는 것은 어떤가.

ポイント <せる・させる> <かわりに> <たらどう>
① 「石田さんを」の後に動詞が来る
⇒ 「石田さんを　出席させたら」
② 「かわりに」の前に「～の」が合う
⇒ 「彼の　かわりに」
　　彼の　かわりに　　★　　　　　　だろう。
③ 「だろう」の前は「どう」が合う
⇒ 「どう　だろう」
　　彼の　かわりに　　★　　　　どう　だろう。
⇒ 彼の　かわりに　　★石田さんを　出席させたら
　　どう　だろう。

⚠ ◇「AかわりにB」＝「AではなくてB」参照 文の文法1【29】
◇<せる・させる>（使役形）参照 文の文法1【3】
◇<たらどう>参照 文の文法1【23】

【45】 正解 3

私には、家族と離れて　暮らして　　★でも　　続けたい　仕事　がある。

I have a job which I do want to continue even if I need to be separated from my family.　我有即使和家人分离也想继续干的工作。
나에게는 가족과 떨어져 살더라도 계속해서 하고 싶은 일이 있다.

ポイント <てでも>　参照 文の文法1【8】
① 「がある」の前に名詞が来る→「仕事」が来る
⇒ 家族と離れて　　★　　　　仕事　がある。
② 「仕事」の前に2、3は来ない→1が来る
⇒ 「続けたい　仕事」
　　家族と離れて　　★　　続けたい　仕事　がある。
③ 「暮らして」と「でも」の順を考えると、次のどちらかになる
　A 「家族と離れて　暮らして　★でも　続けたい　仕事がある」
　B 「×家族と離れて　でも　暮らして　続けたい　仕事がある」
Aが正しい

⚠ 「Aてでも」＝「たとえA（し）てもいいから」even if one does A　即使做A也可以　설령 A 해도 좋으니

第10回

【46】 正解 1

昨日行ったレストランでは、注文した　料理が　　なかなか　★来なくて　いらいらして　しまった。

At the restaurant we went to yesterday, our orders were not ready soon and we were frustrated.　昨天去的饭店，点的菜一直没来，弄得很急躁。　어제 간 레스토랑에서는 주문한 요리가 좀처럼 나오지 않아 짜증이 나버렸다.

ポイント <なかなか～ない>　参照 文の文法1【209】
① 「注文した」の後は「料理」が合う

⇒ 注文した　料理が　　　　　★　　　　しまった。
② 「しまった」の前に［動詞・て形］が来ると、「～てしまう」の表現になる
⇒ 「いらいらして　しまった」
　　注文した　料理が　　　　★　　いらいらして　しまった。
③ 「来なくて」と「なかなか」の順を考えると、次のどちらかになる
　A 「料理が　来なくて×なかなか　いらいらして　しまった」
　B 「料理が　なかなか　★来なくて　いらいらして　しまった」
「なかなか」の後は「～ない」が合うので、Bが正しい。

⚠ 「なかなかAない」＝「時間がたってもAが起こらない」A does not happen when the time comes　即使时间过去了，A也没有发生　시간이 지나도 A가 일어나지 않는다

【47】 正解 4

テレビの修理が終わりましたらご連絡しますので、お客様の　ご連絡先を　★教えて　いただけませんでしょうか。

We will let you know when we finish repairing your TV, so would you give us your contact information?　电视机修理完毕后会与你联系的。你能不能把联系地址告诉我？　텔레비전 수리가 끝나면 연락드리겠사오니, 손님의 연락처를 가르쳐 주시겠습니까？

ポイント <いただけませんでしょうか>　参照 文の文法1【115】
① 「でしょうか」の前に、1、3、4は来ない→「いただけません」が来る
⇒ 　　　　　★　　　いただけません　でしょうか。
② 「お客様の」の後に名詞が来る
⇒ 「お客様の　ご連絡先を」
③ 「ご連絡先を」の後に動詞が来る
⇒ 「お客様の　ご連絡先を　教えて」
④ 「いただけません」（いただく）の前に［動詞・て形］が来ると、「～ていただく」の表現になる
⇒ 「教えて　いただけません　でしょうか」
　　お客様の　ご連絡先を　★教えて　いただけません　でしょうか。

⚠ 「～ませんでしょうか」は「（～て）ください」の丁寧な言い方。

【48】 正解 4

今年は夏に気温が　上がらなかった　★うえに　雨が　多かった　ため、野菜の育ちがよくない。

The vegetables are not growing good because the temperature was not high enough and we had too much rain this summer.　今年夏天气温不高，而且降雨很多，蔬菜没长好。　올해는 여름에 기온이 오르지 않은데다가 비가 많이 내려서, 야채가 잘 자라지 않았다.

ポイント <うえに>　参照 文の文法1【98】
① 「気温が」の後は「上がらなかった」が合う

⇒今年は夏に気温が ＿上がらなかった＿ ★ ＿＿＿＿
＿＿＿＿ため

②「ため」の前に、動詞／形容詞・普通形、名詞［〜の］が来る→「多かった」が来る

⇒今年は夏に気温が ＿上がらなかった＿ ★ ＿＿＿＿
＿多かった＿ ため

③「多かった」の前に「〜が」が来る。「雨が」が来る

⇒今年は夏に気温が ＿上がらなかった＿ ★ ＿雨が＿
＿多かった＿ ため

④★に「うえに」が入る

⚠ ［Ａうえに Ｂ］＝「Ａだけではなく Ｂも」

【49】 正解 1

書類の書き方がわからなければ、＿だれかに＿ ★＿教えて＿
＿もらったり＿ ＿して＿ 書いてください。

If you don't know how to write the document, ask someone to help you. 如果文件写法不清楚的话，请教一下后再写吧。 서류 작성 방법을 잘 모르겠으면, 누군가에게 가르쳐달라거나 하여 적어 주세요.

ポイント ＜たりする＞

①「もらったり」（もらう）の前に［名詞＋を］または［動詞・て形］が来る

⇒「教えて もらったり」

②「〜てもらう」の前は「（人）に」が合う

⇒「だれかに 教えて もらったり」

③「〜たり」の後に「して（する）」が来ると「〜たりする」の表現になる

⇒「だれかに ★教えて もらったり して」

⚠ 「Ａたりする」＝「たとえばＡする」

【50】 正解 4

彼を ＿知れば＿ ★知る＿ ＿ほど＿ ＿彼が＿ 好きになる。

The more I get to know him, the more I become fond of him. 越了解他就越喜欢他。 그를 알면 알수록 그가 좋아진다.

ポイント ＜ば〜ほど＞ 参照 文の文法 1 【38】

①「好き」の前に、「〜が」が来る

⇒彼を ＿＿＿＿ ★ ＿＿＿＿ 彼が 好きになる。

②「彼を」の後に動詞が来る→「知る」または「知れば」が来る→次のどちらかになる

　Ａ「彼を ＿知る＿ ＿ほど＿ ＿知れば＿ 彼が 好きになる」
　Ｂ「彼を ＿知れば＿ ＿知る＿ ＿ほど＿ 彼が 好きになる」

Ｂは「〜ば〜ほど」の表現に合っている→Ｂが正しい

③★に「知る」が入る

⚠ 「Ａ1ばＡ2ほどＢ」＝「Ａの動作が進むと、Ｂの程度が上がる」 when action A progresses, the level of action B rises Ａ的动作展开时，Ｂ的程度向上发展 Ａ의 동작이 진행되면, Ｂ의 정도가 올라간다

第 11 回

【51】 正解 3

生活が苦しいからといって、＿納めるべき＿ ＿税金を＿
＿★納めない＿ ＿わけにはいかない＿ んですよ。

You cannot evade paying taxes that you owe because you are badly off. 即使生活很艰苦，该交的税金不能不交。 생활이 힘들다고 하여, 납부해야할 세금을 내지 않으면 안되오.

ポイント ＜からといって＞＜わけにはいかない＞＜べき＞
参照 文の文法 1 【45】【220】【297】

①「わけにはいかない」の前に、動詞・辞書形／ない形［〜ない］が来る→「納めない」が来る

⇒「納めない わけにはいかない」

②「納めない」（納める）の前に「〜を」が来る

⇒「税金を 納めない わけにはいかない」

③「納めるべき」の後に名詞が来る

⇒「納めるべき 税金を ★納めない わけにはいかない」

⚠ 「Ａわけにはいかない」「（何か理由や事情があって）Ａできない／Ａが許されない」 cannot do A (because of some reason or circumstances)/A is not allowed （因为某种理由，情况，）不能Ａ/Ａ不可以 （뭔가 이유나 사정이 있어서）Ａ하지 못하다 / Ａ가 용서받지 못하다

【52】 正解 1

この地方は、毎年 ＿7月＿ ＿から＿ ＿★8月＿ にかけて ＿観光客でこむ。

This region gets crowded with tourists from July to August every year. 这地方，每年 7 月起到 8 月，因有很多观光客 (来临) 而变得拥挤。 이 지방은 매년 7월부터 8월에 걸쳐 관광객으로 붐빈다.

ポイント ＜にかけて＞ 参照 文の文法 1 【187】

①「から」の前は「8月」より早い「7月」が合う

⇒「7月 から」

②「にかけて」の意味は「まで」だから、「にかけて」の前に「8月」が来る

⇒「8月 にかけて」（＝「8月まで」）

　毎年 ＿7月＿ ＿から＿ ＿★8月＿ にかけて 観光客でこむ。

⚠ 「ＡにかけてＢ」＝「ＡからＢまでの範囲で」 covering the area of A to B 从Ａ到Ｂ的范围 Ａ부터 Ｂ까지의 범위에서

【53】 正解 3

集合の場所も時間も忘れてしまったので、＿電話して＿
＿★聞いて＿ ＿みる＿ ＿しか＿ ありません。

I have forgotten the meeting place and time, so calling to ask is the only solution. 忘了集合的场所，时间，只能打电话询问。 집합 장소도 시간도 잊어버려서, 전화해서 물어볼 수밖에 없습니다.

ポイント ＜しかない＞＜てみる＞

①この文では、「ありません」（＝ない）の前に来ることばは「しか」だけ

⇒ ＿＿＿＿ ★ ＿＿＿＿ しか ありません。

② 「しか」の前に［動詞・て形］は来ない→「みる」が来る
⇒ 「みる　しか　ありません」
　＿＿＿　★　みる　＿＿＿　しか　ありません。
③ 「電話して」と「聞いて」の順は次のどちらかになる
　A 「電話して　★聞いて　みる　しか　ありません」
　B 「×聞いて　電話して　みる　しか　ありません」
Aが正しい
⚠ 「A（する）しかない」＝「Aするほかに方法がない／しかたがないからAする」there's no other way than doing A/do A because it can't be helped　只有做A，没有其他方法／没有办法只能做A　A할 수밖에 방법이 없다／하는 수 없으므로 A하다　参照 文の文法1【190】

【54】　正解 1
明日は事務所の掃除をしますので、＿動き＿　やすい　★服を　着て　来てください。
We will clean up the office tomorrow, so come in an easy-to-move outfit. 明天事务所大扫除，请穿方便易动的衣服。 내일은 사무실을 청소할 예정이니, 움직이기 편한 옷을 입고 와 주세요.
ポイント ＜やすい＞　参照 文の文法1【37】
① 「服を」の後に動詞が来る。「着て」（着る）が合う
⇒ 「服を　着て」
② 「やすい」の前に、［動詞・ます形］が来る
⇒ 「動き　やすい」
③ 次のどちらかになる。
　A 「服を　着て　×動き　やすい　来てください」
　B 「動き　やすい　★服を　着て　来てください」
Bが正しい。
⚠ 「Aやすい」＝「A（する）のが　楽だ／簡単だ」

【55】　正解 2
ここに　駐車する　　ことができる　　★のは　30分以内に　限られています。
You can park your car here up to 30 minutes only. 这里只能停车30分钟。 여기에 주차할 수 있는 것은 30분이내로 한정되어 있습니다.
ポイント ＜に限る＞＜のは＞
① 「ことができる」の前に［動詞・辞書形］が来る
⇒ 「駐車する　ことができる」
② 「ことができる」の後に3は来ない→「のは」が来る
⇒ 「駐車する　ことができる　のは」
③ 「30分以内に」が入るところを考えると、次のどちらかの文になる。
　A 「ここに　駐車する　ことができる　★のは　30分以内に　限られています。」
　B 「ここに　×30分以内に　駐車する　ことができる　のは　限られています。」
Aが正しい
⚠ 「Aに限る」＝「Aだけだ」参照 文の文法1【50】

第12回
【56】　正解 1
姉は、＿恋人＿　が　★いる　くせに、別のボーイフレンドからもらった手紙を大切にしている。
My older sister has a boyfriend, and yet treasures the letter she received from another male friend. 姐姐虽然已经有了恋人，但还是很珍惜别的男朋友写来的信。 언니는 애인이 있으면서, 다른 남자친구로부터 받은 편지를 소중히 간직하고 있다.
ポイント ＜くせに＞　参照 文の文法1【235】
① 「くせに」の前に、動詞／い形容詞・普通形、な形容詞［〜な］、名詞［〜の］が来る→「いる」が来る
⇒ 「いる　くせに」
② 「いる」の前は「〜（人）が」が合う
⇒ 「恋人　が　★いる　くせに」
⚠ 「〜くせに」＝「〜のに」

【57】　正解 1
彼は、＿今は＿　★ただの　社員に　すぎないけれど、将来は社長になるかもしれない。
He is just a company employee now, but in the future he may become president. 虽然他只是一般的社员，但将来可能会成为社长。 그는 지금은 단지 사원에 불과하지만, 장래에 사장이 될지도 모른다.
ポイント ＜にすぎない＞　参照 文の文法1【153】
① 「けれど」の前に、動詞／形容詞／名詞・普通形が来る。1、2、4は来ない→「すぎない」（すぎる）が来る
⇒ ＿＿＿　★　＿＿＿　すぎない　けれど、
② 「すぎない」の前に「〜に」が来る
⇒ ＿＿＿　★　社員に　すぎない　けれど、
③ 「ただの」の後に名詞が来る
⇒ 「ただの　社員」
　　今は　★ただの　社員に　すぎない　けれど、
⚠ 「Aにすぎない」＝「ただA（である）だけだ」only A　只是A　단지 A 일뿐이다

【58】　正解 2
運動するために、エレベーターを　使わずに　★階段を　使う　ようにしています。
I try to use the stairs not the elevator for exercise. 为了运动，不坐电梯，走楼梯。 운동하기 위해 엘리베이터를 사용하지 않고 계단을 사용하도록 하고 있습니다.
ポイント ＜ずに＞＜ようにする＞　参照 文の文法1【80】【264】
① 「ようにしています」（ようにする）の前に、動詞・辞書形、または動詞・ない形［〜ない］が来る→「使う」が来る
⇒ ＿＿＿　★　使う　ようにしています。
② 「使わずに」（使う）の前に「〜を」が来る⇒1、2、3の順番は次のどれかになる
　A 「エレベーターを　使わずに　★階段を　使う」
　B 「階段を　使わずに　★エレベーターを　使う」
③ 「〜ずに」は「＝（し）ないで」の意味だから、「運動す

るために」にはAが合う。
⚠️ 「AずにB」＝「A（し）ないでB（する）」

【59】 正解 3
最近、私、<u>いくら</u>　★ねても　ねむくて　<u>困って</u>　いるんです。
Recently I have a problem still feeling sleepy even after I've slept long enough.　最近我无论睡多少都还瞌睡，真没办法。　요즘 나는 아무리 자도 잠이 와서 곤란해 하고 있습니다．

ポイント ＜（いくら）〜ても＞　参照 文の文法1【186】
①「困って」の後は「いる」が合う
⇒＿＿＿　★　＿＿＿　困って　いるんです。
②「AてもB」のAとBは反対のこと。→A「ねても」B「ねむい」
⇒「ねても　ねむくて」
③「いくら」が入るところを考えると、正しい文は次のどちらかになる
　A「いくら　★ねても　ねむくて　困って　いるんです」
　B「ねても　ねむくて　×いくら　困って　いるんです」
Aが正しい
⚠️ 「いくらAても」＝「とても／たくさん　Aても」

【60】 正解 2
今日は2月　にしては　　★あたたかくて　　春になった　かのよう　です。
Being so warm for February today, it feels like spring has come.
今天，虽说是2月，但是很暖和，像春天一样。　오늘은 2월치고는 따뜻해서 봄이 된 것만 같습니다．

ポイント ＜にしては＞ ＜かのようだ＞
①「です」の前に来るのは「よう」しかない
⇒「かのよう　です」
　今日は2月＿＿＿　★　＿＿＿　かのよう　です。
②「かのよう」の前に、動詞／形容詞／名詞・普通形が来る
→「春になった」が来る
⇒今日は2月　　★　　春になった　　かのよう　です。
③「にしては」の前に、動詞／形容詞・普通形、名詞[〜]が来る。[動詞・て形]は来ない→「2月」が来る
⇒今日は2月　にしては　　★　　春になった　かのよう　です。
④★に「あたたかくて」が入る
⚠️◇「Aにしては」＝「Aから予想されるのとは違って」different from what is expected of A　和从A预想的不同　A로 예상되는 것과는 달리　参照 文の文法1【84】
◇「Aかのようだ」＝「（ほんとうは違うのに）A（の）ようだ」feel/sound like A (though not A)　(其实不一样)但像A一样　(본래는 틀리지만) A와 같다　参照 文の文法1【169】

第13回

【61】 正解 3
両親に学費を出してもらっているので、今後も勉強を続けるかどうかは、<u>両親に</u>　<u>相談して</u>　★から　<u>でないと</u>　<u>決められない</u>。
I can't decide till I consult with my parents if I'm going to continue studying or not because my parents pay for my tuition.　因为是父母付的学费，今后能不能继续学习，不和父母商量不能决定。　부모가 학비를 내주고 있기 때문에, 앞으로도 공부를 계속할지 어떨지는 부모와 상담하지 않으면 결정할 수 없다．

ポイント ＜てからでないと＞　参照 文の文法1【118】
①「両親に」の後は「相談して」が合う
⇒「両親に　相談して」
②「相談して」の後は「から」が合う
⇒「両親に　相談して　から」
③「でないと」が入るところを考えると、正しい文は次のどちらかになる
　A「……×どうかは、でないと　両親に　相談して　から　決められない」
　B「……どうかは、両親に　相談して　★から　でないと　決められない」
Bが正しい。
⚠️ 「AてからでないとB」＝「B（する）ためには、先にA（し）なければならない」have to do A first in order to do B　为了做B，必须先做A　B(하기) 위해서는 먼저 A하지 않으면 안된다

【62】 正解 3
昨日は、すごく疲れていたので、電車の中で　<u>立った</u>　★まま　<u>いねむりを</u>　<u>して</u>　<u>しまった</u>。
I was so tired yesterday I fell asleep while I was standing on the train.
昨天太累了，在电车里站着打盹了。　어제는 너무 피곤했기 때문에, 전차 안에서 선채로 졸아 버렸다．

ポイント ＜たまま＞　参照 文の文法1【133】
①「しまった」の前に、[動詞・て形]が来る
⇒電車の中で＿＿＿　★　＿＿＿　して　しまった。
②「して」（する）の前は「〜を」が来る
⇒電車の中で＿＿＿　★　　いねむりを　　して　しまった。
③「まま」の前に、動詞・た形、または、名詞[〜の]が来る→「立った」が来る
⇒「立った　まま」
　電車の中で　立った　　★まま　　いねむりを　して　しまった。
⚠️ 「AたままB」＝「A（し）た状態でB（する）」do B while doing A　在做A的状态下，做B　A(한) 상태에서 B(하다)

【63】 正解 2
問題が難しい　<u>から</u>　　★といって　　すぐに　あきらめる　のは、よくない。

It's not good to give up soon because the question is difficult. 说是问题很难，就马上放弃，这可不好。 문제가 어렵다고 하여 바로 포기하는 것은 좋지 않다.

ポイント ＜からといって＞ ＜のは＞

① 「のは」の前に、動詞／い形容詞・普通形、な形容詞／名詞［～な］が来る→「あきらめる」が来る
⇒ 難しい ___ ___ ★ ___ あきらめる のは、
② 「すぐに」の後は動詞が合う
⇒ 難しい ___ ★ すぐに あきらめる のは、
③ 次のどちらかになる。
　A 「難しい といって から すぐに あきらめる のは、よくない」
　B 「難しい から ★といって すぐに あきらめる のは、よくない」
Aは意味が通らない→Bが正しい
⚠ ［AからといってB］=『AだからBだ」とは言えない場合もある」Sometimes you cannot say "it is B because it is A." 也有并不能说"因为A就B"的场合。 ［A이기 때문에 B이다］라고 말하기 어려운 경우도 있다. 参照 文の文法1【45】

【64】　正解 2

僕たちがいくらがんばっても、実力が ___ ★世界一の チームには 負ける にきまっている。
Everybody knows we're going to be beaten however hard we try by the team who are the strongest in the world. 毫无疑问，我们不论怎么努力，实力也不如世界第一的队。 우리가 아무리 노력해도, 실력이 세계 1위인 팀한테 지고 말것이다.

ポイント ＜にきまっている＞　参照 文の文法1【260】

① 「にきまっている」の前に、動詞／形容詞／名詞・普通形 が来る→「負ける」が来る
⇒ ___ ★ ___ 負ける にきまっている。
② 「負ける」の前は「～に（は）」が来る→「チームには」が来る
⇒ ___ ★ チームには 負ける にきまっている。
③ 次のどちらかになる。
　A 「×世界一の 実力が チームには 負ける にきまっている」
　B 「実力が ★世界一の チームには 負ける にきまっている」
Bが正しい
⚠ 「Aにきまっている」=「絶対に／間違いなく Aだ」 it is definitely A/it is A of course 绝对／准确无误是A 절대로／틀림없이 A 다

【65】　正解 3

出発までまだ時間があるから、そんなに あわてる ★ことは ない でしょう。
We won't have to hurry so much because we still have time till our departure. 离出发还有时间，不用这么慌张。 출발하기 전에 시간이 있으니, 그렇게 서두를 필요는 없습니다.

ポイント ＜ことはない＞　参照 文の文法1【180】

① 「こと」の前に、動詞／形容詞・普通形、名詞［～の］が来る→「あわてる」が来る
⇒ 「あわてる ことは」
② 「ことは」の後には「ない」が来る
⇒ 「あわてる ことは ない」
③ 「そんなに」の入るところを考えると、次のどちらかになる
　A 「あわてる ことは ×ない そんなに でしょう」
　B 「そんなに あわてる ★ことは ない でしょう」
Bが正しい
⚠ 「Aことはない」=「Aする必要はない」

第14回

【66】　正解 3

林君は、私が 何度も ★教えた にも かかわらず、まだ仕事をおぼえていない。
Hayashi hasn't learned how to do the job yet even after I instructed him many times. 虽然我几次教了林氏工作的事，但是他（她）还是记不住。 하야시는 내가 여러번 가르쳐 줬는데도 불구하고, 아직도 일을 익히지 못했다.

ポイント ＜にもかかわらず＞　参照 文の文法1【294】

① 「かかわらず」の前に「～にも」が来ると、「～にもかかわらず」の表現になる
⇒ 「にも かかわらず」
② 「にもかかわらず」の前に、動詞／形容詞／名詞・普通形が来る→「教えた」が来る
⇒ 「教えた にも かかわらず」
　　私が ___ ★教えた にも かかわらず、まだ仕事をおぼえていない。
③ 「何度も ★教えた にも かかわらず」
⚠ 「Aにもかかわらず」=「Aけれど／Aのに」

【67】　正解 3

春の 新製品の ★発売は 3月 上旬 でございます。ご案内のはがきをお送りしますので、ぜひご来店ください。
We will begin our sales for the spring new product at the beginning of March. We are sending you information on a postcard and hope you come visit our store. 春天的产品的出售，是在3月上旬。将会邮寄给你介绍详细情况的明信片，请一定来敝店。 봄 신상품 발표는 3월 초순입니다. 안내 엽서를 보내드렸으오니, 꼭 내점해 주십시오.

ポイント ＜でございます＞　参照 文の文法1【152】

① 「上旬」の前は「3月」が合う
⇒ 「3月 上旬」
② 「発売」の前は「新製品の」が合う
⇒ 「新製品の 発売は」
③ 「でございます」（です）の前に名詞が来る

⇒春の_____ ★ ＿＿3月＿＿ ＿上旬＿ でございます。
⇒春の＿新製品の＿ ★発売は ＿3月＿ ＿上旬＿ で
ございます。
⚠「～でございます」は「です」の丁寧な言い方。

【68】 正解 4
うちの娘は＿ひま＿ ＿さえ＿ ★あれば ＿携帯電話＿
を 使っている。

My daughter spends every spare moment using her cellphone.
我家的女儿只要有时间，就在用手机。 우리 딸은 틈만 있으면 휴대폰을 사용하고 있다.

ポイント <さえ～ば> 参照 文の文法1【132】
①「使っている」(使う)の前に「～を」が来る
⇒「携帯電話を 使っている」
うちの娘は＿＿＿＿ ＿＿＿＿ ★＿＿ 携帯電話を 使っている。
②「あれば」(ある)の前は「～が」が合うが、「～が」はこの文にはない。しかし、「～さえ あれば」は「～が あれば」に代わることができる
⇒「ひま さえ ★あれば」
「ひま さえ ★あれば 携帯電話を 使っている」
⚠「Aさえ～(すれ)ば」は「A～(すれ)ば」を強く言う表現。

【69】 正解 1
できることはぜんぶやったのだから、たとえ＿失敗＿
＿ても＿ ★後悔し ＿ない＿ だろう。

Since I have done everything I could, I will not regret if I fail.
能做的事全都做了，即使失败也不后悔。 할 수 있는 것은 다 했으니, 설령 실패한다 하더라도 후회하지 않겠지.

ポイント <たとえ～ても> 参照 文の文法1【172】
①「だろう」の前に、文(動詞、形容詞、名詞)が来る→1、3、4は来ない→「～ない」が来る
⇒たとえ＿＿＿＿ ＿＿＿＿ ★＿＿ ＿ない＿ だろう。
②「ない」の前に「後悔し」または「失敗し」のどちらかが来る⇒次のどちらかになる。
A「たとえ 後悔し ても 失敗し ない だろう」
B「たとえ 失敗し ても ★後悔し ない だろう」
Aは意味が通らない。Bが正しい
⚠「たとえAても」＝「Aの場合でも」 even if it is A 即使是A的場合 A의 경우에도

【70】 正解 2
お金がないから、外国旅行 なんて ＿行き＿ ★たく
ても ＿行け＿ ません。

I wish I could travel abroad but cannot afford it. 因为没有钱，想去外国旅行也不行。 돈이 없으니, 외국여행은 가고 싶어도 가지 못합니다.

ポイント <なんて> 参照 文の文法1【257】
①「なんて」の前に、動詞／形容詞・普通形、名詞[～]が

来る
⇒「外国旅行 なんて」
外国旅行＿なんて＿ ＿＿＿＿ ★＿＿ ません。
②「たくても」(たい＋ても)の前に[動詞・ます形]が来る
⇒A「行き たくても」 B「行け たくても」
Bは正しくない。Aが正しい
③「ません」の前には[動詞・ます形]が来る
⇒「行け ません」
外国旅行 なんて ＿行き＿ ★たくても ＿行け＿
ません。
⚠「Aなんて」は、Aを強く言う表現。

第15回
【71】 正解 4
彼は、最近＿酒＿ ばかり ★飲んでいる ＿よ
うだ＿ が、どうしたのだろう。

Looks like he drinks all the time recently. What's wrong with him?
他最近拼命喝酒，不知怎么了？ 그는 요즘 술만 마시고 있는 것 같은데, 무슨 일 있는건가?

ポイント <ばかり> 参照 文の文法1【195】
①「ようだ」の前に、動詞／形容詞／名詞・普通形(現在形[～の])が来る
⇒「飲んでいる ようだ」
②「が、」の前は、動詞／形容詞／名詞・普通形が来る→「ようだ」＝[名詞「よう」＋だ](名詞・普通形)だから、「が、」の前に「ようだ」が来る
⇒＿＿＿＿ ＿＿＿＿ ★飲んでいる ＿ようだ＿ が、
③「飲んでいる」の前に名詞が直接来ることはない
⇒＿酒＿ ばかり ★飲んでいる ＿ようだ＿ が、
④★に「飲んでいる」が入る
⚠「Aばかりする」＝「いつもAする」

【72】 正解 2
海岸のゴミを拾うという ＿ボランティア活動が＿ ★K大
学の ＿卒業生を＿ ＿中心にして＿ 続けられている。

A volunteer activity to pick up trash at the beach is being carried out by mainly K University graduates. 清除海岸垃圾的义务活动，以K大学的毕业生为中心正在继续着。 해안 쓰레기를 줍는 봉사활동이 K대학 졸업생을 중심으로 이어지고 있다.

ポイント <を中心にして> <という>
①「海岸のゴミを拾うという」の後に名詞が来る→「ボランティア活動」が来る
⇒海岸のゴミを拾うという ＿ボランティア活動が＿ ＿★＿
＿＿＿＿ ＿＿＿＿ 続けられている。
②「中心にして」の前に「～を」が来る
⇒「卒業生を 中心にして」
③「卒業生」の前は「K大学の」が合う
⇒「K大学の 卒業生を 中心にして」
⇒海岸のゴミを拾うという ＿ボランティア活動が＿ ＿★K

大学の　　卒業生を　　中心にして　続けられている。
◇「Aを 中心に／中心にして」＝「Aが中心にある状況で」mainly/chiefly A　A是中心的状况　Aが中心にある状況で
参照 文の文法1【291】
◇［AというB］：AはBの内容を説明する。A explains B
A说明B的内容　AはBの内容を説明する

【73】　正解 3
外国人だ　からこそ　　★発見できる　　その国の
すばらしさ　もある。
Superiority of a country can sometimes be only discovered by foreigners.　正因为是外国人，所以能发现那个国家的优点。　외국인이기에 발견할 수 있는 그 나라의 훌륭한 모습이 있다.

ポイント ＜からこそ＞　参照 文の文法1【185】
①「もある」の前に名詞が来る
⇒外国人だ＿＿＿　★＿＿＿　　すばらしさ　もある。
②「その国の」の後に名詞が来る
⇒外国人だ＿＿＿　★＿＿＿　その国の　　すばらしさ
もある。
③「外国人だ」の後に3は来ない→「からこそ」が来る
⇒外国人だ　からこそ　　★＿＿＿　その国の　　すばらしさ　もある。
④★に「発見できる」が入る
⚠「〜からこそ」は、「〜から」(理由)を強く言う表現。
「〜からこそ」expresses reason with emphasis　「〜からこそ」是强调「〜から(原因,理由)」的表现形式　「〜からこそ」는 「〜から」(이유)를 강하게 말하는 표현

【74】　正解 1
家に　着いた　　とたん　　★雨が　降って　きた。ぬれないでよかった。
The moment I got home, it started raining. I was glad I didn't get wet.
一到家就下雨了。还好没有淋湿。　집에 도착하자 마자 비가 내리기 시작했다. 젖지 않아 다행이다.

ポイント ＜たとたん＞　参照 文の文法1【108】
①「家に」の後に「着いた」が合う
⇒家に　着いた　　　　★　　　　きた。
②「とたん」の前に、[動詞・た形] が来る
⇒「着いた　とたん」
家に　着いた　　とたん　　★　　　　きた。
③「雨が」の後は「降って」(降る)が合う
⇒「雨が　降って」
⇒「雨が　降って　きた」
④★に「雨が」が入る。
⚠「AたとたんB」＝「A(し)たすぐその後に、急にBが起こった」Right after doing A, B happened suddenly　刚做完A,马上发生了B　A한 바로 그 다음에, 갑자기 B가 일어났다

【75】　正解 4
広告によると、Y店ではパソコンが　安く　　買える
★という　　ことだった　ので、さっそく行ってみた。
I went to Y Store soon after I found out on the advertisement that computers were on sale.　从广告知道，在Y店能买到便宜的电脑，马上就去了。　광고에 의하면 Y점에서는 컴퓨터를 저렴하게 살 수 있다고 해서 당장 가 보았다.

ポイント ＜ということだ＞　参照 文の文法1【218】
①「広告によると」から、この文が聞いたことや読んだことを伝える文(伝聞)だとわかる。「ということだ」は伝聞の表現だから、「ことだった」の前に「という」が来る
⇒「という　ことだった」
②「という」の前に、伝聞の内容が来る。この内容は「Y店ではパソコンが」の後に続くこと。「パソコンが」の後は「安く　買える」が合う
⇒Y店ではパソコンが　安く　　買える　　★
ので、
⇒Y店ではパソコンが　安く　　買える　　★という
ことだった　ので、
⚠「Aということだ」＝①「Aそうだ(伝聞)」②「(〜について説明すると)Aだ」

文章の文法

第1回
正解 ①4　②1　③1　④3　⑤4

解説
文章の大意
薬の使い方の説明：
説明書を必ず読んでください。○この薬はかゆいところに使う液体の薬で、においがありません。　○傷のあるところ、目のまわり、くちびるには使ってはいけません。　○同じところに続けて使ってはいけません。　○薬を使用したところが赤くなったり、治らないときは医者に相談してください。
Instructions for how to use this medicine：Read the instructions carefully. ○ This is a liquid-type medicine used for itchiness and is scent-free. ○ Do not use this on scars, around the eyes, or on the lips. ○ Do not use this on the same area(s) repeatedly. ○ If the applied area reddens or does not get better, consult with your physician.　药的用法的说明：请一定阅读说明书。○这是在瘙痒处使用的液体药物, 没有气味。　○请不要在伤口, 眼睛周围和嘴唇上使用。　○在同一处不能连续使用。　○在使用本药品时, 如发现皮肤变红或用后也没治好, 请和医生商量。　약 사용법에 관한 설명：설명서를 반드시 읽어 주십시오. ○이 약은 가려운 곳에 사용하는 액체 약으로, 냄새가 없습니다 ○상처가 있는 부위, 눈주변, 입술에는 사용해선 안됩니다 ○같은 곳에 연속하여 사용해서는 안됩니다 ○약을 사용한 곳이 빨개지거나, 낫지 않으면 의사와 상담해주세요

1「必要なときに（　）、大切にしまっておいてください」：薬を飲む人が必要なときに読むことができるように、しまう⇒「読めるように」

◆[AようにB]=「Aの状態になるようにBする」AはBの目的を表す。Aは「なる」「できる」など、自分の意志とは関係ない動詞。"to do B so the state of A can be abtained." A is the purpose for doing B. A will be such involuntary verbs as "become" or "be able". "为了达到A的状态，做B。"A是B的目的。A是"变成""能"等与自己意志没有关系的动词。 「Aの 상태가 되도록 B 하다」A는 B의 목적을 나타낸다. A는「なる(되다)」「できる(할수있다)」와 같은, 자신의 의사와는 관계없는 동사.

📝「風邪を引かないように、あたたかいセーターを着た」

選択肢の言葉

1、2[ために]参照 文の文法1【219】
1、3「読む」は意志動詞（自分の考えでする動作を表す動詞）なので、「ように」は使わない。「読むために」を使う。Because "read" is a voluntary verb (action done by one's own will), you need to use "読むために" instead of "読むように". 因为「読む」是意志动词.（表示由自己的想法而做的动作的动词）。所以不能用「ように」。而是用[読むために]。 「読む」는 의사동사（자신의 생각으로 하는 동작을 나타내는 동사）이므로,「ように」는 사용하지 않는다「読むために」를 사용한다.

2「さらっとした液体ですが、容器の先にスポンジがついているので、（　）なっています。」:「つけやすい」+「なっている」⇒「つけやすくなっている」

◆い形容詞[〜い]+動詞⇒[〜く+動詞] 例「大きく書く」「やさしく話す」

3「（　）。まず、傷があるところ、目のまわり、くちびるなどに使用しないでください。それから、同じところに続けて長く使用しないでください」:してはいけないことを2つ言っている⇒（　）は「してはいけないことがある」という意味＝「注意する点があります」

◆まずA。それからB。」＝「1番目にA。2番目にB。」をあげたり、方法を説明するときの表現 used when giving an example or explaining a method 举例或说明方法时的表现 예를 들거나, 방법을 설명할 때의 표현

📝「日本の文化を紹介します。まず、茶道です。それから、日本料理です」Let me introduce some Japanese cultures. I'll start with the tea ceremony, and then move on to Japanese cuisine. 来介绍一下日本文化吧。首先是茶道。然后, 是日本料理。 일본의 문화를 소개하겠습니다. 먼저, 다도입니다. 그 다음으로 일본요리입니다. 「では、料理を始めます。まず、野菜を洗います。それから、小さく切ります」

4「同じところに続けて長く使用しないでください。（　）、顔は2週間以内、その他のところは4週間以内にしてください。」:「顔は2週間以内、その他のところは4週間以内」は「続けて長く使用してはいけない」ことの具体的な例⇒（　）＝「たとえば」

◆「たとえば」＝「例をあげると」for example 举例 예를 들면

選択肢の言葉

1[つまり]:前に述べたことをまとめるときのことば used when summarizing the previously stated things 总结前面所叙述的事时所用的词语 전에 서술한 내용을 정리할 때의 단어 例「肉ばかり食べていてはだめです。野菜だけでもだめです。つまり、バランスのいい食事が大切です」You should not eat meat alone and should not eat vegetables alone either. In short, it's important to have a well-balanced diet. 光吃肉不行, 光吃蔬菜也不行。总之, 营养均衡的饭菜很重要。 고기만 먹어서는 안됩니다. 야채만도 안됩니다. 즉, 균형잡힌 식사가 중요합니다.

2[もちろん]＝「言わなくてもわかるように」as you know well without my mentioning it 不说也明白 말하지 않아도 알고 있듯이 例「もちろん健康は大切です」Of course health is important. 当然健康很重要。 물론 건강은 중요하다.

4[それとも(〜か)]:どちらか一つ選ぶときのことば used when choosing one of the two 选一个时的用语 어느쪽인가 하나를 선택할때의 단어 質問の文で使う。例「コーヒーにしますか。それとも、紅茶にしますか」

5「③注意する点があります。まず、……使用しないでください。それから、……使用しないでください。……してください。以上のことに気をつけないと、症状が（　）。」:「注意を守らないと、症状が悪くなる」という意味⇒「悪くなるおそれがあります」

◆[おそれがある]参照 文の文法1【226】

選択肢の言葉

1[ずにはいられない]参照 文の文法1【4】
2[Aことになっている]＝「Aが決まっている」予定や規則など、決まっていることを言うときの表現 used to explain what one is supposed to do in a schedule or rules 表示预定, 规则等决定了的事时候所说的表现 예정이나 규정 등, 결정된 내용을 말할때의 표현 例「3時に田中先生と会うことになっている」
3[にきまっている]参照 文の文法1【260】

第2回

正解 1 3　2 2　3 4　4 4　5 3
解説
文章の大意

日本では、気候に合わせて家がつくられている。たたみは、水分をよく吸収する草で作られていて、夏の蒸し暑さを弱める。また、障子に使われている和紙は強い太陽の光や冷たい風を防ぐ。最近は、たたみや和紙はあまり使われなくなったが、窓の外に植えた植物の葉で夏の強い光を防ぎ、空気を冷やす「緑のカーテン」が使われている。「緑のカーテン」は、日本の気候や現代の日本人の暮らし方に合っているので、今後も使われるだろう。

In Japan houses are built to accommodate with the climate. Tatami is made out of grass which absorbs water well and lowers the humidity in the summer. And the washi (Japanese paper) used for the paper screen keeps away the strong sun light or cold wind. Although tatami or washi are not as commonly used as before, "green curtain," made out of leaves of plants grown right outside the windows, which keeps away the strong summer light and cools the air, is now being used. This "green curtain" will continue to be used because it matches the climate of Japan and the life style of the Japanese.　在日本，迎合气候来建造家。榻榻米，是使用容易吸水的草编的，可以减少闷热程度。还有，拉窗上使用的和纸有防止强烈日照和寒冷的风的作用。最近，不用榻榻米与和纸了，利用窗户外面植物的叶子，夏日可遮挡阳光，冷却空气。"绿色窗帘"很合适日本的气候和现代日本人的生活方式，今后也会被继续使用吧。　일본에서는 기후에 맞춰 집이 지어지고 있다. 다다미는 수분을 잘 흡수하는 풀로 만들어져 있어서, 여름의 무더위를 누그러뜨려준다. 또한, 장지문에 사용되고 있는 화지 (일본전통 종이) 는 강한 태양의 빛과 차가운 바람을 막아준다. 최근에는 다다미와 화지는 사용되고 있지 않지만, 창밖에 심어 놓은 식물의 잎으로 여름의 강한 빛을 막고, 공기를 식히는 [녹색 가든] 이 사용되고 있다. [녹색 가든] 은, 일본의 기후와 현대 일본인들의 생활방식에 맞기때문에, 앞으로도 사용될 것이다.

💡

1「日本では昔からこの気候に合わせた家がつくられてきました」:
□だれが家をつくったかを言いたい場合は、「山田さんが家をつくった」と言う。だれがつくったかを言う必要がない場合は、「家がつくられた」と言う。例「駅前に新しいビルが建てられた」
□昔から今まで続いていることを表すには「～てきた」を使う。
「～てきた」is used to express something that has been carried out since a long time ago.　在表现从以前到现在持续着的事情时，使用「～てきた」。 예전부터 지금까지 계속되고 있는 것을 나타낼 때는 「～てきた (～ 해 왔다)」를 사용한다.
「つくられた」+「てきた」⇒「つくられてきた」
◆［てきた］参照 文の文法1【165】

選択肢の言葉
1［A（ら）れる］動詞Aの受身形　参照 文の文法1【27】【77】【97】　例「この寺は 300 年前に建てられた」
2［Aてある］=「Aした状態だ」be in the state of A　做A的状态　A 한 상태다
A=他動詞 (transitive verb 及物动词,他动词 타동사)・て形例「この部屋は暑いので、まどが開けてあります」
4［ておく］参照 文の文法1【126】

2「冷たい空気が部屋の中に入るのを防ぎます」:「冷たい空気が部屋の中に入らないようにする」
◆［～のを防ぐ］参照 文の文法1【162】

選択肢の言葉
1［ことが］を使う例：［ことがある］参照 文の文法1【275】
［Aことができる／できない］　例「20 歳になったら、酒を飲むことができる」「免許がないので、車を運転することができない」
3［とか］参照 文の文法1【271】
4［ものを］=「もの(物)」+を　例「すみません。メモをしたいので、何か書くものを貸してくださいませんか」「おなかがすいた。何か食べる物を買いに行こう」

3「いすに座ることが多くなりましたから、日本の家では和室が（　　）。」:「日本人はたたみに座らなくなった」から、だんだん「たたみの部屋」(「和室」) は使わなくなっている。
⇒「和室がへっている」=「和室がへりつつあります」
◆［つつある］参照 文の文法1【267】

選択肢の言葉
1「へるだけだ」=「増えないで、へる」
2［やすい］参照 文の文法1【37】【129】
3［てもかまわない］参照 文の文法1【135】
4「窓から入ってくる風は窓の外側の植物が出す水分（　　）冷やされている」:「水分が風を冷やす」=「風は水分によって冷やされる」

選択肢の言葉
1［にとって］参照 文の文法1【241】
2［につれて］参照 文の文法1【230】
3［AにともなってB］①「AといっしょにB」例「地震にともなって津波が起こった」A tsunami followed the earthquake.　伴随着地震，发生了海啸。 지진과 함께 쓰나미가 일어 났다. ②「Aが変化するとBも変化する」例「季節の変化にともなって山の景色も変わる」

5「この緑のカーテンは、日本の気候や現代日本人の暮らし方によく合っていますから、これからの日本の家に（　　）」:「これから緑のカーテンはふえる」⇒「これからも使われつづける」=「使われていくでしょう」
◆［ていく］参照 文の文法1【280】

第3回
正解　**1** 1　**2** 4　**3** 3　**4** 4　**5** 2
解説
文章の大意

外国で活躍するスポーツ選手は、その国の言葉ができないと困るだろう。しかし、ドイツのチームに入ったあるサッカー選手は、ドイツ語はあいさつぐらいしかできないけどなんとかなるから大丈夫だと言う。また、あるゴルフ選手は、英語を勉強しているのは冗談がわかるようにするためだという。このように、「外国人に負けないように」と思って努力するのではなく、心の余裕と前向きな考え方をもつことが外国で活躍するスポーツ選手には必要だろう。

It is imagined that sports players playing in foreign countries must have ability to use the foreign language. However, it is reported that a soccer player who became a member of a German team says although he can only say greetings in German, he will somehow make it and things will work out just fine. A golf player also says the reason he is studying English is because he wants to understand their jokes.　As described above, it may be important that sports players playing in foreign countries should rather have relaxed mind and positive thinking than seriously try to be competitive with the foreign players.　对于在国外活跃着的运动员，我们一般认为他们会因为不懂该国语言而处境艰难。但是，加入德国队的某足球选手说，他只会打招呼程度的德语但是没问题。另外，某高尔夫选手说，学英语只是为了能懂得别人的玩笑话。像这样，并不是为了"不输给外国人"而努力，而是心中从容，积极的思考方式，是在国外活跃的运动选手所必须拥有的。
외국에서 활약하고 있는 스포츠 선수는, 그 나라의 언어를 구사하지 못하면 곤란하겠죠. 그러나, 독일 팀에 들어간 어떤 축구선수는, 독일어는 인사정도 밖에 못하지만 어떻게든 될 것이니 괜찮다고 얘기한다. 또한, 어떤 골프선수는 영어를 공부하는 것은 농담을 알아듣기 위해서라고 말한다. 이렇듯 「외국인에게 지지 않기 위해서」라고 생각하며 노력하는 것이 아니라, 마음의 여유와 긍정적인 사고를 갖는 것이 외국에서 활약하는 스포츠 선수에게는 필

요한 것이다.

💡

1 「その国の言葉ができないことは、おそらく大きなストレスに（　）。」：「その国の言葉ができないと、きっと大きなストレスになるだろう」と推測している。⇒「なるに違いない」

◆「おそらく」＝「きっと」推測を表す。例「今度の選挙ではおそらくM党が勝つだろう」

◆［に違いない］参照 文の文法1【49】

選択肢の言葉

2［Aてばかりいる］＝「いつもAしていて、ほかのことをしない」A＝動詞・て形　例「失恋した妹は泣いてばかりいる」My younger sister who is suffering a broken heart keeps crying. 失恋的妹妹只是不停地哭泣。　실연당한 여동생은 울고만 있다.

3［にすぎない］参照 文の文法1【153】

4［A（よ）うとする］参照 第10回 2 ◆

2 「日常生活だって言葉（　）できなくても、なんとかなりますよ」：「言葉はできなくてもいい/言葉はそれほど大切ではない」と言っている⇒「言葉なんかできなくてもいい」

◆［なんか］参照 文の文法1【136】

選択肢の言葉

1［ばかり］参照 文の文法1【195】

2［しか～ない］参照 文の文法1【190】

3［さえ］参照 文の文法1【228】

3 「外国人が言った冗談が（　）自分だけ笑えないのがくやしかったからですよ」：冗談がわからないから笑えなかった。⇒「わからないせいで」

◆［せいで］参照 文の文法1【125】

選択肢の言葉

1［そうだ］参照 文の文法1【19】

2［なら］参照 文の文法1【72】【91】【177】

4［ために］参照 文の文法1【52】【219】

4 「努力するのは大切なことだ。しかし、『外国人に負けないようにしよう』と思って努力し続けたら、つらくなる（　）だろう」：努力は大切だが、続けると、ときどきつらくなるだろう」＝「つらくなることもあるだろう」

◆［Aこともある］＝「A（の）場合もある」A is also possible/probable　也有A的场合　경우도 있다　「ときどきA」

選択肢の言葉

1［Aことになる］＝「Aする/しないが決まる」「Aという結果になる」"it is decided that they do/do not do A" "have the result of A" "已经决定 做/不做 A" "变成 A 的结果"　[A 하는 것 / 하지 않는 것이 정해지다][A와 같은 결과가 되다]　例「父が北海道に転勤することになった」「だれもその仕事をやらないので、私がやることになった」

2［ことによる］参照 文の文法1【67】

3［ことはない］参照 文の文法1【180】

5 「このような心の余裕や前向きな考え方（　）が、外国で活躍するスポーツ選手にとって必要なのだろう」：「このよ

うな考え方が特に必要だ」と言っている⇒「このような考え方こそ必要だ」が合う

◆［こそ］参照 文の文法1【212】

選択肢の言葉

1［ほど］参照 文の文法1【196】

3［Aだけ］＝「A以外はない」　例「二人だけで会いましょう」「あなただけが頼りです」

4［A くらい／ぐらい B］＝「AほどB」

AはBの程度を表す。A refers to the degree of B　A 表示 B 的程度　A는 B의 정도를 나타내다

例「なみだが出るくらいうれしかった」I was so happy I almost cried.　高兴得眼泪都出来了。　눈물이 날 정도로 기뻤다.

第4回

正解 1 **2**　2 **3**　3 **2**　4 **2**　5 **2**

解説

文章の大意

日本は食べ物に関する情報が多い。テレビのバラエティー番組、ニュース番組、新聞、雑誌も毎日のように食べ物の情報を伝えている。温泉旅行の広告にも、温泉の情報ではなく、食べ物の情報が使われていた。美しい自然や有名な建物を見ることよりもごちそうのほうが大切だということだろうか。こんな旅行の広告があるのは日本だけだ。日本人は食べることにしか興味がないのだろうか。少し残念だ。

There is a lot of information regarding foods in Japan. TV variety shows, news programs, newspapers, magazines provide information on foods almost every day. In an advertisement for a trip to a hot spring, food information was also used instead of hot spring information. Is it that good foods are more important than watching beautiful nature or famous buildings? This kind of advertisement can be found only in Japan. I wonder if Japanese are only interested in eating foods. It is a bit of a shame.　在日本有很多关于食物的信息。电视上的综合节目，新闻节目，报纸和杂志上也每天刊登关于食物的情报。在温泉旅行的广告上，写的不是温泉的情况，而是食物的情报。比起观赏美丽的自然，有名的建筑，也许食物更重要吧。这样的旅行广告也许只有日本才有。难道日本人仅仅只是对食物感兴趣？真有点令人遗憾。　일본은 음식에 관한 정보가 많다. 텔레비전의 버라이어티방송, 뉴스방송, 신문, 잡지도 매일같이 음식에 관한 정보를 전달하고 있다. 온천여행에 관한 광고에서도 온천에 관한 정보가 아닌, 음식에 관한 정보가 사용되고 있다. 아름다운 자연과 유명한 건물을 보는 것보다 맛있는 음식을 먹는 편이 중요하다고 생각하는걸까. 이런 여행 광고는 일본뿐이다. 일본인은 먹는 것 외에는 흥미가 없는 것일까? 조금 안타깝다.

💡

1 「テレビのバラエティー番組はもちろん、ニュース番組（　）食べ物の情報を伝えている」：「バラエティー番組はもちろんだが、それだけでなく、ニュース番組も食べ物の情報を伝えている」⇒「ニュース番組までも」

◆［Aまで］＝「Aの範囲まで」（Aは普通ではないこと）to the extent of A (A refers to something unusual)　"A的范围以内"(A不是普通的事)　A의 범위까지 (A는 일반적이지 않은 것)

A＝名詞

📝「子どもだけではなく、大人までゲームに夢中になっている」

選択肢の言葉

1 [Aのほかは] = 「A以外は」 A=名詞 例「田中さんのほかはみんな女性だ」(=田中さんは男性、ほかの人はみんな女性。男性は、田中さん一人)
3 [こそ] 参照 文の文法1【212】
4 [Aだけは] = 「Aは必ず」 例「では、明日10時に空港で会いましょう。パスポートだけはぜったいに忘れないでください」Well, see you all at 10:00 tomorrow at the airport. Don't ever forget your passport. 那么，明天十点在机场见面，护照一定别忘了。그럼 내일 10시에 공항에서 만납시다. 여권만은 절대 잊어버리지 마세요.

2 「テレビだけではない。新聞には毎日のように日本全国のおいしい食べ物をすすめる広告が入っているし、雑誌も、（　）といってもいいくらいだ」：「テレビも新聞も雑誌も、みんな食べ物の情報を伝えている」⇒ **食べ物の情報が出ていないものはないといってもいいくらいだ**

◆「食べ物の情報が出ていないものはない」=「食べ物の情報は必ず出ている」
[Aないものはない] = 「みんなAだ／必ずAだ」

✎「大スターの彼を知らない人はいない」There is almost no one who doesn't know this big star. 可以说没有人不知道大明星的他。대스타인 그를 모르는 사람은 없다고 말해도 좋다.

3 「温泉へ行くのだから、おふろのお湯がいいとか、リラックスできる環境がすばらしいとか、旅行会社がすすめることは、（　）」：「温泉に行くのだから、旅行会社は温泉に合ったことをいろいろすすめるのが普通だ。食べ物の情報だけではないはずだ」⇒ **いろいろあるはずだ**

◆ [Aはずだ] = 「きっとAだと思う／当然Aだろう」 Aは確かな理由や根拠から推測すること。"must be A/of course A" A refers to something one conjectures for a certain reason or ground　"觉得一定是A/当然是A" A是从确凿的理由,根据推断出来的事物。[필시 A 라고 생각한다 / 당연히 A이겠지]A 는 확실한 이유나 근거로 추측하는 것

✎「山下さんの妹さんは、10年前に会ったときは小学生だったから、今は大学生のはずだ」

4 「世界中をさがしたとしても、こんな旅行の広告があるのは日本だけかもしれない」：「もし世界中をさがしても、こんな旅行の広告があるのは日本だけかもしれない」

◆ [としても] 参照 文の文法1【139】

選択肢の言葉
3 [ば] 参照 文の文法1【193】

5 「日本人は食べることしか（　）のか」：「しか」のあとには「ない」という意味のことばがくる ⇒ **楽しみがない**

選択肢の言葉
3 「楽しまなければならない」=「楽しむ」
4 「楽しまずにはいられない」=「楽しむ」
◇ [ずにはいられない] 参照 文の文法1【4】

第5回
正解 1 **3** 2 **2** 3 **1** 4 **1** 5 **5**
解説
文章の大意

北海道旅行の案内：
〇北海道の美しい自然を楽しむ旅行　〇1日仕事を休めばいいスケジュールだ。　〇有名な美しいラベンダー畑や山や湖などのすばらしい自然を楽しんだり、チーズ工場でチーズ作りを体験したり、個人旅行では行けないワイン工場を見学したりする。　〇自由時間もあって、乗馬や、気球に乗ったり、買い物をしたりするプランがある。　〇泊まるところは、自然に囲まれたおしゃれなホテルだ。
ぜひ参加してほしい。

A guide for a trip to Hokkaido： 〇 a trip to enjoy the beautiful nature of Hokkaido 〇 a schedule needing you to take only one day off from work 〇 You can enjoy the beautiful nature of famous lavender field, mountains, lakes etc., experience making cheese at a cheese factory, or visit a wine factory (which is difficult for a private trip). 〇 You also can have free time when you can enjoy horse riding, ballooning, or shopping. 〇 You'll stay in a stylish hotel surrounded by nature. We hope you can join us.
关于北海道旅行的介绍：〇是欣赏北海道美丽自然的旅行。　〇只要工作休息一点就可以去的日程安排。〇观赏有名的美丽的薰衣草田，山脉和湖。在奶酪工厂参观学做奶酪，在个人旅行不可能去的葡萄酒工厂参观学习。〇也有自由的时间，可以骑马，坐气球，购物。〇住的是被自然包围着的饭店。请一定参加。　북해도여행의 안내：〇북해도의 아름다운 자연을 즐기는 여행 〇하루 일을 쉬면 되는 스케줄이다 〇유명한 아름다운 라벤다밭이나 산과 호수등의 멋진 자연을 즐기거나, 치즈공장에서 치즈만들기를 체험하거나, 개인여행으로는 갈 수 없는 와인공장을 견학하기도 한다 〇자유시간도 있어, 승마를 하거나, 기구를 타거나, 쇼핑할 수 있는 프로그램도 있다 〇묵을 곳은 자연으로 둘러싸인 멋진 호텔이다 꼭 참가해 줬으면 좋겠다

1 「7月は北海道を旅行するのに最高の季節です」：「7月は北海道を旅行するにいちばんいいときだ」=「7月は北海道を旅行するのにいちばんいいときだ」

◆ [Aのにいい] = 「A（の）ために、いい」

選択肢の言葉
1 [のが] 参照 文の文法1【258】
2 [のを] 参照 文の文法1【162】
4 [AのでB] = 「AだからB」 AはBの理由。例「ゆうべは疲れていたので、早く寝た」

2 「「金曜日1日だけ休みをとればいいという、どなたにも参加しやすいスケジュールです」：「この旅行に参加する人は、仕事を1日休むだけでいい」⇒ **1日休めばいい**

◆ [AばB] =「もしAしたらB」(AはBの条件を表す　A refers to the conditions for B　A是B的条件　A는B의 조건을 나타낸다) A＝動詞・ば形、い形容詞[～ⅰければ]、な形容詞／名詞[～ならば]

✎「時間とお金があれば、世界中を旅行したい」

選択肢の言葉
1 [AからB] AはBの理由。例「天気がいいから出かけよう」
3 [AないとB（ない）] = 「BのためにはAしなければならない／Aでなければいけない」 to be A for the purpose of B/ need to do A 为了B, 必须做A/ 不是A不行 B를 위해서는 A 하지 않으면 안된다 / A 가 아니면 안된다 例「免許をとらないと自動車を運転できない」You cannot drive a car unless you get the driver's

license. 如果没取得驾驶执照，就不能驾驶汽车。　면허를 취득하지 않으면 자동차를 운전할 수 없다.

4 [ても] 参照 文の文法1【186】

3　「その美しいラベンダー畑はもちろん、大雪山や摩周湖など北海道のすばらしい自然を楽しんでいただきます」:「ラベンダー畑も大雪山も摩周湖も見る。それらを見て、自然を楽しむ」⇒「7月の北海道の一番有名なラベンダー畑はもちろん見る」

◆ [はもちろん] 参照 文の文法1【244】

選択肢の言葉

2 [はともかく] 参照 文の文法1【274】
3 [にかわって] 参照 文の文法1【100】
4 [AにともなってB] 参照 第2回 4 3

4　「個人の旅行では（　　）行けないワイン工場にもご案内します」:「個人で行くのが難しいワイン工場にも行く」⇒「なかなか行けない」

◆ [なかなか〜ない] 参照 文の文法1【209】

選択肢の言葉

2 [また] =「もう一度」　例「またお会いしましょう」「いい店ですね。また来たいです」
3 [だいぶ] 参照 文の文法1【124】
4 [だいたい] =「ほとんど／およそ」例「今日の仕事はだいたい終わった。あと少しで帰れる」

5　「この機会に、ぜひ（　　）。」:「ぜひ」のあとには「〜ください」「〜したい」など希望を表すことばが来る expression of hope/desire such as "please do…" or "want to…" etc. follow ぜひ.　ぜひ 的后面，可以跟「〜ください」「〜したい」等表示希望的词语。　「ぜひ (부디)」의 뒤에는「〜ください (〜해주세요)」「〜したい (〜하고 싶다)」와 같은 희망을 나타내는 단어가 온다

⇒「ご参加ください」

◆ [ご〜ください] 参照 文の文法1【11】

選択肢の言葉

1 [なさい] 参照 文の文法1【268】
2、3は正しくない表現。

第6回

正解　1　2　2　1　3　2　4　4　5　3

解説

文章の大意

日本の子どもは、夏休みの間、『ラジオ体操』に参加する。毎朝この体操に参加することによって、子どもたちは休みの間でも寝坊をしないで早起きする。きちんとした生活ができるし、運動不足にもならないので体にいい。親はだれでも子どもが健康でいることを願う。だから、この体操は今まで長く続いてきた。親のこの願いはいつの時代にも変わらないので、ラジオ体操はこれからも続くだろう。

Japanese children participate in the "radio gymnastics" during summer vacation. Through participating in this gymnastics every morning, children get up early instead of staying in bed late even during the vacation. They can live a regular life, can avoid lack of exercise and maintain physical health. Any parents wish for their children's health, and that's why this gymnastics has long been carried out. The parents' wish of this sort never changes at any age, so this radio gymnastics will still be continued for a long time.　日本的孩子，在暑假期间参加"广播体操"。因为每天参加这个体操，孩子们即使在休假期间也不睡懒觉，很早起来。能正常生活，不会造成运动不足，对身体好。父母谁都希望孩子身体健康。所以，这体操一直持续到现在。父母的希望什么时代不会改变，所以，今后广播体操也会会延续的。　일본 아이들은 여름방학동안 「라디오체조」에 참가한다. 매일 아침 이 체조에 참가함으로써, 아이들은 방학동안에도 늦잠을 자지 않고 일찍 일어난다. 규칙적인 생활이 가능하고, 운동부족도 되지 않기때문에 몸에 좋다. 부모는 누구든 아이가 건강히 바란다. 그러므로, 이 체조는 지금까지 오랫동안 이어져 왔다. 부모의 이런 바램은 어느 시대든 변하지 않으므로, 라디오체조는 앞으로도 이어질 것이다.

💡

1　「夏が（　　）、私は、小学生のころ、毎朝、祖父といっしょにした『ラジオ体操』を思い出します」=「夏になると、祖父とラジオ体操をしたことを思い出す」⇒（　　）は「夏が来るといつも」という意味のことばが合う⇒「夏が来るたび」

◆ [Aたび(に)] =「Aするときは毎回」every time one does A　做A的时候每次　A 할 때는 매번

✏「おばあさんは旅行に行くたびにおみやげを買ってきてくれる」

選択肢の言葉

1 [ば] 参照 文の文法1【193】
3 [とき] 例「子どものとき、この川でよくあそびました」「このかばんはアメリカに行ったとき、空港で買いました」（アメリカの空港で買った）
4 [場合] case　場合　경우　例「60歳以上の場合、入場料が無料です」

2　「この『ラジオ体操』（　　）、その名前の通りラジオから流れてくる音楽に合わせてみんなでする体操のことです」:「のことです」は意味を説明するときに使うことばなので、前に「〜というのは」がくる。

◆ [AというのはBのことだ] 参照 文の文法1【238】

選択肢の言葉

2 [AといえばBだ] =「Aの代表的なものはBだ」a typical thing of A is B　A的代表性的事物是B　A의 대표적인 것은 B다　例「日本の山といえば富士山です」
3 [AということはBということだ] =「AからBがわかる」例「部屋に電気がついているということは、だれかいるということです」That the lights in the room are on means someone is in.　房间里开着灯, 说明有人在。　방에 전기가 켜져있다는 것은, 누군가 있다는 것입니다.
4 [といっても] 参照 文の文法1【263】

3　「朝、まだ（　　）、近所の人々が決められた場所に集まって行います」=「(暑くなったらたいへんなので)朝のまだ暑くない時間に……集まって行います」⇒「暑くなる前に」=「すずしい時間に」=「まだすずしい間に」「すずしいうちに」

◆ [うちに] 参照 文の文法1【223】

4　「「しかし、この体操のおかげで、子どもたちは規則正し

い生活ができるし、運動不足を防ぐこともできます」＝「この体操をするから、子どもたちは……できるし、……できます」：「この体操」をするから「できる」＝いい結果になる

◆ [のおかげで] 参照 文の文法1【156】

選択肢の言葉

1 [のせいで] 参照 文の文法1【125】
2 [について] 参照 文の文法1【178】
3 [Aのうえ] ＝「Aしてから」 例「父と相談のうえ、お返事します」I will reply to you after talking with my father. 和父亲商量后,给你回音。 아버지와 상담한 후에, 답변드리겠습니다.
5 「その親の気持ちは、（　）、変わりません。きっとこれからも続けられていくことでしょう」：[A ても／でも B] の A、B は反対の内容になる→B「変わりません」の反対の内容「変わる」が A に合う⇒「時代が変わっても」

◆ [ても／でも] 参照 文の文法1【186】

第7回

正解 1⃣ 2　2⃣ 2　3⃣ 3　4⃣ 1　5⃣ 3

解説

文章の大意

あいさつと導入：先生はお元気ですか。私は先週ひどい風邪を引きましたが、もう治りました。仕事にも行っています。
本題：みどり町の新しい美術館には、先生が好きな画家の絵がたくさんあるそうです。トムさんが見に行って、よかったと言っていたので、私も行きたいのですが、時間がなくて、まだ行っていません。先生が美術館にいらっしゃったら、どうだったか感想を聞かせてください。
結びのあいさつ：また先生に手紙を書きます。体に気をつけてください。

Greeting and introduction: How are you, teacher? I caught a bad cold last week, but now I feel fine and can go to work.
Main topic: I hear that there are a lot of paintings by your favorite artists at the new museum in Midori-cho. Tom went and said it was good, so I want to go too but haven't because I don't have time. If you have a chance to go, please let me know what you think.
Closing: I will write to you again. Please take care.
打招呼和导入：老师好吗？我上星期得了重感冒，但是现在好了。在上班。
正题 在绿町的新的美术馆中,有很多老师喜欢的画家的画。汤姆去看了,说很好,我也想去看，但没时间,还没有去。老师如果去看的话，到底怎样，一定请谈谈感想。
连接的寒暄：还会给您写信的。请注意身体。
인사와 도입 : 선생님은 건강하세요? 저는 지난주에 심한 감기에 걸렸습니다만, 이제 나았습니다. 회사에도 가고 있습니다.
본체 : 미도리마찌의 새로운 미술관에는, 선생님이 좋아하시는 화가의 그림이 많이 있다고 합니다. 톰씨가 보러 가서, 좋았다고 하니, 저도 가고 싶습니다만, 시간이 없어서, 아직 가보지 못했습니다. 선생님이 미술관에 가보신다면, 어떠셨는지 감상을 들려주시기 바랍니다.
끝맺는 인사 : 또 선생님께 편지를 쓰겠습니다. 건강에 주의하세요.

1⃣「昨日やっと熱が下がって、（　）。」：「熱が下がって、よくなった」⇒「仕事に行けるようになりました」

◆ [Aようになる] ＝「今はできる」 できなかった状態ができる状態に変化することを表す。become able to do something that one was unable to do before 表示从不能的状态到能的状态的变化 할 수 없었던 상태가 할 수 있는 상태로 변화하는 것을 나타낸다
A＝動詞・可能形

✏「1歳の娘が『ママ』と言えるようになった」

選択肢の言葉

1 [Aことになる] 参照 第3回 4⃣ 1
3 [Aはずがない] ＝「Aの可能性は考えられない」the possibility of A is unthinkable 不考虑A的可能性 A의 가능성은 생각할 수 없다 例「リーさんは先週中国へ帰ったから、今は日本にいるはずがない」
4 [てもかまわない] 参照 文の文法1【135】

2⃣「今年の風邪は長く続くそうですから、先生もお気を付けになってください。（　）、みどり町にできた新しい美術館にはもういらっしゃいましたか」：（　）の前は、風邪を引いたという話。（　）の後は、新しい美術館の話。（　）の前と後で話の内容が変わっている⇒「ところで」

◆ [A。ところで、B] ＝「A。話は変わりますが、B」B は A と違う新しい話題。"…A. Changing the subject, …B." B is a new topic different from A. "A。换个话题,B"。B是和A不同的新话题。 [A. 다른 얘기입니다만, B]B는 A 와 다른 새로운 화제

✏「やっと仕事が終わりましたね。帰りましょう。ところで、駅前に新しい映画館ができたのを知っていますか」

選択肢の言葉

1 [しかし]：前の文から予想されるのと反対のことを言う。say something contradictory to what is expected from the previous sentence(s) 说和前面文所预想的相反的事 전문에서 예상되는 것과 반대의 것을 얘기한다 例「山田さんに手紙を書きました。しかし、返事は来ませんでした」
2 [また] 参照 第8回 4⃣ ◆
4 [そして]：前の文に続くことを言う。例「3年前に日本に来ました。そして、去年日本の大学に入りました」「きのうは、新宿で友だちと食事をしました。そして、いっしょに映画を見ました」

3⃣「私もぜひ行ってみたいと思っていますが、なかなか（　）。」：「行きたいが行けない」という意味。「なかなか」のあとは「ない」がくる⇒「時間ができません」「時間ができる」＝「（自由な）時間が生まれる」

◆ [なかなか～ない] 参照 文の文法1【209】

4⃣「もしご覧になったら、ご感想を（　）。」：「見たら感想を聞かせてください」の敬語表現⇒「お聞かせください」

◆ [お～ください] 参照 文の文法1【11】

5⃣「では、またお便りいたします。（　）。」：「また、手紙を書きます。お元気で。さようなら」手紙の最後には、相手のことを書く⇒「お体にお気を付けて」：「お体」＝相手の身体

◆ [おA] A＝名詞
①相手に関係のあるものに「お」をつけて、尊敬の気持ちを表す。attach お to the words relating to the person to express respect 在与对方有关的东西前，加「お」，表示尊敬的心情 상대방과 관계있는 것에「お」를 붙여서, 존경의 마음을 나타낸다

✏️「お手紙、ありがとうございます」（相手が書いた手紙　the letter you wrote　对方写的信　상대방이 쓴 편지）
「お荷物をお持ちしましょう」（相手の荷物　your luggage　对方的行李　상대방의 짐）
②丁寧に言う。say politely　礼貌地说　정중하게 말하다
✏️「京都でお寺を見ました」「お花がきれいですね」
参考 漢語（漢字２字以上で表す名詞）には、「ご」をつける。Kango (nouns made up of two or more Kanji characters) are preceded by ご．汉语（两个汉字以上的名词），加「ご」．漢語（한자 2자이상으로 나타내는 명사）에는「ご」를 붙인다．
例「ご健康をお祈りします」（私が相手の健康を祈る　I pray for the person's health.　我为对方的健康祈愿．　내가 상대방의 건강을 기원한다）
「ご説明をします」（私が相手に説明する　I will explain to you.　我来向对方说明　내가 상대방에게 설명한다）
例外として、漢字２字以上で「お」を使うことばもある。There are some exceptions where two-Kanji-character words are preceded by お．作为例外，两个以上的汉字，也用「お」．예외로，한자 2자이상에「お」를 사용하는 단어도 있다
例「お電話」「お台所」「お荷物」「お料理」「お仕事」「お世話」

選択肢の言葉

1「では、また明日」：明日会う人と別れるときのあいさつ　greeting used when you part with someone who you are supposed to see the next day　和明天将要再见面的人分手时的寒暄语．　내일 만날 사람과 이별할 때의 인사
2「お世話になりました」参照 文の文法1【145】
4「どうぞご遠慮なく」参照 文の文法1【106】

第８回

正解 1 4　2 2　3 3　4 3　5 4

解説

文章の大意

人の体の中に水が足りなくなると、体の具合が悪くなる。「のどがかわいた」と感じたときは、脳から危険信号が出ているのだから、水を飲まなければいけない。水は何回かに分けて飲むほうがいい。運動をして汗をたくさんかいたときはスポーツドリンクを飲むほうがいい。しかし、スポーツドリンクには砂糖が入っているので、飲みすぎないように注意する。

When a human body lacks water, the person gets ill. When you feel thirsty, you need to drink water because your brain is signaling danger. It is better to drink water several times (than to drink a lot at a time). You might want to have a sports drink when you have perspired a lot after exercising. But be careful not to drink it too much because it contains sugar.　在人体内，如果水分不足，就会不舒服．「喉咙干渴」的时候，是大脑发出的危险信号，必须喝水．水分几次喝比较好．运动后大量出汗的时候喝运动饮料比较好．但是运动饮料中有很多砂糖注意不要喝得太多．　사람 체내에 물이 부족해지면, 몸 상태가 안좋아진다「목이 마르다」라고 느꼈을 때는, 뇌에서 위험신호를 내보내고 있는 것이므로, 물을 마시지 않으면 안된다. 물은 여러번에 나눠 마시는 것이 좋다. 운동을 하여 땀을 많이 흘렸을 때는 스포츠드링크를 마시는 것이 좋다. 그러나 스포츠드링크에는 설탕이 들어 있으므로, 많이 마시지 않도록 주의해야 한다.

1「夏は、（　　）たくさんの汗をかいて」：「夏は汗をかく」⇒「知らないうちに」
◆「知らないうちに」＝「気がつかない間に（何か変化が起こる）」without one's knowing it (something happens)　还没有注意到时, 已经发生了什么变化．　눈치 채지 못한 사이에（무엇인가 변화가 일어난다）　参照 文の文法1【105】
✏️「知らないうちに雨が止んでいた」「初めて会ったときは変な人だと思ったのに、知らないうちに彼が好きになっていた」When I first met him, I thought he was a weird person, but was later in love with him without my knowing it.　初次见面时觉得他是个怪人, 但是不知不觉中喜欢上他了．　처음 만났을 때는 이상한 사람이라고 생각했는데, 모르는 사이에 그를 좋아하게 되었다．

2「たくさんの汗をかいて、体の中の水が（　　）のです」：「汗をかいて体の中の水が少なくなる」⇒「足りなくなりやすい」
◆[やすい] 参照 文の文法1【37】【129】

選択肢の言葉

4「足りなくなることはない」＝「いつも足りている」
［Ａことはない］＝「Ａはない」　Ａ＝文　例「今は夏だから雪が降ることはない」
［Ａないことは（も）ない］＝「Ａする場合もある」actually do A sometimes/occasionally　做Ａ的时候　Ａ 하는 경우도 있다
［少しＡだ］例「私はお酒は好きではないが、飲まないこともない」I don't care for alcohol so much, but it's not that I do not drink.　我不喜欢喝酒, 但并不是一点不喝．　나는 술은 좋아하지 않지만, 마시지 않는 것도 아니다．

3「『のどがかわいたな』と感じたときは、（　　）という脳からの信号が出たときです」：「のどがかわいたと感じるのは、脳から水が足りないという信号が出たときだ」⇒水を飲まないと「体があぶない」

4「何回かに分けて飲んだほうがいいです。（　　）、スポーツなどでたくさん汗をかいたときには、水よりもスポーツドリンクを飲むほうがいいでしょう」：（　　）の前の文「水を分けて飲んだ方がいい」（　　）の後の文「水よりスポーツドリンクがいい」　前の文と後の文は、関係があるが、内容は別のこと⇒「また」
◆「また」：前の文と関係があることを続けて言う。continue saying things relating to the previous sentence　继续说和前文有关系的事．　전문과 관계있는 내용을 계속해서 말한다
✏️「来年は夏のオリンピックがあります。また、その２年後には冬のオリンピックがあります」

選択肢の言葉

1［Ａ。ところがＢ］：Ｂは、Ａから予想されることと合わないこと　B is contradictory to what is expected from A　B和从A所预想的不符合　Ｂ는 Ａ로 예상되는 것과 맞지 않는 것　例「天気予報で今日はいい天気だと言っていたので、かさを持たないで出かけた。ところが、帰るときに雨が降って、すっかりぬれてしまった」

2［Ａ。だからＢ］：ＡはＢの理由を表す　A explains the

reason for B　A表示B的理由　A는 B의 이유를 나타낸다　例「アニメが大好きで、将来アニメ作家になりたいと思っている。だから、日本でアニメの勉強をするために、日本に来た」

4[それなら]＝「それでは／その場合は」if so/in that case　那么／那个场合　그렇다면／그 경우는　参照　文の文法1【72】【91】【177】　例「え、京都へ行くの？それなら、私もいっしょに行きたい」
X「新しいテレビを買いたいなあ」Y「それなら、いい店があるよ」

5「ただし、砂糖が入っていますから（　　）。太ってしまうかもしれません」：「スポーツドリンクには砂糖が入っているから、たくさん飲むと太る」⇒「飲みすぎてはいけない」⇒「スポーツドリンクの飲みすぎには気を付けてください」

◆[すぎる]参照 文の文法1【211】

第9回

正解　1　2　2　4　3　3　4　3　5　3

解説

文章の大意

夏休みに、高校の仲間といっしょにボランティア活動に参加した。町の体育館には、台風の被害で自分の家に住めなくなった人たちが集まって生活していた。その人たちはとても不自由な生活をしていた。それなのに彼らはいつも明るく笑って、助け合って生活していた。自分がたいへんなのに、まわりの人にも気をつかっていて、すごいと思った。私は彼らから本当の強さを学んだと思う。

During the summer vacation, I participated in a volunteer activity together with my high shcool friends. In the town gymnasium, people who were forced out of their houses due to the typhoon were living together. They were having a very uncomfortable life there. However, they always laughed happily and were helping each other. I thought they were amazing because they were considerate to people around them when they themselves were having such a strenuous life. I think I have learned the real strength from them.　暑假中、和高中的同学一起参加了义务活动。在镇里的体育馆里，因台风家被毁坏的人们聚集在那里生活着。他们过着很不自由的生活。虽然这样，他们总是开朗地笑着，相互帮助地生活着。自己很艰难时，还能关心周围的人，很了不起。我觉得从他们身上学到了真正的坚强。　여름방학에 고등학교 친구와 함께 봉사활동에 참가했다. 마을 체육관에는 태풍의 피해로 자기 집에서 살 수 없게된 사람들이 모여 생활하고 있었다. 그 사람들은 정말 불편한 생활을 하고 있었다. 그런데도 그들은 언제나 밝게 웃으며, 서로 도와가며 생활하고 있었다. 자기자신이 힘든데, 주변사람에게도 신경을 쓰고 있어, 대단하다고 생각했다. 나는 그들로 부터 진정한 강인함을 배웠다고 생각한다.

1「聞いた（　　）、彼らが自分の家に……あと1か月はかかるだろうということでした」：「彼らが自分の家に……あと1か月はかかるだろう」と聞いた ⇒「聞いたところによると、……ということだ」

◆[聞いた／読んだ ところによると、Aということだ]＝「Aと聞いた／Aと読んだ／Aそうだ」「聞いた／読んだ 話ではAだ」　聞いたこと／読んだことを伝える表現　tell someone what one heard/read　转达 听到的事／读到的事 的表现　들은 내용／읽은 내용을 전하는 표현

例「聞いたところによると、木村さんが会社をやめてイタリアへ留学するということだ」

選択肢の言葉

1[にもかかわらず]参照 文の文法1【294】
3[ついでに]参照 文の文法1【247】
4[Aによれば（Bということだ／そうだ）]＝「Aから聞いた／読んだ話では（Bだ）」　Aは言った／書いた人を表す（Bは聞いたり読んだりした内容）　A is the person who said/wrote something, and B describes what the speaker heard/read.　A是说或写的人，B表示听到或读到的内容　A는 말한／쓴 사람, B는 듣거나 읽거나 한 내용을 나타낸다　例「田中さんの話によれば、山田課長がこの会社をやめて新しい会社をつくるということだ」

2「どんなにつらい（　　）と思いました」：「とてもつらいだろうと思った」⇒「どんなにつらいことかと思いました」

◆[どんなにAことか]＝「とてもAだろう」must be very/extremely A　很糟糕／肯定很A　대단히／매우 A 하겠지
「想像できないくらいAだ」unimaginably A　几乎难以想象地A　상상할 수 없을 정도로 A 다

Aは「うれしい」「かなしい」「驚いた」などの気持ちを表す。A refers to such feelings as "happy" "sad" "surprised" etc.　A是表示"高兴""悲伤""吃惊"等心情　A 는「기쁘다」「슬프다」「놀랍다」등의 기분을 나타낸다

例「彼女が小学生のときに両親が交通事故で亡くなったそうだ。どんなに悲しかったことかと思う」I've heard her parents passed away in a traffic accident when she was an elementary school student. How sad she must have been!　她在上小学的时候，父母因交通事故而身亡。很难想象她有多么悲痛　그녀가 초등학생일 때 양부모가 교통사고로 돌아가셨다고 한다. 얼마나 슬펐을까란 생각이 든다.

選択肢の言葉

1[べきだ]参照 文の文法1【297】
2[Aはずだ]参照 第4回 **3**◆
3[Aものだ]参照 第10回 **4**◆

3「どんなにつらい②ことかと思いました。それでも、彼らは私たちにぜんぜん悲しい表情を見せませんでした。（　　）、いつもにこにこ笑いながら、助け合って生活していました」：「つらいだろうと思うのに、悲しい表情をしないで、反対ににこにこしている」⇒「それどころか」

◆「それどころか」＝「そうではなくて／反対に」on the contrary　并不是这样／相反　그렇지 않고／반대로（予想した程度とは大きく違っていたり、予想とは違うことを表す　used when something is very different from what was expected　和预想的程度有很大不同，表示和预想的事不同　예상한 정도와 크게 틀리거나, 예상과는 다른 것을 나타낸다）

例X「俳優のタツヤは結婚しているんだってね」Y「それどころか、子どもが3人もいるらしいよ」X「ええ？あんなに若いのに？」X "I've heard the actor Tatsuya is married." Y "Besides, he has as many as three children, I hear." X "What? At such a young age?"　X"演员达也已经结婚了。"Y"不只是这样，还有3

个孩子呢."X"真的啊? 还那么年轻? " X 배우 타츠야는 이미 결혼했다며. Y 심지어 아이가 3명이나 있대 X 뭐? 저렇게 젊은데?

選択肢の言葉

1 「というのは、～からだ」 参照 文の文法1【148】

2 「それでも」＝「それなのに」 後ろの文は、前の文から普通に考えられることと違うこと。This follows a sentence contradictory to the resulting situation of the previous sentence. 后面的句子，和一般从前面的句子来考虑的事不同。 후문은 전문으로 부터 보통 생각할 수 있는 내용과 다른 것 例「雨が降っている。それでも、あの人たちはゴルフをしている」

4 「もっとも」＝「でも」（前の文の一部を訂正する correct a part of the previous statement 订正前面的句子的一部分 전문의 일부를 정정한다）例「バス料金が高くなるらしいね。もっとも、私は自転車だから関係ないけど」I've heard the bus fare is going to rise. I'm fine though because I use the bicycle. 坐巴士好像要涨价了。我本来就是骑自行车的，没关系。 버스요금이 비싸진다고 하네. 하기야 나는 자전거를 타니 상관없지만.

4 「私たちに『せっかくの夏休みなのに、来てくれてありがとう。（　　）』と声をかけてくれました」:（　　）は「私たち」がよろこぶこと⇒「若いのにえらいね」

◆［A（人）が（私に）Bてくれる］＝「AがBする」 B＝動詞・て形　Bは私（話者）がうれしいと思うこと。B refers to what the speaker feels happy about. B是我认为高兴的事。B는 내 (화자) 가 기쁘다고 여기는 것

✏️「田中さんが私の仕事を手伝ってくれました」

◆［のに］参照 文の文法1【286】

選択肢の言葉

1［AからB］AはBの理由。例「天気がいいから出かけよう」

5「この夏のボランティアで出会った人たちに、私は本当の強さを（　　）気がします」:「ボランティアをして、本当の強さがわかった」⇒「出会った人たちに本当の強さを教えてもらった」

◆［（私は）A（人）にBてもらう］＝「AがBする」 B＝動詞・て形　例「田中さんに仕事を手伝ってもらいました」I got Mr. Tanaka to help me with the work. 让田中帮我工作了。 다나까씨에게 일을 도움받았습니다.

選択肢の言葉

1 「教えさせた」:「教える」の使役形 causative 使令式 사역형 参照 文の文法1【3】【144】【174】

2「教えてくれた」:「私は～を」に続くのは「（～て）もらった」。×「私は～をくれた」 〇「ボランティアの人たちは私に本当の強さを教えてくれた」

4 「教えてあげた」例「ノアさんは田中さんにフランス語を教えてあげた」（ノアさん：フランス語を教えた　田中さん：フランス語を勉強した）

第10回

正解 1 2 2 3 3 3 4 3 5 2

解説
文章の大意

家が火事になったときの注意
〇消火器をすぐに使えるように、近くに置いておく。使い方も知っておく。 〇火が天井まで広がったら、消火器は使えないので、自分たちで火を消そうとしないで、逃げる。 〇「火事だ」とさけんだり、大きな音を出したりして近所の人に知らせる。 〇119番に電話をかける。電話では、火事の場所や様子など必要なことを落ち着いて知らせる。このようなときにあわてないで家までの道順を知らせるために、普段から考えて準備するといい。

what to do when the house is on fire 〇 Keep the fire extinguisher nearby so you can use it any time. Learn how to use it. 〇 If the fire spreads up to the ceiling, do not try to extinguish the fire on your own, and run away. 〇 Scream "Fire!" or make loud noises to let the neighbors know. 〇 Call 119. Tell them calmly the essential things like the location of the fire, how the fire is burning, etc. It is advised you prepare yourself in this kind of situation to tell them the directions to the house without losing your composure. 当家里着火时的注意事项〇为了马上可以使用，灭火器请放在近处。清楚地了解使用方法。 〇如果火烧到天花板，或者蔓延开来，请不要自己灭火，快逃。 〇请大叫"着火了。"，发出很大的声音让周围的人知道。 〇打电话给119。在电话中沉着地将火灾的地点，情况等必要事项告知对方。为了在这种时候不慌乱，平时就把来家里的路线等考虑清楚，准备好的话就好了。 집에 불이 났을 때의 주의〇소화기를 바로 사용할 수 있도록, 근처에 놔 둔다. 사용법도 알아 둔다 〇불이 천정까지 번지면, 소화기를 사용하지 말고, 자신들이 불을 끄려고 하지 말고, 도망간다 〇 [불이야] 라고 소리 치거나, 큰 소리를 내거나 하여 주변 사람들에게 알린다 〇119 번에 전화를 건다. 전화로 화재의 장소나 상황등 필요한 내용을 침착하게 알린다. 이럴때 당황하지 말고 집까지 오는 길을 알려.

💡

1 「もし、家が火事になったらどのように（　　）。」:「火事になったらどうしたらいいか」⇒「どのように**行動すればいいでしょうか**」

◆［疑問詞＋Aばいい ですか／でしょうか］ A＝動詞・ば形　参照 文の文法1【193】

✏️a「書類の書き方がわからないときはだれに聞けばいいですか」 b 「事務の青山さんに聞けばいいですよ」

選択肢の言葉

1 「行動させます」は「行動する」の使役形。行動するのは自分ではない。参照 文の文法1【3】【144】【174】 例「課長はいつもみんなに掃除をさせて、自分はやらない」The Section Chief always makes others do the cleaning, and never does it himself. 科长总是让大家大扫除，自己不干。과장님은 항상 모두에게 청소를 시키고, 자신은 하지 않는다.

3 「行動させられます」は「行動する」の使役受身形。他の人が自分に「～しなさい」と言う causative passive. Someone tells you "do something." 使令被动态. 自己被人说 "请做~" 사역수동형. 다른 사람이 자신에게 「～하세요」라고 말한다 参照 文の文法1【54】 例「この会社の社員はいつも残業させられている」The employees of this company are made to work overtime all the time. 这个公司的职员总是被要求加班。 이 회사 사원은 항상 잔업하게 된다.

4 「行動するわけでしょうか」:行動する理由を考えている wondering the reason for doing something 考虑行动的理由 행동하는 이유를 생각하고 있다

◇ [わけだ] 参照 文の文法1【138】

[2]「もし火が天井に届くほど広がったら、自分たちだけで火を（　　）のは危険です」:「自分で火を消すのは危険だ」⇒「火を消そうとする」

◆ [A（よ）うとする] =「Aしたいと強く思う」 A（よ）う＝動詞・意向形 volitional verb 動詞・意向式 동사・의향형

🖊「猫が外へ出ようとして、ドアの前で待っている」

選択肢の言葉

1 [Aている] A=動詞・て形 ①今の状態を表す。expresses present state 表示现在的状态 지금의 상태를 나타낸다 例「部屋の電気が消えている。あの部屋にはだれもいないようだ」「今夜は月が出ている」 ②今進行している動作を表す。expresses a progressive action 表示现在正在进行的动作 지금 진행하고 있는 동작을 나타낸다 例:a「レポートはできましたか」b「今書いています。もう少し待ってください」

2 [Aそうになる] A almost takes place A 变成这样 A 할 것 같다 A=動詞・ます形 参照 文の文法1【189】 例「風が吹くとろうそくの火が消えそうになる」 The candle fire almost goes out when the wind blows. 风吹时候, 蜡烛的火像要吹灭似的。 바람이 불면 촛불이 꺼질 것 같다. 「道の真ん中にあった大きな石につまずきそうになった」 I almost stumbled over this huge stone that was on the middle of the road. 差一点被道路中间的大石头绊倒。 길 한가운데에 있던 큰 돌에 걸려 넘어질 뻔했다.

4 [Aつもりだ] =「Aしようと思っている」 A=動詞・辞書形/ない形 例「仕事が終わったら同僚とビールを飲みに行くつもりだ」 After work we are going to go for some beer with our colleagues. 工作结束后, 想同事一起去喝一杯。 일이 끝나면 동료와 맥주를 마시러 갈 생각이다.「夏休みにはスペインへ行くつもりだ」

[3]「声が出なければ、やかんやなべなどをたたいて知らせる（　　）ください」:「音を出して知らせてください」⇒「知らせるようにしてください」

◆ [Aようにする] =「努力してAする」 try hard to do A 努力地做 A 노력하여 A 하다 参照 文の文法1【264】

🖊「遅刻しないようにしてください」 Try not to be late. 请不要迟到。 지각하지 않도록 해 주세요.

選択肢の言葉

1 [Aようになる] =「(前はAしなかったが) 今はAする/(前はAしたが) 今はAしない」 A=動詞・辞書形 例「最近、年をとって、よく忘れるようになった」 I'm getting old and often forget things recently. 最近, 年纪大了。变得健忘了。 요즘 나이를 먹어 자주 잊어버리게 되었다.

2 [Aことにする] 参照 文の文法1【14】

4 [Aことになる] 参照 第3回 [4] 1

[4]「このようなときは、だれでもあわてて、いつものように話せなくなってしまう（　　）。」:「こんなときはみんな話せなくなってしまうのが普通だ」⇒「話せなくなってしまうものです」

◆ [Aものだ] =「Aが普通だ/一般的にAだ」 A is common/generally A A是普通的/一般是A。 A 가 보통이다/일반적으로 A 다

🖊「学生は勉強するものだ」「赤ちゃんは泣くものだ」

参考 [ものだ] には、別の使い方もある。

①驚きなどの気持ちを強く表す。expresses surprise emphatically 强烈表示吃惊的心情。 놀라움과 같은 기분을 나타낸다 例「2人でビール10本飲んだ。よく飲んだものだ」 We two drank 10 bottles of beer together. I cannot believe we drank that much. 两个人喝了十瓶啤酒。真会喝啊。 둘이서 맥주 10병을 마셨다. 잘도 마셨다.

②昔よくやったことを言う。例「子どものころ、私たちはこの川でよく泳いだものだ」

選択肢の言葉

1 [Aはずがない] =「Aの可能性は考えられない」 There is no possibility of A 很难考虑A的可能性 A 의 가능성은 생각할 수 없다 例「リーさんは先週中国へ帰ったから、今は日本にいるはずがない」

2 [わけだ] 参照 文の文法1【138】

4 [ほかない] 参照 文の文法1【90】

[5]「万一のときのために、自宅までの道をどのように伝えるか、（　　）。」:「自宅までの道をどう伝えるか考えておいた方がいい」⇒「考えておくといいでしょう」

◆ [ておく] 参照 文の文法1【126】

◆ [Aといい] =「Aがいい/Aすればいい/Aを勧める」 A is recommended/I suggest you do A/I recommend A A好/做A好/建议A A 가 좋다/A 하면 좋다/A 를 권하다

🖊「疲れたときは寝るといい」

選択肢の言葉

1「伝えておけばいいでしょう」=「困らないように先に伝えるといい」

◇ [ばいい] 参照 文の文法1【193】

3「言っておくべきです」=「(困らないように) 先に言うのが当然だ」 You must tell them in advance (so you won't be in trouble) (为了不要不知所措) 先说是当然的。 (곤란하지 않도록) 먼저 얘기하는 것이 당연하다

◇ [べき] 参照 文の文法1【297】

4「調べておくはずでしょう」=「(困らないように)、きっと先に調べると思う」 maybe they will check it in advance (so they won't be in trouble) (为了不要不知所措), 我想一定要先调查。 (곤란하지 않도록) 필시 먼저 알아볼 것이라 생각한다

◇ [ておく] 参照 文の文法1【126】

◇ [Aはずだ] 参照 第4回 [3] ◆